LE QUÉBEC ET LA RESTRUCTURATION DU CANADA

Sous la direction de Louis Balthazar,
Guy Laforest et Vincent Lemieux

LE QUÉBEC
ET LA RESTRUCTURATION
DU CANADA
1980-1992

Enjeux et perspectives

Données de catalogage avant publication (Canada)

Vedette principale au titre:

Le Québec et la restructuration du Canada: enjeux et perspectives

Comprend des références bibliographiques.

ISBN 2-921114-63-1

1. Québec (Province) - Politique et gouvernement - 1985 . 2. Québec (Province)-
Politique et gouvernement - 1976-1985. Relations fédérales-provinciales (Canada) -
Québec (Province). 4. Canada - Constitution - Amendemants. 5. Accord
constitutionnel du Lac Meech, 1987. I. Balthazar, Louis. II. Laforest, Guy, 1955- .
III. Lemieux, Vincent, 1933- .

FC2925.2.Q42   1991   971.4'04   C91-090871-0
F1053.2.Q42   1991

Dépôt légal – 4ᵉ trimestre 1991
Bibliothèque nationale du Québec

© Les éditions du Septentrion
1300, av. Maguire
Sillery (Québec)
G1T 1Z3

Diffusion Dimedia
539, boul. Lebeau
Saint-Laurent (Québec)
H4N 1S2

Introduction

Louis Balthazar, Guy Laforest, Vincent Lemieux

L'idée de ce livre remonte au fond au 9 novembre 1989. Ce jour-là, au beau milieu d'un automne fertile en bouleversements pour l'Europe et le monde, le mur de Berlin s'effondra pour de bon. C'était le signal d'un processus d'accélération de l'histoire qui a donné lieu, en moins de deux ans, à la réunification de l'Allemagne, au démembrement du glacis soviétique et du système socialiste en Europe de l'Est, à la partition de l'U.R.S.S. et à la fin du pouvoir communiste dans le pays de Lénine. Ce jour-là également eut lieu à Ottawa l'avant-dernière conférence réunissant le premier ministre du Canada et ses homologues provinciaux dans la désormais célèbre saga de l'accord du lac Meech. Ce même 9 novembre, les responsables et plusieurs collaborateurs de l'ouvrage que nous présentons aujourd'hui s'étaient rassemblés dans la salle du conseil de la Faculté des sciences sociales de l'Université Laval pour écouter un exposé du professeur Gérard Bergeron. Ce dernier nous parla d'un voyage fait au Bas-Canada en 1831 par nul autre qu'un des grands maîtres des études politiques, Alexis de Tocqueville. Il y a quelque cent soixante ans Tocqueville s'émerveillait de l'existence chez nous d'une société distincte et française! Dans les échanges qui suivirent l'exposé, il fut beaucoup question de constitution et de cette notion de société distincte qui était en train de faire déraper l'accord du lac Meech au Canada anglais. Quelques mois plus tard, avec l'échec de Meech, le mouvement d'accélération de l'histoire gagnerait notre propre société.

Les professeurs du département de science politique de l'Université Laval ne sont pas restés insensibles devant tous ces bouleversements affectant la vie politique du Québec et du Canada. Désireux de respecter la tradition d'engagement dans l'analyse qui a toujours caractérisé la Faculté des sciences sociales de Laval et ses professeurs lorsque notre société était en proie à des crises, nous avons mis sur pied, dès la fin de l'été 1990, un groupe d'étude sur les enjeux et les perspectives de la restructuration dans les rapports entre le Québec et le Canada. D'octobre 1990 à 1991 ce groupe d'étude, opérant sous le couvert du Cercle de réflexion politique et sociale, tint des séances régulières pour permettre à des conférenciers de s'exprimer sur diverses facettes de la problématique de la restructuration, et de bénéficier par le fait même d'échanges prolongés avec leurs collègues. Les séances de travail du Cercle, il est opportun de le rappeler, n'étaient pas réservées aux seuls professeurs du département de science politique. Les étudiants gradués, des professeurs en droit, histoire et sociologie, de même que des collègues rattachés à l'École nationale d'administration publique et à l'Institut québécois de recherche sur la culture, ont participé aux travaux de notre groupe.

Dès le départ, les travaux du Cercle de réflexion politique et sociale sur le Québec et la restructuration du Canada furent orientés en fonction de la publication d'un ouvrage collectif. Il s'agissait de définir une thématique ouverte à toutes les approches méthodologiques, à toutes les perspectives qu'offre la science politique. Nous n'étions pas à la recherche du consensus. Comme le rappelait le sociologue Marcel Fournier lors du colloque du cinquantième anniversaire de la Faculté des sciences sociales de l'Université Laval, «La condition de la démocratie n'est pas nécessairement le consensus, c'est-à-dire l'unité des valeurs et des catégories de pensée.» Nous croyions en l'importance de débats en nos murs sur une question aussi fondamentale. Nous voulions ainsi répondre à l'appel lancé par notre collègue Léon Dion au même colloque, alors qu'il invitait les membres de la Faculté à refaire de cette institution, «un lieu privilégié, non seulement d'analyse positive et de service, mais aussi d'animation, de discussion, de débats publics...»

Notre livre prend le relais d'un ouvrage collectif publié en 1980, *L'État du Québec en devenir*, sous la direction de Gérard Bergeron et Réjean Pelletier. Ces derniers avaient supervisé les travaux d'un groupe de professeurs du département de science politique associés à un projet de recherche connu sous le nom de DYSEQ (dynamique sociale de l'État du Québec). *L'État du Québec en devenir* analysait la métamorphose de l'État québécois depuis l'avènement de la Révolution tranquille, de même que les rapports contradictoires entre État et société. Le livre se penchait également sur la place du Québec dans le fédéralisme canadien et sur son rôle dans l'arène internationale. La période de gestation du livre que le lecteur a sous les yeux, *Le Québec et la restructuration du Canada (1980-1992)*, a été plus courte que celle de son prédécesseur. Les événements ne nous ont pas laissé d'autre choix.

La surchauffe actuelle du système politique canadien et québécois fut une des hypothèses retenues par nos collègues dans leurs réflexions sur notre devenir au tournant de 1980. Dès cette époque, Gérard Bergeron diagnostiquait une crise d'identification collective dans la société québécoise, plus importante que les problèmes relevant de la participation ou de la distribution, «d'où son évolution en crise de légitimation politique mettant en cause le principe de légitimité de l'ensemble du système fédératif canadien.» Cette crise d'identification et ces interrogations sur la légitimité ont été exacerbées par l'adoption en 1982 d'une nouvelle constitution canadienne, sans le consentement du Québec, et par l'échec ultime d'un accord signé à l'unanimité par le premier ministre fédéral et ses homologues provinciaux en 1987, accord reconnaissant explicitement le Québec à titre de société distincte.

Notre livre étudie la nature et les conséquences d'une restructuration constitutionnelle du Canada qui s'est faite sans le Québec en 1982. Il porte aussi sur les conceptions de l'identité nationale et de la communauté politique qui se sont entrechoquées dans l'aventure du lac Meech. Enfin, il échafaude un certain nombre de scénarios pour délimiter les frontières du possible pour le Canada et le Québec en 1991-1992. Nous écrivons dans une conjoncture où l'incertitude constitutionnelle et politique semble avoir atteint son paroxysme. Notre ouvrage se termine au moment où le gouvernement fédéral a mis sur la table une offre complexe de renouvellement du fédéralisme. Le Québec analysera cette offre et y réagira officiellement par le biais des commissions créées en vertu de la Loi 150, sur la souveraineté et sur toute offre de partenariat constitutionnel. Chacun d'entre nous participera à sa façon à cet effort de réflexion sur notre avenir collectif. Plutôt que de coller à la conjecture les auteurs de ce livre choisissent de soumettre à l'attention des lecteurs des études qui, pensons-nous, permettront de comprendre et d'interpréter la suite des événements.

D'entrée de jeu, il nous faut prévenir les lectrices et les lecteurs de ce livre. Nos collaborateurs et nous ne parviendrons sans doute pas à faire disparaître leurs doutes. D'ailleurs, nous sommes loin d'être tous du même avis! Le pluralisme politique de la société québécoise rayonne aussi à l'intérieur des institutions où nous œuvrons. Nous souhaitons seulement contribuer individuellement et collectivement, à enrichir le débat public. Comme notre collègue Diane Lamoureux le rappelle dans son texte, telle est l'une des tâches fondamentales des intellectuels.

Les études qui forment la trame de notre livre attaquent sous des angles divers, et avec toute une gamme de démarches méthodologiques, cette vaste question de la restructuration des rapports entre le Québec et le Canada. Énumérons brièvement les thèmes retenus par les auteurs: l'évolution de l'État du Québec depuis 1980, les modèles constitutionnels susceptibles de s'imposer, les conflits entre les identités nationales au Canada et au Québec, l'interprétation de la réforme constitutionnelle de 1982 et son influence sur le système politique, l'accord du lac Meech, le rôle des intellectuels dans le débat actuel. Les auteurs des quatre derniers chapitres se sont lancés dans l'aventure des scénarios, à propos du rôle des partis, des relations internationales du Québec après l'échec du lac Meech, et des relations Québec-Canada dans leur ensemble.

Au début de chaque chapitre, les lecteurs trouveront un paragraphe résumant chaque texte et rappelant les liens qui s'imposent entre eux.

L'État du Québec, dix ans plus tard (1980-1990)

Réjean Pelletier

Il y a une dizaine d'années, dans la conclusion de l'*État du Québec en devenir*, Réjean Pelletier soulignait toute l'importance de la révision constitutionnelle qui s'amorçait dans la foulée du référendum québécois. Une impasse ou un échec dans ce processus de changement, écrivait-il alors, risquerait de déboucher sur la crise la plus profonde dans l'histoire de ce pays. Nous vivons en 1991-1992 dans la tourmente de cette crise évoquée par Pelletier. Pour bien faire comprendre la situation du Québec en ces temps incertains, Pelletier propose dans ce chapitre un bilan de l'évolution de l'État provincial au cours de la dernière décennie. Son parcours des autres grands axes que sont les appareils législatif, exécutif, administratif et judiciaire révèle que l'État québécois, bien que toujours présent, n'a pas échappé à la morosité consécutive à la récession de 1982-1983, pas plus qu'au mouvement de contraction associé au néo-libéralisme. Tant au plan politico-constitutionnel que sur le front social, l'État du Québec paraissait en veilleuse au tournant des années quatre-vingt-dix. Réjean Pelletier est professeur titulaire au département de science politique de l'Université Laval.

1

L'État du Québec dix ans plus tard (1980-1990)

Réjean Pelletier

Quelques mois à peine après le référendum de mai 1980 au Québec paraissait un ouvrage qui faisait le point sur l'État du Québec depuis 1960[1]. Fruit de la collaboration de plusieurs auteurs impliqués dans le projet collectif de recherche «Dynamique sociale de l'État du Québec» animé par Gérard Bergeron, cet ouvrage avait été à l'époque fort bien accueilli par la critique.

Dix ans plus tard, à l'aube de la décennie 90, il convient de faire le point sur l'État du Québec. Sans reprendre les douze chapitres qui composent cet ouvrage — il faudrait alors en écrire un autre —, j'ai plutôt centré ma réflexion sur l'État lui-même. Pour ce faire, je tenterai tout d'abord d'établir un bilan de la décennie 80 quant aux quatre grandes composantes internes de l'État, celui-ci se structurant autour de ses législateurs (appareil législatif), de ses gouvernants (appareil gouvernemental), de ses administrateurs (appareil administratif) et de ses juges (appareil judiciaire). Ensuite, je ferai état des critiques formulées à l'encontre de l'État aussi bien durant les années 70 que durant les années 80 afin de mettre en valeur les différences majeures qui les opposent. Enfin, je soulignerai la situation actuelle de l'État québécois qui apparaît comme un État «en veilleuse», sans que cela entraîne un net renforcement de la société civile.

Mais qu'entend-on par l'État? Ni l'instrument d'une classe tel que préconisé par les marxistes et même les néo-marxistes, ni un simple arbitre entre des groupes en compétition comme chez les pluralistes et même les néo-pluralistes, l'État peut se définir essentiellement comme une *organisation* ou, plus exactement, comme une macro-organisation. Pour reprendre la définition de Charles Tilly[2] qui m'apparaît toujours fort pertinente, c'est une organisation qui contrôle la population occupant un territoire dans la mesure où elle est différenciée des autres organisations opérant sur le même territoire (par exemple, les Églises), où elle est autonome (par ses moyens d'action comme la bureaucratie, la police, l'armée), où elle est centralisée (par la mise en place d'un centre de décision et d'opération) et où ses subdivisions sont coordonnées les unes avec les autres. Une telle définition me semble convenir parfaitement bien à la situation de l'État québécois, surtout depuis une trentaine d'années.

UN ÉTAT TOUJOURS PRÉSENT

L'appareil législatif: une réforme avortée

Si l'on a pu parler de supériorité du législatif par son caractère de légitimité supérieure en référence à la souveraineté du Parlement et à la suprématie de la loi[3], il convient alors de scruter en premier lieu l'appareil législatif dans cette enquête sur l'État du Québec au cours de la décennie 80.

On peut faire remonter jusqu'à 1963 les premières grandes tentatives pour réformer le parlementarisme québécois. Tout au long des années 70 se sont succédé des rapports proposant des modifications au système parlementaire en mettant surtout l'accent sur le travail en commissions.

À la suite du rapport Vaugeois[4] qui voulait assurer un meilleur équilibre entre le gouvernement, la fonction publique et l'Assemblée nationale, on a enfin mis en place la réforme de 1984 qui se démarque, sous certains aspects, des recommandations du rapport en question. Deux orientations majeures guident cette réforme. D'un côté, on veut donner à l'Assemblée nationale un minimum d'*indépendance* face à l'exécutif ou au gouvernemental en lui assurant un meilleur contrôle de son budget et de son administration: la création d'un Bureau de l'Assemblée nationale — d'où sont exclus les ministres — est venue concrétiser cette première orientation. De l'autre, on veut assurer une plus grande *autonomie* aux commissions parlementaires en les dotant d'un pouvoir d'initiative touchant aussi bien l'étude de la réglementation et la surveillance des organismes publics que la capacité d'effectuer des enquêtes sur des sujets particuliers. Les parlementaires ont cependant préféré maintenir la formule des commissions sectorielles et multifonctionnelles (déjà en place) que celle des commissions fonctionnelles préconisées dans le rapport Vaugeois.

Cette réforme avait à l'époque suscité de grands espoirs, mais elle n'a pas produit les résultats escomptés[5]. Certes, la création du Bureau de l'Assemblée nationale a assuré un minimum d'indépendance à l'égard de l'exécutif qui avait jusque-là assuré son contrôle sur le budget et l'administration de l'Assemblée nationale. Certes, la réforme des commissions parlementaires a contribué à améliorer le fonctionnement du parlementarisme québécois. Mais l'idée d'accorder une plus grande autonomie à ces commissions en les dotant d'un pouvoir d'initiative qui les affranchirait de la tutelle gouvernementale est demeurée une vaste utopie et le sera toujours tant que l'on maintiendra le système parlementaire actuel.

Dans la grande majorité des cas (80%), les commissions sont chargées — et ce, d'une façon prioritaire — de remplir les mandats qui leur sont confiés par l'Assemblée nationale, c'est-à-dire pratiquement par le leader du gouvernement en Chambre: il s'agit essentiellement d'étudier les divers projets de loi émanant du gouvernement et d'examiner les crédits budgétaires[6]. Un peu moins de 20% des mandats dont sont saisies les commissions sont prévus par le Règlement ou par une loi: vérifier les engagements financiers, scruter les activités d'organismes publics, examiner la politique budgétaire ou étudier des rapports comme ceux du Vérificateur général et du Protecteur du citoyen constituent l'essentiel de ces activités. Un peu moins de 2% des mandats relèvent d'une pleine *initiative* de la commission elle-même. Ce sont précisément ces mandats qui nous autoriseraient à parler d'une véritable autonomie des commissions parlementaires et, comme on peut le constater, ils ont été peu nombreux depuis la réforme de 1984. Si ces mandats ont pu porter sur des questions importantes, comme l'évolution de la population du Québec, le financement des universités, la relève et le financement agricoles, les impacts sur l'environnement des grands projets industriels, ils n'ont pas vraiment produit les résultats escomptés en ce sens qu'ils ne se sont pas traduits en intentions législatives. Les rapports déposés par les commissions ont plutôt servi à alimenter la réflexion du gouvernement et du public sur un sujet d'importance.

En ce début de la décennie 90, où en est la démocratie parlementaire? Si le Parlement peut encore se définir comme un forum démocratique, un lieu où s'exprime le débat public sur des matières qui touchent la population, il faut dire que les parlementaires sont, à l'heure actuelle, largement concurrencés par d'autres, comme les porte-parole des groupes, les journalistes, les intellectuels, les universitaires et même les simples citoyens, qui sont appelés ou qui vont vouloir se prononcer sur les questions qui les concernent. Surtout, le travail en Chambre et en commissions parlementaires est fortement marqué par la cohésion des partis, ce que certains ont appelé «la cage de fer» de la discipline de partis[7]. Ce qui fait que les divisions partisanes sont très fortes et que les commissions ont tendance à reproduire l'assemblée en miniature. À ceci s'ajoute l'omniprésence, sinon l'omnipuissance, des ministres aussi bien en Chambre que dans les commissions si bien que le gouvernement contrôle pratiquement l'appareil législatif. Bien plus, le député lui-même n'est pas toujours intéressé à utiliser à son profit les réformes introduites au cours des années. Il cherche des retombées à court terme, non à long terme, ayant le plus souvent les yeux rivés sur la prochaine échéance électorale. Plus qu'un législateur ou même un contrôleur, le simple député aime se définir comme un intermédiaire, celui qui représente vraiment les intérêts de ses commettants.

Dans cette perspective, on peut parler d'un appareil législatif qui n'a pas vraiment pris son envol. Et à cet égard, la réforme de 1984 n'a pas changé fondamentalement le fonctionnement du parlementarisme québécois.

L'appareil gouvernemental: centralisation et collégialité

Si l'on pouvait parler de supériorité juridique des législateurs comme dépositaires de légitimité, il faut reconnaître au sein de l'État la primauté fonctionnelle des gouvernants par leur caractère d'indispensabilité et leur rôle d'animateur de l'ensemble[8].

Ce qui caractérise l'appareil gouvernemental au cours des années 80, c'est que se poursuit la tendance à la *centralisation* autour du premier ministre. Certains avaient déjà évoqué cette situation dans le cas canadien[9] ou britannique[10] dès la décennie antérieure, comparant alors ou, à tout le moins, établissant un parallèle entre le premier ministre en système parlementaire et le président américain. Sans aller aussi loin dans cette comparaison en ce qui touche le Québec, on peut tout de même noter l'importance grandissante et le développement considérable de deux organismes d'appui au premier ministre, soit le bureau du premier ministre et le ministère du Conseil exécutif. Non seulement le personnel s'y est-il accru, mais encore faut-il souligner l'importance des postes qu'on y retrouve (comme celui de secrétaire général du conseil exécutif et celui de chef de cabinet du premier ministre) et la qualité des personnes qui les occupent. La croissance de ces deux organismes a contribué à renforcer les pouvoirs du premier ministre qui peut désormais compter sur un personnel accru et compétent. Tous les principaux dossiers ont ainsi tendance à converger ultimement vers la personne même du premier ministre après avoir transité par ces deux organismes qui vont servir entre-temps à aplanir les difficultés et à concilier les divergences.

Cette tendance à la centralisation — qui est d'ailleurs l'une des caractéristiques des organisations modernes — a pu être renforcée par la disparition de l'important comité des priorités au sein du conseil des ministres. Depuis le retour au pouvoir du Parti libéral en 1985, le premier ministre Bourassa n'a pas cru nécessaire de maintenir parmi les différents comités ministériels celui qui était appelé à agir comme instrument de coordination des activités gouvernementales et d'établissement des grandes priorités d'action. Un tel comité des priorités existait sous les gouvernements péquistes de René Lévesque et de Pierre-Marc Johnson et même sous le premier gouvernement de Robert Bourassa. Bien plus, au cours de son premier mandat, le gouvernement Lévesque avait mis sur pied des comités ministériels de planification et de coordination au développement social, économique et culturel, à l'aménagement, à la réforme électorale et parlementaire, et plus tard à la condition féminine, chacun étant présidé par un ministre d'État. Ces postes de ministres d'État furent abolis en 1982.

Ces expériences, comme le rappelait Louis Bernard[11], ont favorisé une approche collective de coordination plutôt que de faire évoluer le système dans le sens de la centralisation et d'un arbitrage entre les dossiers qui s'effectuerait au sein de ces grands comités. Cependant, leur disparition est de nature à renforcer le rôle même du premier ministre en l'absence de mécanismes de coordination et d'arbitrage autres que le ministère du Conseil exécutif et le bureau du premier ministre et, de ce fait, à accroître la centralisation.

Il faut toutefois souligner que, contrairement à la situation qui prévaut à Ottawa où le comité des priorités, présidé par le premier ministre, constitue un véritable «inner cabinet» où se prennent des décisions, celui du Québec n'a pas joué un rôle aussi important. Le conseil des ministres est demeuré un organe de décision au sein duquel le premier ministre est appelé à dégager un consensus et, à l'occasion, à refuser certaines options. Cette *collégialité* dans la prise de décision différencie nettement le système québécois du système américain et même du système canadien.

En somme, si le premier ministre québécois peut être comparé à un véritable monarque par l'étendue de ses pouvoirs, il ne bénéficie pas d'un pouvoir absolu puisqu'il doit partager son autorité avec le puissant conseil des ministres. En ce sens, la tendance à la centralisation qui caractérise l'appareil gouvernemental québécois est tempérée par une forte dose de collégialité dans la prise de décision. Mais s'il n'y a pas centralisation entre les mains du seul premier ministre, on peut tout de même constater que cette centralisation joue en faveur du conseil des ministres présidé par le premier ministre.

L'appareil administratif: bureaucratisation et morosité

À l'aube de la décennie 80, Antoine Ambroise et Jocelyn Jacques avaient dégagé trois grandes phases qui caractérisaient l'évolution de l'appareil administratif québécois depuis les débuts de la Révolution tranquille[12].

Tout d'abord, une période de construction qui s'étend de 1960 à 1970. C'est une phase de prise en main des grands dossiers de l'État par l'administration, celle de vastes projets de réforme où s'imposent les grands technocrates. Elle est suivie d'une période de consolidation (1970-76) où il s'agit précisément de consolider les acquis, de ralentir le rythme des réformes, sauf dans le secteur de la santé. Déjà on prend conscience des limites de l'action étatique à un moment où l'on ressent les premières crises budgétaires. La troisième phase sera celle de la maturation avec l'élection du Parti québécois: il s'agit alors de compléter l'État et son administration. Cette période, pourrait-on ajouter, se termine abruptement avec la dure crise qui va secouer les finances de l'État en 1982-84 et frapper la fonction publique québécoise.

Durant toutes ces années et durant la décennie 80, on assiste sans contredit à un phénomène de *bureaucratisation* de la gestion de la fonction publique[13]. En cherchant à rationaliser cette gestion, on sera appelé à mettre en place des mécanismes de recrutement par voie de concours et un système de promotion au mérite. Surtout, la syndicalisation de la fonction publique entraînera une rigidification des règles si bien que les gouvernements en place, prenant prétexte de la crise fiscale de l'État, vont tenter de contourner cette rigidité en réduisant le recrutement, en engageant des employés occasionnels sans sécurité d'emploi et en développant la sous-traitance.

Mais ce qui caractérise davantage la décennie 80 et le début de l'actuelle décennie, c'est la grande *morosité* qui a gagné la fonction publique québécoise. Peu de postes nouveaux ont été créés de telle sorte que le renouvellement ne se fait pas fortement sentir. Peu de grands projets nouveaux seront mis sur pied, si ce n'est dans le secteur de l'environnement avec ses ratés ou dans le domaine de la santé avec l'opposition farouche des médecins. Au contraire, avec l'arrivée au pouvoir du Parti libéral et la montée du néo-libéralisme, on parlera de plus en plus de privatisation de certains secteurs d'activité gérés ou contrôlés par l'État et de limite à l'expansion étatique. La même morosité s'étend au domaine constitutionnel où se sont multipliés les échecs du rapatriement de 1981-82 et de l'accord du lac Meech (1987-90). Mais, paradoxalement, ce dernier échec a stimulé le nationalisme québécois et relancé fortement le débat sur la souveraineté.

On peut souligner que cette morosité a été déclenchée par la grande crise budgétaire de 1982-84, marquée par des coupures importantes imposées par le gouvernement du Parti québécois aux employés des secteurs public et parapublic qui avaient été pourtant de fidèles partisans. Ces coupures se font sentir encore aujourd'hui. À tous ces facteurs s'ajoute le fait que le Parti québécois au pouvoir a voulu mettre l'accent sur le politique en accordant une importance plus grande aux acteurs politiques (comités du conseil des ministres, cabinets ministériels) par rapport aux agents administratifs qui les ont souvent considérés comme de véritables concurrents.

Bref, si la bureaucratisation entendue sous l'angle à la fois de la rationalisation du système administratif et de la rigidification des règles caractérise encore la fonction publique québécoise, on peut dire que la morosité s'est étendue progressivement sur cette fonction publique au cours de la dernière décennie.

L'appareil judiciaire: politisation et judiciarisation

En étroite relation avec le législatif du fait qu'il est chargé de dire le droit ou d'appliquer les lois, en retrait du gouvernement dont il doit se tenir le plus éloigné possible, le judiciaire a toujours été considéré comme un «cas particulier» et, de ce fait, peu étudié par les politologues qui laissaient cette tâche aux juristes. Malgré tout, la symbiose est plus étroite qu'on pourrait le croire entre le politique et le juridique ou, plus exactement, entre le gouvernemental et le judiciaire.

Il faut tout d'abord mettre en évidence une constante dans notre système québécois qui est celle de la *politisation* du judiciaire. Cette politisation se manifeste avant tout par le processus de nomination des juges. Au lieu de suivre le modèle européen continental selon lequel un juge est un membre de la profession juridique qui y fait carrière et reçoit des promotions dans la profession et dans la hiérarchie des cours, le Québec a plutôt opté pour la procédure de nomination des juges par le gouvernement (sur recommandation du ministre de la Justice), fidèle en cela au modèle canadien et britannique. Un tel mode de nomination peut conduire à une plus grande politisation du judiciaire du fait que les juges sont susceptibles d'être nommés non pas sur la seule base de leur expertise légale, mais également en considération de liens et de philosophie politiques ou même d'appartenance partisane. Ce qui peut accroître les risques de pressions politiques et d'éventuels conflits d'intérêt, mais ce qui peut avoir pour avantage de rendre les juges plus sensibles aux réalités politiques.

Au cours des années 80, on a assisté à un phénomène nouveau, soit la *judiciarisation* du politique par suite de l'imposition des chartes des droits, surtout avec la *Loi constitutionnelle de 1982*. La charte canadienne, en particulier, s'impose davantage du fait qu'elle est inscrite dans la constitution. Cette charte, fortement teintée d'individualisme libéral, entend protéger les individus non pas contre d'autres individus ou des groupes, mais avant tout contre l'État et les gouvernements. C'est l'État, ce Léviathan moderne, qui est considéré comme l'organisation la plus susceptible d'entraver les droits et libertés des individus. De ce fait, les tribunaux ont été appelés d'une part à faire respecter ce qui a été défini comme les droits fondamentaux des individus et d'autre part à intervenir de plus en plus dans le processus politique lorsque la législation peut venir à l'encontre de cette charte. Si les tribunaux ne peuvent eux-mêmes définir la loi, ils ont le pouvoir de déclarer inconstitutionnelle une loi qui va à l'encontre de la charte.

En même temps, on assiste à une prolifération — et parfois à la fabrication — de groupes *minoritaires* qui veulent profiter des chartes. Si les gouvernants et les administrateurs sont souvent passés maîtres dans l'art de «fabriquer» des minorités[14], il faut dire que les groupes eux-mêmes aiment se définir par des traits minoritaires, aux plans religieux, ethnique, linguistique, culturel, etc., afin de mieux s'inscrire dans le sillage des chartes. Comme l'écrivait Thomas Flanagan, l'enjeu des droits humains peut être adapté à différentes philosophies politiques. Il peut être traduit dans la rhétorique socialiste de l'égalité, dans la rhétorique libérale de la liberté, ou dans la rhétorique conservatrice du paternalisme (en prenant soin des moins fortunés[15]). De ce fait, aussi bien les groupes de droite que de gauche cherchent à tirer profit des chartes.

Judiciarisation du politique et fabrication des minorités, ces deux phénomènes contribuent à l'*américanisation* de la culture politique canadienne. Comme chez nos voisins du Sud, l'émergence de groupes minoritaires, le recours au judiciaire, la crainte ou la méfiance à l'égard du gouvernement et de l'État sont devenus des traits de plus en plus présents dans notre culture politique, pour le meilleur ou pour le pire ...

Au total, on peut conclure que l'État québécois est toujours présent en dépit de la présence des chartes des droits et libertés qui cherchent à le contenir et de la montée du néo-libéralisme. Il se caractérise par un exécutif ou un gouvernement fort, tout-puissant, en symbiose avec l'administration — même si elle est de plus en plus morose —, un parlement faible qui n'a pas réussi à se réformer et un judiciaire qui s'impose de plus en plus sur le plan politique. En ce sens, on peut encore parler d'un État québécois fort, profondément institutionnalisé et encore largement autonomisé par son administration.

Un État critiqué

L'État est en crise. Partout on entend ce constat qui revient comme un leitmotiv nous empêchant de scruter plus profondément les maux qui assaillent nos sociétés. Crise de la fiscalité doublée de la grogne des citoyens payeurs de taxes; crise de la gestion publique où s'est imposé un solide carcan bureaucratique empêchant l'adaptation et l'innovation; crise de la démocratie où, paradoxalement, une plus forte participation à la base a rendu la société plus difficile à gouverner; crise des institutions politiques par suite d'une moindre légitimité des personnes qui s'y retrouvent. Bref, les problèmes de fonctionnement sont partout assimilés à des crises profondes impossibles à surmonter.

La société dans l'État: les années 70

L'État québécois n'a pas échappé à ces critiques. Dès les années 70, après une phase d'expansion de l'État et de croissance de l'administration publique, s'est imposée la critique d'une gestion trop *bureaucratique* conçue et mise en œuvre par des administrateurs enfermés dans leur tour d'ivoire. Cette critique a pris une double forme. Celle tout d'abord d'un retour à la base, d'une *participation* plus grande des citoyens et citoyennes. Cette idée a donné naissance à de nombreux conseils et organismes consultatifs dont la composition était assurée par des personnes qui, le plus souvent, appartenaient à des groupes spécifiques (syndicats, patronat, groupes communautaires, etc.) et y étaient actives. Ce n'était pas tellement le «simple citoyen» — cet individu atomisé dénué de tout pouvoir — que le «citoyen organisé», membre d'un groupe et souvent représentant de ce groupe, de ses intérêts, de son idéologie, qui était convié à participer à ces organismes créés par l'État. Cette vague «participative» a donc entraîné la prolifération de conseils consultatifs qui ont eu tendance à fonctionner eux aussi sur un mode bureaucratique.

La deuxième forme de critique contre la gestion trop bureaucratique de l'État peut se résumer au thème suivant: l'État n'appartient pas seulement à la classe politique, aux dirigeants et aux technocrates. Tous doivent y participer de façon à ce que l'État devienne plus *représentatif* de la population et, de ce fait, plus légitime. Encore ici domine le thème de la participation vue sous l'angle d'une plus grande représentativité d'une classe politique à la fois plus attentive aux doléances des citoyens et citoyennes et plus soucieuse de répondre à leurs attentes. Il ne s'agit donc pas, dans un cas comme dans l'autre, d'opposer l'État et la société ou de voir «l'État *contre* la société» que de préconiser plutôt «la société *dans* l'État».

Un deuxième type de critique a également vu le jour au cours des années 70. Déjà, à la fin des années 60, avec le début des négociations collectives et les nombreuses grèves dans le secteur public, le mouvement syndical prend de plus en plus conscience du rôle de l'*État-patron*. Comme je l'écrivais ailleurs[17], l'ouverture d'un deuxième front à la CSN date précisément de 1968. Constatant l'insuffisance du seul front de la négociation collective, la CSN préconise alors l'ouverture d'un deuxième front pour mobiliser les travailleurs contre leur exploitation «en dehors des lieux de travail». Ce rapport sera suivi du manifeste *Ne comptons que sur nos propres moyens* paru en 1971 et du manifeste de la FTQ, *L'État, rouage de notre exploitation*, publié la même année, sans compter celui de la CEQ, *L'école au service de la classe dominante*.

Selon le discours officiel des centrales syndicales — qui n'était pas nécessairement, peu s'en faut, partagé par tous les syndiqués —, il s'agissait désormais d'allier la lutte sur le front professionnel à la lutte sur le front social et sur le front politique face à des partis et surtout à un État qui n'était pas neutre et qui servait, selon les centrales syndicales, des intérêts différents de ceux des travailleurs. Contrairement à la critique précédente, il s'agissait plutôt ici de «casser le système» afin de mettre en place un État et des dirigeants politiques plus sensibles aux intérêts des travailleurs. Mais, au fond, il est encore question de réinsérer la société dans l'État afin que ce dernier représente ou prenne davantage en compte les intérêts des travailleurs, à la base de la société.

La société contre l'État: les années 80

Au cours des années 80, les critiques à l'égard de l'État prennent une autre voie avec la crise économique du début de cette décennie et avec la montée des idées néo-libérales. Il s'agit d'une remise en cause plus radicale du rôle de l'État que l'on cherche à restreindre par tous les moyens. Ce n'est plus le tout-à-l'État, où la mise en place de l'État-providence avait été considérée comme une police d'assurance contre tous les maux susceptibles d'affecter les individus et la société. Au contraire, l'État doit se désengager, privatiser, laisser plus de place à l'entreprise privée[18]. On assiste alors à une crise de l'extension de l'État et du poids des dépenses sociales. Mais, comme le rappelait avec justesse Pierre Rosanvallon[19], il n'y a pas de limites théoriques possibles à l'extension de l'État, sinon des limites de nature sociétale en fonction de ce que la société ou les contribuables sont prêts à accepter comme situation tolérable.

Cette remise en cause du rôle de l'État se double d'une crise, plus profonde à mon avis, des rapports entre l'*État* et la *société*. Contrairement à la situation qui prévalait dans les années 70 au Québec où les critiques plaidaient en faveur d'une réinsertion de la société dans l'État, on oppose plutôt la société et l'État au cours des années 80. Surtout, on réclame un espace plus restreint pour l'État afin de dégager une marge de liberté plus grande pour l'individu et la société comme si, à l'instar de ce qui se passe dans les jeux à somme nulle, plus d'espace social impliquait une moindre présence de l'État et, inversement, une expansion de l'État ne pouvait se réaliser qu'au détriment de la société. S'instaurent ainsi une dialectique du privé et du public par une volonté d'extension d'un espace privé où l'État n'a pas à intervenir, une dialectique de l'individu-citoyen et de l'État en tablant sur la redécouverte du sens de l'individu et des valeurs individuelles, une dialectique des libertés individuelles et des libertés collectives comme en témoigne, pour ne citer qu'un exemple, le débat linguistique au Québec.

Cette crise des rapports entre l'État et la société se fonde largement sur une dislocation du tissu social[20]. Avec la montée de l'État-providence se développent des liens de dépendance très étroits à l'égard de l'organisation étatique qui est vue comme une police d'assurance capable de couvrir tous les risques inhérents à la vie en société. Auparavant, l'Église jouait un tel rôle si bien que l'on est passé de la providence religieuse à la providence étatique. Dans un cas comme dans l'autre, le résultat a été le même: «infantiliser» la population, c'est-à-dire la rendre largement dépendante des largesses étatiques comme auparavant des promesses religieuses.

Autre manifestation de cette dislocation du tissu social: la *corporatisation* de la société. On assiste à un fractionnement de la société plutôt qu'au développement d'une certaine solidarité, avec la croissance des différentes «corporations» qui veulent leur part du gâteau étatique et, si possible, la meilleure part. Loin de favoriser la solidarité, de telles luttes entre les corporations et les groupes ont pour effet d'accentuer le caractère clientélaire des relations entre l'État et la société. Les exemples abondent au Québec de cette montée du corporatisme avec la syndicalisation des secteurs public et parapublic, bien que le secteur privé n'en soit pas totalement exempt, lui qui a fréquemment recours à l'État, comme en témoignent les nombreux programmes d'aide aux entreprises et de création d'emplois, sans compter les subventions spéciales.

Surtout, le programme d'action de l'État-providence était fondé sur la notion d'*égalité*. Puisant à la même philosophie politique qui avait présidé à l'établissement de l'égalité juridique, selon laquelle la loi est la même pour tous, et de l'égalité politique, avec l'extension du suffrage universel, les promoteurs de l'État-providence avaient cru en une possible égalité sociale et économique. Mais si, dans le premier cas, on peut se fonder sur une même norme valable pour tous, dans le second cas, on ne peut tendre qu'à une réduction des inégalités par la garantie d'une abondance «minimale» pour tous les citoyens sans atteindre la parité parfaite.

Aujourd'hui, les doutes se font de plus en plus persistants sur l'égalité comme finalité sociale, pour reprendre l'expression de Rosanvallon. Souvent, on est saisi d'un certain sentiment d'injustice lorsqu'on se compare à ses proches, à son groupe de référence. Les plus performants n'acceptent plus la paresse ou l'incompétence des autres qui profitent du système au même titre qu'eux. C'est pourquoi on réclame de récompenser et de valoriser la compétence, les performances ou l'excellence, pour reprendre un terme fréquemment utilisé au Québec. Ce faisant, on mettrait ainsi en valeur les inégalités plutôt que l'égalité.

Ils sont également de plus en plus nombreux ceux qui critiquent les acquis des «corporations». Chacun, dans le passé, a cherché à se situer dans le segment le plus favorable de la société et à être ainsi reconnu par l'État. Cette corporatisation de la société, loin de favoriser l'égalité, sinon à l'intérieur du groupe qui en bénéficiait, a plutôt contribué à accroître et rigidifier les écarts, pour ne pas dire les privilèges. Qu'on se rappelle, au moment de la crise économique de 1982-84 au Québec, les critiques à l'égard des privilégiés du secteur public qui refusaient toute diminution de salaire, de la part des milliers de congédiés qui se retrouvaient en chômage.

Mais la société, qu'est-ce à dire? Avec le néo-libéralisme, on ne retrouve aucun espace du social entre l'individu et l'État. C'est une société émiettée, éparpillée, atomisée, qui est proposée par les tenants de cette option. Nous assistons à une valorisation de l'*individu*, plutôt que de la société. Si l'on oppose la société à l'État, c'est pour mieux faire émerger l'individu et non le social. Et pourtant, la société, c'est plus que la somme des individus qui la composent. Elle implique un élément unificateur, un principe de solidarité qui ne peut cependant être réduit à la simple homogénéité ou au parfait consensus. Tout ceci a été balayé avec le vent du néo-libéralisme. Comme le rappelait avec à propos Nicolas Tenzer,

> ... par une contradiction interne sinon par une malformation de naissance, la valorisation de la société civile s'est accomplie non seulement contre l'omnipotence d'un État ayant dégagé le citoyen d'un projet collectif mais aussi en faveur d'un individualisme insouciant de la communauté, si bien que le renforcement du lien social a été contrarié et non promu. La société civile? Soit. Mais où est passée la société? Le

désengagement de l'État ne s'est traduit ni par un renouveau de la politique, en tant qu'art de la délibération, ni par un renforcement des centres actifs et originaux de la société[21].

Individu-société-État, ce triptyque demeure encore, quoi qu'on en dise, au cœur des transformations des sociétés modernes. Ignorer l'un ou vouloir le ravaler à un rang nettement secondaire ne peut que conduire à des situations pires que celles que l'on veut corriger.

UN ÉTAT EN VEILLEUSE

S'il fallait tracer un bilan de ces dernières années au Québec, on pourrait le résumer dans une formule lapidaire: l'État est en veilleuse. En veilleuse tout d'abord sur le plan *politico-constitutionnel*. On a pu justement parler d'un État en devenir pour caractériser la période qui s'étend de 1960 à 1980. Animé et soutenu par l'idéologie du néo-nationalisme, l'État québécois s'est profondément transformé au cours de ces années. De la Révolution tranquille en 1960 jusqu'au référendum de 1980, on a procédé à de profonds changements qui touchaient l'État lui-même et qui ont bouleversé la société et entraîné des mutations au niveau des individus, de leur mode de vie et de leurs mentalités. Bien plus, on va utiliser l'État pour réaliser de nombreuses réformes, fidèle en cela à l'idéologie néo-nationaliste qui se montre favorable à de telles interventions[22]. Pour cet État qui se trouvait au cœur de ces transformations, les dirigeants politiques vont réclamer de plus en plus de pouvoirs et de nouvelles sources de revenu. Tout était en place pour des affrontements soutenus avec l'État fédéral.

Après la défaite des tenants du oui au référendum de 1980, après le coup de force du rapatriement de 1981-82 où le Québec se retrouva isolé, après l'imposition d'une charte des droits marquée par une volonté d'uniformisation des valeurs au sein de la société canadienne et par le désir de rendre l'État moins présent en cherchant à le contenir, les dirigeants politiques québécois sombrent eux aussi dans la morosité et s'effacent devant l'État fédéral qui tente d'occuper tout le terrain dans différents secteurs, comme ceux de la formation de la main-d'œuvre et de la culture. Un premier sursaut se fera sentir avec les accords Meech-Langevin de 1987 visant à réintégrer le Québec dans l'ensemble canadien, qui se termineront par un échec cuisant en juin 1990. Il faut aussi noter que ce sursaut avait été provoqué par le fédéral et non par le Québec puisque l'initiative avait d'abord été prise par le chef du Parti conservateur, Brian Mulroney, au cours de la campagne électorale fédérale de 1984.

Paradoxalement, cet échec a provoqué un second réveil qui a fortement alimenté le nationalisme québécois et contribué à la parution du rapport Allaire[23], puis à celle du rapport de la Commission Bélanger-Campeau[24]. L'idée maîtresse qui se dégage de ce dernier rapport est celle d'un certain «sens commun» à retrouver, d'une tâche commune à construire fondée sur le constat que «des changements profonds au statut politique et constitutionnel du Québec s'imposent.» Mais le consensus qui s'en dégage demeure largement illusoire comme en témoignent les nombreux commentaires et addenda que plusieurs ont voulu y ajouter, ainsi que les prises de position qui se sont manifestées depuis la parution de ce rapport.

Un État en veilleuse également sur le plan so*cial*. L'État interventionniste des années 60 et 70 appelé à s'ingérer dans à peu près tous les secteurs d'activité a été soumis à de fortes pressions au cours des années 80 par suite de la crise économique du début de cette décennie et de la montée des idées néo-libérales. La contestation sociale des années 70 menée surtout par les milieux syndicaux et les groupes communautaires avait entraîné la critique d'une co*nception* particulière de l'État, soit celle d'un État bureaucratisé où s'imposait une plus grande participation des citoyens et celle d'un État instrument de la classe dominante opposé aux intérêts des travailleurs.

La critique des années 80 se focalise sur *l'État* lui-même qui est remis en cause. Déjà amorcées sous le second mandat du gouvernement du Parti québécois, ces idées s'exprimeront avec plus de force avec l'arrivée au pouvoir du Parti libéral en 1985. Les rapports Gobeil et Fortier évoqués précédemment traduisent bien cet état d'esprit: coupures budgétaires allant de pair avec les projets de rationalisation, privatisations souhaitées de nombreuses sociétés d'État, moindres interventions, sinon désengagement de l'État dans différents secteurs d'activité apparaissent comme autant de flambeaux à porter pour l'avenir. Mais ce courant qui a grandement marqué le premier mandat du gouvernement Bourassa s'est fortement atténué avec le départ des ministres Gobeil, Macdonald, Fortier qui en étaient les plus ardents défenseurs.

À l'aube des années 90, on peut parler de l'atteinte d'un certain équilibre entre l'État et l'individu. Cet équilibre se mesure à plusieurs facteurs. Le développement des libertés individuelles y a certainement contribué, mais sans renier pour autant toute forme de libertés collectives. L'État n'apparaît plus autant comme un levier indispensable, surtout dans le domaine économique avec l'émergence d'entrepreneurs privés francophones. Cette nouvelle garde montante, qui s'est affranchie du sérail de l'État (du moins habituellement), s'impose comme le modèle à imiter pour les générations futures. Considéré sous cet angle, l'État québécois apparaît de plus en plus comme la béquille des pauvres et des déshérités et, au besoin, comme l'appui des riches.

Mais la montée des forces individuelles ne signifie pas pour autant un renforcement de la *société*. La reconnaissance et l'affirmation des droits et libertés individuels n'ont pas entraîné leur contrepartie, soit la reconnaissance et l'affirmation de devoirs et obligations. Il manque encore un certain sentiment de solidarité communautaire pour que s'affirme davantage la société civile. La dislocation du tissu social, la montée des corporatismes, l'émergence des idées néo-libérales ne sont pas étrangères à une telle situation. Du triptyque évoqué plus haut, c'est peut-être le volet sociétal qui s'affirme le moins, davantage en tout cas que le volet individuel et le volet étatique. L'expression «absence de projet de société», souvent utilisée au Québec au cours de ces dernières années, traduit bien une telle situation. Et cette absence de projet n'est pas le lot des seuls acteurs politiques — partis, législateurs, gouvernants —, mais aussi des acteurs socio-économiques. De la société elle-même n'émerge pas une vision d'avenir, un projet sociétal qui traduirait un certain sentiment d'appartenance et une certaine forme de solidarité. Quand on oppose à l'organisation étatique les seuls droits individuels, il n'y a pas de place pour des liens communautaires qui feraient état de devoirs et obligations.

CONCLUSION

Au terme de ce bilan des années 80 et à l'aube des années 90, comment caractériser *l'État* québécois? On a pu parler de la présence des experts et des technocrates durant les premières années de la Révolution tranquille. Ils étaient chargés de définir les problèmes et de proposer des solutions. Ils essayaient d'anticiper l'avenir, de mettre en place des instruments de planification, de déterminer les critères de rationalité appelés à remplacer l'amateurisme et l'improvisation des années antérieures. C'était le moment où l'on imposait, sans nécessairement avec l'appui de l'ensemble de la population: celui d'une partie de cette population et des intellectuels éclairés suffisait. Bref, les années 60 marquent une prédominance de l'État dans l'évolution de la société québécoise.

Avec les années 70, cette prédominance ne s'estompe pas. Cependant, des critiques de plus en plus vives vont s'exprimer quant au rôle de l'expert et de la technocratie, doublées d'une remise en cause des nouveaux consensus créés sur une base assez artificielle. La première moitié de cette décennie se caractérise par l'acuité des conflits sociaux symbolisés, en particulier, par les grèves du front commun dans le secteur public et l'emprisonnement des chefs des trois grandes centrales syndicales. On assiste alors à la réclamation et à la mise en place de nouveaux modes de participation, comme en témoigne la naissance de nombreux groupes populaires, et à une critique parfois virulente du *rôle* de l'État.

Si le social conteste le politique, ce n'est pas pour s'opposer totalement à l'État. Au contraire, la société veut pénétrer l'État, permettre ainsi à différents groupes de s'y exprimer plutôt que de le laisser entre les mains des experts et des technocrates. À l'occasion, des groupes, comme ceux reliés à la contre-culture, vont se situer cependant en marge de l'État. Avec l'arrivée au pouvoir du Parti québécois en 1976, cette contestation sociale s'atténue et l'on assiste à un retour aux années de la Révolution tranquille. L'État et le gouvernement véhiculent un projet de société, du moins jusqu'au référendum de mai 1980.

Le début de la décennie 80 est marqué par deux événements importants: l'échec du référendum pour les tenants du oui et la crise économique qui commencera à se faire sentir dès l'année suivante. En même temps, la vague du néo-libéralisme qui avait commencé à se manifester ailleurs atteindra également le Québec. La combinaison de cet ensemble de facteurs se traduira par une remise en cause de *l'État* lui-même, par un retour au privé, par la valorisation de l'entrepreneur. En somme, on peut dire que l'économique s'affirme face au politique qui est dévalorisé et dont on clame l'inutilité. L'absence de projet de société chez les partis et les gouvernants en témoigne éloquemment. C'est donc une époque où se manifeste un arrêt du processus de croissance étatique et où l'État se contente de réagir aux pressions extérieures, comme dans le domaine de l'environnement, plutôt que d'imposer sa vision, qu'il n'a d'ailleurs pas. L'État apparaît ainsi davantage à la remorque de la société, mais d'une «société» fortement marquée par l'individuel plutôt que par le sociétal. Vu sous cet angle, le projet de la Commission Bélanger-Campeau se présente comme la relance d'un projet commun basé sur la recherche d'un nouveau consensus qui semble, pour l'instant, plutôt illusoire. Réussirons-nous vraiment à sortir de la grisaille de la décennie précédente?

NOTES

1.   Gérard Bergeron et Réjean Pelletier (dir.), *L'État du Québec en devenir*, Montréal, Boréal Express, 1980.

2. Charles Tilly, «Reflections on the History of European State-Making» *in* Charles Tilly (ed.), *The Formation of National States in Western Europe*, Princeton, Princeton University Press, 1975, p. 70.

3. Gérard Bergeron, *La gouverne politique*, Paris-La Haye, Mouton et Québec, Les Presses de l'Université Laval, 1977, p. 50.

4. Denis Vaugeois, *L'Assemblée nationale en devenir. Pour un meilleur équilibre de nos institutions*, Québec, 1982.

5. Il faut toutefois souligner que tous ne partagent pas cette conclusion. Voir, en particulier, Louis Bernard, *Réflexions sur l'art de se gouverner*, Montréal, Québec/Amérique et ÉNAP, 1987, surtout le chapitre II.

6. Les données de cette section proviennent des différents rapports produits par le Secrétariat des commissions et portant sur les travaux et les dépenses des commissions parlementaires depuis l'année financière 1984-85.

7. Voir, par exemple, Richard Rose, «British MPs: More Bark than Bite?» dans Ezra N. Suleiman (ed.), *Parliaments and Parliamentarians in Democratic Politics*, New York, Holmes and Meir, 1986, p. 8-40.

8. Gérard Bergeron, *ibid.*

9. Denis Smith, «President and Parliament: The Transformation of Parliamentary Government in Canada» *in* Thomas A. Hockin (ed.), *Apex of Power. The Prime Minister and Political Leadership in Canada*, Scarborough, Prentice-Hall of Canada, 2ᵉ édit., 1977, p. 308-325. Également Joseph Wearing, «President or Prime Minister» *in* Thomas A. Hockin (ed.), *op. cit.*, p. 326-343.

10. Richard E. Neustadt, «White House and Whitehall» *in* Thomas A. Hockin (ed.), *op. cit.* p. 344-355.

11. Voir sur ce sujet Louis Bernard, *op. cit.*, p. 64-67.

12. Antoine Ambroise et Jocelyn Jacques, «L'appareil administratif» *in* Gérard Bergeron et Réjean Pelletier (dir.), *op. cit.*, p. 141-145.

13. Pour les années 1960-80, voir Antoine Ambroise et Jocelyn Jacques, *art. cit.*, p. 118-141.

14. Sur ce thème, voir l'article de Thomas Flanagan, «The Manufacture of Minorities» *in* Neil Nevitte et Allan Kornberg (ed.), *Minorities and the Canadian State*, Oakville (Ont.), Mosaic Press, 1985, p. 107-123.

15. Thomas Flanagan, *art. cit.*, p. 120.

16. Sur le thème de la participation et de la crise des démocraties, voir M. Crozier, S.P. Huntington et J. Watanuki, *The Crisis of Democracy. Report on the Governability of Democracies to the Trilateral Commission*, New York, New York University Press, 1975.

17. Voir par exemple André Leclerc, «Les lendemains du lendemain qui n'a pas chanté» *in* Nicole Laurin-Frenette et Jean-François Léonard (dir.), *L'impasse. Enjeux et perspectives de l'après-référendum*, Montréal, Nouvelle Optique, 1980, p. 27-44.

18. Comme en témoignent les rapports Gobeil et Fortier au Québec. Groupe de travail sur la révision des fonctions et des organisations gouvernementales (présidé par le ministre Paul Gobeil), *L'organisation gouvernementale* et *La*

gestion des programmes gouvernementaux, Québec, 1986; Pierre Fortier, *Privatisation de sociétés d'État: orientations et perspectives*, Québec, 1986.

19. Pierre Rosanvallon, *La crise de l'État-providence*, Paris, Seuil, 1981, p. 13-19.

20. Cette section et les suivantes s'inspirent largement de Pierre Rosanvallon, *op. cit.*

21. Nicolas Tenzer, *La société dépolitisée*, Paris, Presses universitaires de France, coll. Politique d'aujourd'hui, 1990, p. 58.

Conscience nationale
et contexte international

Louis Balthazar

La nationalisme a fortement contribué à l'impulsion d'un nouveau dynamisme à l'État québécois à compter de la Révolution tranquille. Ce nationalisme n'a pas surgi en vase clos. Louis Balthazar montre dans ce chapitre que le milieu international a exercé une grande influence sur la conscience nationale québécoise, du mouvement de décolonisation à la réhabilitation des petits nationalismes en Europe et au démantèlement de l'empire soviétique. De plus en plus articulée par les membres de l'élite économique, la nouvelle identité québécoise est ouverte sur le monde. Elle témoigne d'une imbrication entre nationalisme et internationalisme. Dans un tel contexte, l'auteur croit que les Québécois se satisferaient d'une souveraineté limitée, mais qu'ils refuseront d'être submergés dans une grande nation canadienne. Louis Balthazar est professeur titulaire au département de science politique de l'Université Laval.

2

Conscience nationale et contexte international

Louis Balthazar

La conscience nationale, c'est-à-dire le sentiment d'appartenir à une nation accompagné d'une valorisation de cette appartenance, ne constitue pas un phénomène spontané. Comme toutes les autres prises de conscience qui se manifestent au sein d'une population, celle qui consiste à identifier un espace national est invariablement stimulée par le discours et l'action de certains leaders d'opinion, de certaines élites.

Faudrait-il pour cela considérer l'éclosion d'une conscience nationale comme le pur produit imaginaire d'une propagande savamment orchestrée? À la suite de plusieurs analystes de la question nationale et du nationalisme, je crois plutôt qu'il se trouve, à la base de l'oeuvre des élites, un sentiment national bien réel qui est la résultante de conditions socio-historiques concrètes[1]. Comme l'écrit Herbert C. Kelman, une élite ne peut réussir à activer la conscience nationale si n'existent pas des sentiments nationaux à mobiliser[2].

En plus de ces sources internes complexes, on peut encore déceler, à l'origine du mûrissement d'une conscience nationale, l'influence du contexte international dans lequel se situent les membres potentiels ou actuels d'une nation donnée. C'est ainsi que le sentiment national s'est manifesté, tout particulièrement en Europe au cours du 19e siècle, mais aussi en d'autres lieux et d'autres temps, en réaction à des événements internationaux et à l'évolution du système international. Le Québec moderne ne fait pas exception à cette règle. Ses élites nationalistes ont subi une forte influence de l'extérieur, alors qu'une certaine trame internationale agissait aussi sur la population dans son ensemble. Cela est vrai de toute la période qui a suivi la Deuxième Guerre mondiale et davantage encore de la décennie des années quatre-vingt. Enfin, l'accession du Québec à un nouveau statut, si jamais cela se produit sous la forme d'une certaine souveraineté, ne pourra se définir autrement qu'en fonction du contexte international.

Ce chapitre a pour objet de faire état de la dialectique nationale-internationale dans le cas du Québec moderne. La conscience nationale québécoise sera considérée comme un effet de la conscience internationale de certaines élites aussi bien que des contextes internationaux des trente dernières années. Le contexte récent et celui d'une éventuelle souveraineté feront l'objet d'une attention particulière. Mais auparavant, il importe de situer brièvement l'apparition et le développement des sentiments d'appartenance nationale en fonction de l'évolution du système international.

NATIONALISME ET INTERNATIONALISME

On se représente fréquemment le nationalisme comme un phénomène de repliement sur soi à l'échelle collective, une manifestation de l'égoïsme national, un refus de l'intégration donnant lieu à l'expression de sentiments négatifs, voire de haine, à l'endroit des autres nations. Il est bien vrai que des nationalismes ont donné lieu à de tels comportements. Mais il importe de rappeler, comme le font plusieurs auteurs, que la conscience nationale est un produit d'une nouvelle configuration du système international[3].

Dès qu'apparaissent les regroupements de territoire, à la fin du Moyen Âge, sous l'égide du concept de souveraineté, se manifestent déjà à la fois la volonté des monarques d'homogénéiser les populations qu'ils gouvernent et des sentiments communautaires chez ceux qui subissent le même sort et entretiennent entre eux un certain nombre de liens. Mais c'est surtout au moment où la Révolution française proclame, à la suite de Jean-Jacques Rousseau, une souveraineté soi-disant populaire, que l'appartenance nationale prend un sens nouveau qui se propage rapidement à travers l'Europe. Au cri des Français, «Vive la nation», répondent, comme un écho, les manifestations de sentiment national en Prusse, en Angleterre, en Italie et en plusieurs autres endroits. Une fois créé un système d'États-nations, comment s'étonner que des populations, plus ou moins aliénées, considèrent l'appartenance nationale comme une voie privilégiée et un État qui leur soit propre comme la condition de leur épanouissement?

C'est donc, pour une bonne part, dans la mesure où des élites voyagent à travers l'Europe et s'internationalisent que le sentiment national prend forme un peu partout. Dans les populations, ce sentiment peut se durcir, s'exacerber et engendrer des comportements extrémistes, le fanatisme et l'intolérance. Il peut aussi se satisfaire de la reconnaissance d'une identité collective et s'orienter vers le dialogue international. On peut vouloir se donner un État-nation pour participer au «club» des nations qui se manifestent, s'expriment et tirent profit d'alliances, d'échanges et autres formes de relations.

On a même cru, pendant un certain temps, pouvoir fonder l'ordre international sur le principe des nationalités, c'est-à-dire le droit de toutes les communautés dites nationales de se donner un État souverain autonome. Woodrow Wilson, en 1919, reprenait cette idée sous une autre forme en proclamant le droit des peuples à l'autodétermination et en favorisant la création d'États nouveaux sur les ruines des empires victimes de la Grande Guerre[4].

Le monstre nazi a été considéré comme une excroissance du sentiment national, une exploitation systématique de l'exclusivisme national à l'encontre de l'ouverture au monde et de l'appartenance internationale. Mais on peut tout autant envisager le système hitlérien comme la négation même du droit des petits peuples à l'autonomie, comme une vaste tentative d'intégration européenne arbitraire et d'étouffement des sentiments nationaux tchèques, polonais et autres.

Malgré tout, c'est l'idée d'intégration qui est sortie victorieuse du second conflit mondial. L'élimination du fascisme devait signifier la fin du nationalisme: à l'Est, de façon draconienne, à l'Ouest, d'une manière plus subtile, pour ne pas dire hypocrite. Il était permis aux Américains d'entretenir leur fierté nationale, aux Canadiens de se définir comme une nation et aux différentes nations traditionnelles d'Europe de l'Ouest de cultiver aussi leurs allégeances nationales, à condition que des mécanismes d'intégration soient mis en marche. Bientôt on dut tolérer, avec plus ou moins bonne grâce, que les peuples colonisés manifestent une nouvelle conscience nationale et se taillent des États dits nationaux à même les anciens empires occidentaux.

Il fallut bien reconnaître que le nouvel internationalisme, issu de la Seconde Guerre mondiale et de la création de l'Organisation des Nations Unies, n'avait pas eu raison des sentiments nationaux et devait faire bon ménage avec eux.

Avec la fin de la guerre froide, les nationalismes réapparaissent un peu partout, plus forts que jamais, surtout à l'Est où le rouleau compresseur soviétique n'avait servi à autre chose qu'à alimenter la conscience nationale au moment même où on se faisait fort de la supprimer. Il est devenu évident que le contexte international, loin d'étouffer la conscience nationale, contribue au contraire à la renforcer. Cela s'est avéré tout particulièrement au Québec depuis 1945.

L'ÉCLOSION D'UNE CONSCIENCE NATIONALE QUÉBÉCOISE

Les Canadiens français, stimulés par leurs élites cléricales et petites-bourgeoises, s'étaient longtemps considérés comme une nation. Sous l'effet de la modernisation, cependant, leur conscience nationale de Canadiens français catholiques, farouchement repliés sur leurs traditions, allait s'étioler et perdre sa pertinence. Durant les années de prospérité qui ont suivi la Deuxième Guerre mondiale, de nouvelles élites se sont employées à définir une nouvelle conscience nationale, à établir les axes d'une nouvelle appartenance autour du territoire particulier de la province de Québec et de la juridiction d'un gouvernement provincial contrôlé par une majorité de Canadiens français.

Cette conscience nationale s'inscrivait en faux contre les prétentions du gouvernement du Canada et des élites du Canada anglais qui tendaient à ériger un État-nation moderne, responsable du bien-être social et culturel de tous les Canadiens, quelles que fussent leur langue et leur origine ethnique. La conscience québécoise ne devait pas signifier pour autant le repli et la fermeture des Québécois. Elle s'enracinait, au contraire, dans l'ouverture et la découverte du contexte international chez bon nombre de ceux qui s'en faisaient les protagonistes.

André Laurendeau, par exemple, fut l'un des premiers, sinon le premier à définir l'État du Québec selon la conception qui devait faire fortune au cours des années soixante: «l'État national des Canadiens français». Dès 1940, dans un article publié dans *L'Action nationale* et qui s'intitule «Alerte aux Canadiens français», il amorce cette définition de l'État du Québec et de son rôle moderne[5]. Or Laurendeau avait déjà subi de fortes influences internationales à l'occasion d'un séjour en France, à la fin des années trente. À travers le Front populaire, il avait découvert la social-démocratie et déjà reconnu les limites du nationalisme canadien-français traditionnel qui lui avait été inculqué. La conception progressiste de l'État du Québec qui allait germer de cette prise de conscience devait beaucoup à une intelligence particulière de l'évolution politique en Occident, notamment en Europe. Le programme du Bloc populaire, le parti qu'il dirigea aux élections de 1944, en témoigne à souhait[6].

Tout au long des années cinquante, Laurendeau demeurera un observateur assidu et lucide de la situation politique en France et ailleurs dans le monde. Tout en demeurant branché sur le contexte mondial et en interprétant les événements internationaux pour ses lecteurs du *Devoir*, il façonne peu à peu une nouvelle conscience nationale québécoise.

On peut en dire autant de Jean-Marc Léger, un autre infatigable apôtre d'une nouvelle identité nationale québécoise. Dès la fin des années quarante, Léger osait introduire l'idée d'un nationalisme de gauche, ce qui apparaissait tout à fait impensable dans le contexte canadien de l'époque. De toute évidence, cette idée avait été puisée ailleurs et correspondait à une tentative de renouer avec les origines révolutionnaires de la conscience nationale.

Jean-Marc Léger s'est signalé comme journaliste spécialisé dans la chronique internationale puis comme cadre d'institutions internationales. Voilà donc encore une personne qui avait en même temps élargi ses horizons et valorisé son appartenance québécoise.

La prospérité de l'après-guerre avait permis à plusieurs Québécois de voyager et de s'ouvrir au monde. De plus, la télévision, qui est apparue en 1952, devait constituer, pour l'ensemble de la population du Québec, à la fois une fenêtre sur l'extérieur et un facteur de mobilisation sociale: en définitive, un instrument de mobilisation nationale[7]. Un journaliste parmi d'autres s'est illustré dans le reportage international. De semaine en semaine, René Lévesque, dans l'émission qu'il animait avec brio («Point de mire»), interprétait pour les Québécois rivés au petit écran tantôt la guerre d'Algérie, tantôt la Chine de Mao, les grandes manoeuvres de la guerre froide ou l'intégration européenne. Celui qui allait devenir le champion d'un statut particulier pour le Québec, puis de la souveraineté-association et fondateur du Parti québécois avait fait ses classes comme reporter avec les forces armées américaines, durant la Deuxième Guerre mondiale.

On pourrait citer bien d'autres personnes qui ont contribué à définir une identité québécoise sur la base d'une ouverture au monde. Reconnaissons toutefois qu'il serait faux de dire que tous les internationalistes du Québec ont été amenés à une prise de conscience québécoise. Pensons seulement aux Pierre Trudeau, Gérard Pelletier, Jean-Louis Gagnon et bien d'autres. Il serait également incorrect d'affirmer que tous les nationalistes québécois ont entretenu une conscience internationale très vive. Mais il demeure évident que la majorité des protagonistes d'une nouvelle conscience nationale axée sur le Québec sont des personnes qui ont souvent séjourné à l'étranger et sont demeurées très au fait de l'évolution internationale.

La révolution tranquille, qui a été accompagnée de la croissance de cette conscience nationale, a été souvent définie comme une entreprise de «rattrapage». Cela ne signifie pas autre chose qu'une sorte d'adaptation à l'environnement international. C'est en se situant par rapport au Canada anglais, aux États-Unis, à la France, à l'Europe que les artisans de la révolution tranquille ont conçu un Québec moderne, ouvert mais en même temps jaloux de son identité, de sa spécificité et, par là, de son autonomie politique.

C'est sans doute pour projeter cette spécificité sur le monde, du moins en certains endroits particulièrement significatifs, que le gouvernement québécois s'est engagé dans les relations internationales. La politique étrangère du Canada n'avait pas nécessairement desservi les intérêts du Québec mais elle originait naturellement d'une conscience des intérêts canadiens envisagés globalement et se refusait, en conséquence, à refléter l'image d'un Québec, État national. Tout au plus pouvait-elle présenter le Canada comme un État bilingue mais jamais vraiment (au moins en principe) biculturel, encore moins binational.

Mais pourquoi les Québécois internationalisés ne se seraient-ils pas rabattus sur une conscience nationale canadienne? Après tout, le pays qui les représentait dans le monde, celui qui émettait leur passeport et dont la diplomatie était assez bien reçue un peu partout, c'était le Canada. On aurait pu croire en effet que les Québécois, voyageant à l'extérieur, n'en seraient devenus que plus canadiens. Pourquoi donc un si grand nombre d'entre eux sont-ils rentrés au pays avec une conscience plus vive d'appartenance québécoise?

Sans doute, pour une bonne part, parce qu'ils ne se sont pas retrouvés dans l'image canadienne projetée par la politique officielle de leur pays. Il leur était arrivé, en effet, de rencontrer des représentants de leur pays qui ne parlaient pas leur langue ou qui ignoraient tout de la réalité québécoise. Mais c'est aussi un lecture particulière des événements internationaux et de l'évolution du système international qui les a parfois entraînés à valoriser leur appartenance plus étroite et plus immédiate. Perçu dans une certaine perspective, le contexte international a agi sur la conscience nationale des Québécois.

Contexte international

À compter de la fin des années cinquante, le phénomène de la décolonisation a pu être considéré comme un élément central du système international. L'accession à la souveraineté d'un grand nombre de territoires, autrefois intégrés aux empires coloniaux, et la multiplication de nouveaux États à l'intérieur des Nations Unies ont nettement marqué la décennie des années soixante. On a beaucoup parlé, à cette époque, de libération nationale, de droit des peuples à l'autodétermination, de développement et de construction de nations («nation-building»). Comment les jeunes Québécois de la nouvelle génération des mobilisés sociaux de la révolution tranquille pouvaient-ils demeurer insensibles à ce phénomène? La tentation était forte de reprendre les thèmes à la mode dans le Tiers-monde et au sein des populations défavorisées et de les appliquer aux francophones du Québec infériorisés par rapport à la majorité anglophone du Canada, en particulier par rapport à ceux qui, minoritaires au Québec, en contrôlaient pourtant l'économie.

La décolonisation et l'émancipation des peuples ont donc agi sur la conscience nationale des Québécois. Certains en sont venus à se poser la question: «Si le Gabon peut constituer un État souverain, pourquoi pas le Québec?» Qu'importe si l'aliénation québécoise ne se comparait en rien à celle des peuples du Tiers-monde: l'atmosphère était aux luttes de libération. Ella a encouragé la naissance de divers mouvements nationalistes radicaux, en particulier celle du Front de libération du Québec (F.L.Q.). C'est l'époque où le livre de Pierre Vallières, *Les Nègres blancs d'Amérique*[8], obtenait un grand succès.

Ces mouvements demeurèrent marginaux mais ils attiraient l'attention de la majorité des citoyens et contribuaient indirectement au mûrissement de la conscience nationale d'une majorité qui s'inspirait d'idées et de projets beaucoup plus modérés. Comme cela se produit souvent, pour avoir rejeté des idées jugées excessives, on n'en a pas moins conservé certaines de leurs composantes. Les Québécois n'ont pas cru à la nécessité de «luttes de libération nationale», ils n'en ont pas moins valorisé leur identité collective et leur droit à l'autodétermination.

Au cours des années soixante-dix, la décolonisation a cessé d'occuper l'avant-scène des relations internationales. Les nationalismes du Tiers-monde sont devenus un peu moins à la mode. Les générations issues de la révolution tranquille se sont quelque peu assagies et se sont identifiées davantage aux populations des pays industrialisés. La crise de l'énergie et les progrès de la conscience écologique un peu partout en Occident ont contribué à créer le mouvement du «Small is beautiful» et de la croissance zéro. Ce sont alors les régionalismes et les petits nationalismes d'Europe qui ont pu influer davantage sur la conscience nationale des Québécois.

Mais le mouvement régionaliste a connu peu de succès. L'affirmation nationale des Écossais, des Gallois, des Catalans et des Basques n'a guère produit de résultats. Encore moins celle des Bretons et des Occitans de France qui rendait d'ailleurs les Québécois francophiles plutôt mal à l'aise.

Dans un monde où le courant de l'intégration et de l'interdépendance économique attirait bien davantage l'attention que celui des régionalismes et des petits nationalismes, l'échec référendaire (une véritable défaite, même pour ceux qui avaient voté NON en espérant un renouvellement du fédéralisme) a pu être interprété comme un signe de déclin du nationalisme québécois. Pourtant, comme on le verra plus loin, la conscience nationale a su se frayer un chemin dans cette atmosphère de décroissance de l'État, de valorisation de l'entreprise privée et d'internationalisme économique.

Plus récemment, c'est le démantèlement de l'empire soviétique qui a attiré l'attention de tous et profondément marqué le système international au point de le modifier tout à fait. La fin de la guerre froide a signalé une sorte de réveil d'une histoire endormie en Europe de l'Est par cent ans de servitude, tantôt fasciste, tantôt communiste. Des petites nations se sont manifestées à nouveau, à l'intérieur de l'Union soviétique, comme en Europe centrale. Les vieilles aspirations du 19ᵉ siècle reprennent leur droit, comme si le vieux principe des nationalités devait être ressuscité, en cette fin de siècle, en pleine atmosphère d'intégration supranationale.

Même les grandes nations se permettent discrètement de s'affirmer et de manifester une fierté nouvelle. L'Allemagne est réunifiée et la conscience nationale allemande se réveille, à l'intérieur même des structures européennes qui la neutralisent en quelque sorte. Les Japonais, à leur façon, sont plus nationalistes que jamais. Même si l'hégémonie américaine demeure, elle ne peut plus utiliser le spectre du danger communiste pour s'imposer.

Dans ce nouveau contexte, la conscience nationale des Québécois est à la fois confortée et légitimée. Une éventuelle souveraineté du Québec ne fait plus peur aux Américains. Cette fois, ce n'est plus aux petits peuples d'Afrique que des Québécois se comparent mais aux Lituaniens, aux Slovènes, aux Slovaques. La comparaison n'en est pas moins boiteuse. Ottawa n'a rien à voir avec Moscou ou Belgrade.

Il importe de préciser que le contexte international, dans la mesure où il s'agit de manifestations de la conscience nationale, ne produit pas toujours un effet direct comme s'il s'agissait de vases communicants. Il est bien certain que des nationalismes d'ailleurs sont le plus souvent inspirés par une aliénation, une résistance à l'oppression, un désespoir qui n'ont rien de commun avec les sentiments qu'éprouvent les Québécois. Mais le simple fait que cela redevienne, en quelque sorte, légitime et acceptable de parler d'appartenance nationale et de droit à l'autonomie politique constitue déjà un stimulus pour la conscience nationale.

D'autant plus que les accommodements suggérés pour l'Europe de l'Est s'apparentent souvent à ceux que souhaitent les Québécois à l'intérieur du Canada. Zbigniew Brzezinski est même allé jusqu'à citer le statut du Québec comme une sorte de modèle pour les nations d'Europe de l'Est[9]. (C'était à l'époque où les accords du lac Meech semblaient devoir être entérinés avec la reconnaissance d'une société distincte.) Les

Québécois ne pourraient-ils pas, à leur tour, invoquer l'exemple des républiques baltes?

Mais pourquoi parler d'accommodements? La conscience nationale n'en vient-elle pas toujours à réclamer la souveraineté de l'État-nation? Sans doute il en a été souvent ainsi. Mais, dans le cas du Québec, il importe de souligner que la conscience nationale est devenue presque indissociable d'une conscience internationale qui s'est encore développée au cours des années quatre-vingt.

UNE NOUVELLE IDENTITÉ QUÉBÉCOISE

Peu à peu, durant cette dernière décennie, une nouvelle image-type du Québécois francophone est apparue. Dans la foulée d'un certain désenchantement à l'endroit de l'appareil étatique, c'est la nouvelle classe des gens d'affaires et des entrepreneurs (qui pourtant doivent beaucoup à l'État et à ses institutions) qui donne le ton. Il appartient désormais à cette élite économique de définir les paramètres d'un Québec nouveau.

Contrairement à ce qu'on aurait pu croire, cette élite alimente à sa façon la conscience nationale québécoise. Peut-être en vertu de l'existence d'un réseau de communication économique francophone en concurrence avec le réseau anglophone traditionnel, les nouveaux mandarins entretiennent et valorisent leur identité québécoise. Mais, en raison même de leurs intérêts et de leur conscience très vive de devoir se projeter au niveau international, sous peine de voir s'effondrer les entreprises encore fragiles qu'ils ont érigées, le sentiment national qu'ils nourrissent doit inévitablement s'accompagner d'une grande ouverture à l'environnement international.

La conscience nationale des Québécois dans leur ensemble apparaît désormais fortement marquée par la vision du monde de ces élites économiques. On accepte d'assez bonne grâce qu'une Commission chargée de définir les voies de l'avenir constitutionnel du Québec soit présidée par deux banquiers. Le président du Mouvement Desjardins, Claude Béland, jouit d'un grand prestige et la réussite de ce mouvement coopératif est un objet de fierté pour un grand nombre de Québécois.

On peut donc parler d'une nouvelle conscience nationale québécoise, beaucoup moins axée sur l'État du Québec, bien que toujours reliée au rôle particulier que cet État est appelé à jouer. Cette nouvelle conscience nationale accorde une meilleure place aux initiatives individuelles et à l'entreprise privée. Elle s'accommode d'une cohésion moins intense que celle des décennies précédentes, elle respecte davantage le pluralisme social, voire la multiethnicité qui est désormais une caractéristique obligée de la société québécoise.

S'il est vrai que la conscience nationale des Québécois depuis la révolution tranquille allait de pair avec une nouvelle ouverture au contexte international, ce l'est encore davantage pour la nouvelle définition de l'identité québécoise. Il est devenu impensable que la conscience nationale (à moins qu'elle subisse des mutations peu prévisibles) signifie repli sur soi, exclusivisme, intolérance. Bien sûr, de telles attitudes peuvent apparaître et apparaissent ici ou là. Mais elles sont nettement déviantes par rapport à la nouvelle conception de la nation québécoise. Cette conception contient des éléments qui agissent comme des antidotes à un nationalisme étroit et fermé.

Il est significatif que les Québécois (au moins de par la voix de la plupart de leurs élites politiques et d'une bonne partie de leurs élites économiques) se soient déclarés favorables à l'accord de libre-échange avec les États-Unis, donc à une plus grande intégration économique nord-américaine. À la fin de 1988 cependant, à peine quelques semaines après que l'électorat québécois eût accordé un appui massif au gouvernement Mulroney pour mettre en oeuvre le traité de libre-échange, le gouvernement Bourassa s'est senti pressé par la population de maintenir les dispositions de la Charte de la langue française quant à l'affichage commercial à l'extérieur des établissements.

Voilà un geste qui a pu être interprété comme un effet abusif d'une conscience nationale frileuse, insécurisée, protectionniste. En fait, la loi 178 elle-même était peut-être mal inspirée et pourrait bien être révoquée. Mais les Québécois n'ont pas semblé percevoir une contradiction entre une loi qui avait pour but de protéger le visage français du Québec et l'ouverture économique vers les États-Unis. On pourrait même dire que cette ouverture est mieux acceptée par les Québécois que par les autres Canadiens en raison même de leur spécificité rendue plus visible et mieux assurée par le caractère français du Québec. Inversement, on se sent d'autant plus obligé de protéger ce caractère qu'on accepte de s'intégrer davantage au continent nord-américain. Plus on s'internationalise, plus la nation prend son sens. Plus le contexte international est présent, plus la conscience nationale est vive.

Alors que les Canadiens de langue anglaise, en majorité, regardent la télévision américaine, consomment massivement le produit culturel américain, les Québécois continuent de préférer leurs propres productions de télévision et leur fascination pour la culture de masse des États-Unis est tempérée par leur identité linguistique. Leur volonté de demeurer distincts leur permet d'élargir leur horizon international sans encourir une trop grande insécurité culturelle.

Ce n'est pas le libre-échange qui menace la culture canadienne-anglaise. C'est bien plutôt le faible attachement des Canadiens anglais à leur propre culture. Les Hollandais demeurent bien distincts des autres Européens même s'ils sont plongés dans la grande aventure européenne. Les Québécois semblent bien vouloir aussi demeurer distincts tout en s'engageant résolument dans des processus d'intégration supranationale.

Il est donc devenu presque impossible d'envisager quelque dynamique d'avenir pour le Québec sans se situer d'emblée dans un cadre international. La conscience nationale des Québécois ne peut plus guère être définie autrement. Voilà pourquoi la souveraineté du Québec, si elle doit se manifester, ne peut être conçue qu'en fonction de ses paramètres internationaux. Cette souveraineté ne pourra être que relative et limitée.

Contexte international et souveraineté

La souveraineté est évidemment un concept tout à fait relatif. Un État n'est vraiment souverain que s'il est reconnu comme tel par les autres, du moins par un certain nombre d'entre eux. Sans doute une nation, ou un groupe qui prétend l'être, peut-elle attirer l'attention de la communauté internationale en déclarant unilatéralement sa souveraineté. Ainsi le gouvernement du Québec, fort d'une victoire décisive à l'occasion d'un référendum, pourrait proclamer sa souveraineté et créer un certain émoi chez les nombreux partenaires du Canada. Mais cela serait loin d'entraîner une reconnaissance immédiate, pas davantage que ce ne fut le cas, au départ, pour les républiques baltes, la Slovénie et la Croatie. Car les autres acteurs internationaux valorisent déjà suffisamment les relations qu'ils entretiennent avec les États déjà en place pour devenir très circonspects quand il s'agit de reconnaître la souveraineté d'un État sécessionniste. À moins qu'une entente soit déjà survenue entre les parties concernées. Dans ce cas, les difficultés sont levées et la reconnaissance devient une formalité.

Voilà pourquoi tous souhaitent, de l'extérieur, que le statut du Québec soit le résultat d'une entente à l'intérieur du Canada, comme on l'espère pour la Yougoslavie et l'Union soviétique. Même la France, qui a déjà parrainé la participation du Québec à des organismes internationaux et facilité un certain cheminement diplomatique québécois, ne s'empressera pas de sacrifier ses relations avec le Canada sur l'autel de la souveraineté québécoise. On sera très heureux à Paris de célébrer en grande pompe un nouveau statut du Québec, voire sa souveraineté, dans la mesure où Ottawa y aura consenti. Le Général de Gaulle n'est plus!

Il faut dire que le Canada est un État respecté partout dans le monde et qu'il est très difficile de voir pourquoi d'autres États ou des organisations internationales auraient intérêt à reconnaître le Québec à l'encontre d'Ottawa. Il en ressort donc assez clairement que, pour une bonne part, la clé de la souveraineté québécoise se trouve à Ottawa. On peut toujours affirmer théoriquement que la souveraineté ne se négocie pas. En pratique le Québec y gagnera beaucoup à établir un nouveau modus vivendi, à conclure une entente, avec le Canada anglais.

Cela ne veut pas dire que le Québec est à la merci de la bonne volonté du grand frère d'Ottawa. Il y a plusieurs moyens d'ébranler l'obstination naturelle des détenteurs de la souveraineté canadienne. La force de la volonté populaire en est une; mais un référendum québécois n'aura tout son impact que s'il débouche sur un verdict fortement majoritaire. Des pressions de l'extérieur pourront encore être exercées sur un Canada anglais récalcitrant à la suite de l'expression démocratique et décisive d'aspirations québécoises modérées. Mais en définitive, l'assentiment du Canada anglais serait un précieux atout, sinon une quasi-nécessité pour un Québec souverain.

Plus encore. Cet assentiment pourrait comporter la constitution d'une nouvelle union canadienne, c'est-à-dire le maintien de certaines institutions fédérales, ou mieux confédérales. En d'autres termes, les Québécois se contenteraient fort bien d'une souveraineté limitée. Leur conscience nationale s'accompagne volontiers, comme on l'a vu plus haut, de certaines formes d'intégration supranationale.

On objecte souvent, tant chez les irréductibles protagonistes de l'État-nation canadien que chez les indépendantistes québécois, que la souveraineté est indivisible et ne s'envisage pas en termes de plus ou de moins. La souveraineté, dit-on, ne saurait donc être partagée, pas davantage qu'elle ne saurait être négociée. Il est bien vrai que le concept de souveraineté, qui a été élaboré et appliqué à l'époque où Thomas Hobbes[10] envisageait les États comme des masses autosuffisantes se dressant les unes face aux autres dans une sorte d'équilibre de terreur, il est bien vrai que ce concept n'accepte en toute logique, aucune divisibilité. Comme d'ailleurs le mercantilisme allait à l'encontre de l'interdépendance économique. Jean-Jacques Rousseau pouvait écrire: «Le souverain, par cela seul qu'il est, est toujours ce qu'il doit être[11]». Les Jacobins français ont proclamé, à sa suite, une République une et indivisible, et combien d'autres les ont imités.

Il y a lieu de se demander, toutefois, si ce concept convient toujours aux nécessités de l'économie mondiale contemporaine, aux aspirations de la conscience nationale des Québécois et à d'autres aspirations nationales ailleurs dans le monde. Quand on parle du droit des peuples à l'auto-détermination, cela doit-il signifier vraiment la résurrection du principe des nationalités? Comment résoudre le problème posé par toutes les nations qui aspirent à se donner un État souverain? Peut-on seulement concevoir un monde où toutes ces aspirations seraient satisfaites par une multitude de souverainetés indivisibles? En revanche, aurait-on raison de se retrancher dans le principe de l'inviolabilité des frontières présentes et l'indivisibilité des souverainetés déjà reconnues? Les grandes puissances, les États déjà bien installés dans le système ont naturellement tendance à invoquer les ravages que pourrait causer l'ouverture de cette boîte de Pandore. Accordez seulement la souveraineté à la Slovénie, dit-on, et vous verrez les Kurdes, les Gallois, les Corses et combien d'autres revendiquer le même statut. Mais au nom de quel principe devrait-on déclarer l'ordre établi et le statu quo comme correspondant à la justice?

Il semble bien que la solution au dilemme se situe quelque part entre les deux extrêmes du statu quo inviolable et de la multiplication tous azimuts des États-nations souverains. La réconciliation des consciences nationales et d'une conscience internationale pourrait apporter cette solution.

Ne pourrait-on pas cependant établir des critères selon lesquels une nation aurait droit de se donner un État souverain? Bien malin serait celui qui voudrait s'employer à définir ces critères et à les faire appliquer. Je ne crois pas que cette solution ait quelque avenir.

Beaucoup plus prometteur et fécond serait un projet qui consisterait à promouvoir et universaliser la souveraineté limitée, c'est-à-dire des formes d'autonomie politique conciliables avec l'intégration économique et même un certain degré d'intégration politique qui pourrait se traduire par la formation de systèmes confédératifs. La Communauté européenne semble se diriger dans cette direction. Il semble bien aussi que cela constituerait le dénouement le plus heureux aux crises nationales en Europe de l'Est.

Pour ce qui est des Québécois, leur conscience nationale s'accommoderait fort bien d'une union canadienne où un pouvoir central, supranational conserverait des juridictions en matière de politique extérieure (sauf pour la francophonie), de défense et de système monétaire[12]. Voilà la superstructure déjà envisagée par Robert Bourassa. Cela sans doute ne conviendrait pas aux indépendantistes irréductibles. Mais comment pourraient-ils s'opposer longtemps à un tel progrès du Québec quant à sa souveraineté interne?

Jusqu'à maintenant, les Canadiens anglais nous répètent à satiété qu'une telle confédération ne leur conviendrait pas et qu'ils lui préféreraient la sécession complète du Québec. Mais on est toujours en droit de se demander s'ils pourraient résister longtemps à une formule qui leur conférerait de nombreux avantages, entre autres le maintien d'une entité politique au nord des États-Unis, l'accès au marché québécois, le lien assuré avec les Maritimes.

Une telle formule aurait aussi l'heur de constituer un modèle pour toutes ces nationalités qui cherchent leur place au soleil. Alors, vraiment, Brzezinski aurait parfaitement raison de citer le Canada comme un exemple dont les Européens de l'Est devraient s'inspirer.

Cela signifierait la «déconstruction» de l'État-nation canadien, l'actualisation, une fois pour toutes, de cette donnée inéluctable de l'histoire canadienne, c'est-à-dire que les Québécois francophones refusent de se fondre dans une nation canadienne. N'allons-nous pas assister, d'ailleurs, à la mise en cause des États-nations un peu partout dans le monde? Ces constructions artificielles ont déjà tendance à s'écrouler ou, du moins, à perdre beaucoup de leur sens. Soit qu'elles apparaissent minées de l'intérieur comme en Union soviétique, en Yougoslavie, au Canada. Soit qu'elles deviennent de plus en plus caduques de par les nécessités de l'interdépendance économique. Déjà la France jacobine n'est plus. Les Français sans doute conservent une conscience très vive de leur identité collective mais leur conscience européenne est aussi très forte. Allez leur demander (comme on le fait avec les Québécois) de se «brancher», de choisir, une fois pour toutes, entre la France et l'Europe. On sait qu'ils feront valoir la pertinence de leur double allégeance. Si la souveraineté française n'est plus ce qu'elle était, pourquoi en irait-il autrement des Québécois? Accordez aujourd'hui à ces derniers autant de souveraineté que les Français en auront encore en l'an 2000 et ils s'en porteront fort bien. Mais il faudrait pour cela cesser de parler d'une «nation canadienne» tout en acceptant qu'une nation québécoise ne soit pas vouée à la souveraineté indivisible.

Cette nation québécoise tient, pour une bonne part, elle aussi, de la construction artificielle. Mais il existe, au Québec, une conscience nationale qui se manifeste toujours et s'appuie sur un véritable réseau de communications et d'institutions. Elle s'est développée à la faveur d'une certaine perception du contexte international. De plus en plus, au cours des décennies d'après-guerre, elle a fait bon ménage avec une conscience internationale assez vive. Il semble bien que le sentiment national de la majorité des Québécois ne s'entende bien qu'en fonction de l'environnement international. Les Québécois refusent de s'isoler. Mais ils tiennent à leur maison dans le village global.

Notes

1. Voir en particulier Karl Deutsch, *Nationalism and Social Communication*, Cambridge, MA, M.I.T. Press, 1966 et *Tides Among Nations*, New York, The Free Press, 1979, p. 297 ss.; Hans Köhn, *The Idea of Nationalism*, New York, Macmillan, 1956; Herbert C. Kelman, «Patterns of Personal Involvement in the National System: A Social-Psychological Analysis of Political Legitimacy» *in* James N. Rosenau, ed., *International Politics and Foreign Policy*, New York, The Free Press, 1969; Anthony D. Smith, *Theories of Nationalism*, London, Duckworth, 1983; Ernest Gellner, *Nations and Nationalism*, Ithaca, N.Y., London, Cornell University Press, 1983, p. 61.

2. «All nationalist movements are in part acts of creation, in which an enterprising elite — in the pursuit of its own ideology and interests — takes the leadership in mobilizing national sentiments. Such an elite cannot succeed, however, unless there are national sentiments to be mobilized. Both the Israelis and the Palestinians have amply demonstrated the existence and authenticity of such national sentiments». Hebert C. Kelman,»Social-Psychological Dimensions of Nationalism and National Identity», address prepared for presentation at the 21st International Congress of Applied Psychology, Jerusalem, July 17, 1986. Texte ronéotypé, Harvard University, p. 23.

3. Voir les auteurs cités plus haut et Hugh Seton-Watson, *Nations and States, An Enquiry into the Origins of Nations and the Politics of Nationalism*, Boulder, Co., Westview Press, 1977. «The structure of the international system and the central role of the nation state within it help to account for the continuing strength of nationalist ideology». Herbert C. Kelman, *op. cit*, p. 19.

4. Le principal défaut de la théorie wilsonienne, c'est qu'elle n'a pu être appliquée partout. Les empires anglais et français sont demeurés à peu près intouchés. Même les Irlandais étaient exclus du processus. De plus, les nouveaux États, laissés à eux-mêmes, se sont avérés plus que fragiles.

5. *L'Action nationale*, 16, 1, août-septembre 1940, p. 185. Le même thème est repris dans des articles de 1950 et de 1952. Voir mon étude sur ce sujet, «André Laurendeau, un artiste du nationalisme» dans Robert Comeau et Lucille Beaudry éd., *André Laurendeau, un intellectuel d'ici*, Montréal, Presses de l'Université du Québec, 1990, p. 171 et ss.

6. Voir à ce sujet l'ouvrage de Paul-André Comeau, *Le Bloc populaire*, Montréal, Québec-Amérique, 1982.

7. C'est là une des grandes ironies de l'histoire du Canada que la Société Radio-Canada, dont les objectifs bien définis visaient à affirmer les liens entre tous les Canadiens, à produire une *nation* canadienne, contribua bien davantage à rapprocher les Québécois les uns des autres et à consolider une *nation* québécoise.

8. Montréal, Éditions Parti pris, 1969. Signalons aussi le vibrant discours de Pierre Vadeboncoeur qui dénonçait la démission des nations occidentales devant les États-Unis et le capitalisme international et, du même souffle, la démission des Québécois devant Ottawa. «Les nations sont le dernier retranchement de la démocratie. Le nationalisme est leur dernière arme. Les nations sont, à l'échelle internationale, les derniers parlements des peuples.» *Le Devoir*, 11 février 1967, p. 4.

9. «... the Soviets would be well advised to examine the possible relevance of some multinational solutions adopted and practiced in the West. For example, Canada offers both an excellent internal and external model. Internally, the status of Quebec might have some relevance for those Soviet nations that choose not to secede; for some, externally, the economic arrangements between Canada and the United States could provide guidelines for a possible post-recession accomodation.» («Post-Communist Nationalism», *Foreign Affairs*, Winter 1989/90, vol. 68, n° 5, p. 21.

10. Voir *Léviathan*, ch. 13.

11. *Du contrat social*, Livre I, ch. 7, Paris, Garnier Flammarion, 1966, p. 54.

12. Voir Georges Mathews, *L'accord*, Montréal, Les Éditions du Jour, 1990, p. 173-193.

Le devenir de l'État du Québec

Gérard Bergeron

Maintenant rattaché à l'École nationale d'administration publique, Gérard Bergeron est un des pionniers de la science politique à l'Université Laval et au Québec. Il se demande d'abord dans ce chapitre comment le Canada et le Québec ont pu faire pour en arriver à l'impasse que nous connaissons: un mélange d'erreurs de jugement, de perspectives incorrectes et de mauvais calculs. Puis il fait le tour des différents modèles que l'on retrouve à la cafétéria constitutionnelle, du statu quo au Québec souverain et indépendant. Il constate que l'échec de l'accord du lac Meech a réduit les réticences des Québécois envers la souveraineté. Un de ses collègues de l'Université McGill, Charles Taylor, a même écrit que la constitution de 1867 était morte moralement au Québec le 23 juin 1990. L'auteur se penche aussi sur les différents mécanismes de consultation populaire que sont le référendum et l'assemblée constituante. Il nous rappelle enfin qu'il n'y a aucune garantie de succès pour qui que ce soit au sortir de cette crise.

3

Le devenir de l'État du Québec

Gérard Bergeron

À LA CAFÉTÉRIA CONSTITUTIONNELLE . . .

> Thucydide a écrit que la grandeur de Thémistocle a été de
> reconnaître qu'Athènes n'était pas immortelle. Nous
> devons nous rendre à l'évidence que le Canada n'est pas
> immortel, mais s'il doit disparaître, que ce soit avec éclat et
> non en sourdine.
>
> Pierre Elliott Trudeau[1]

> Le Canada anglais doit comprendre de façon très claire que
> quoi qu'on dise et que quoi qu'on fasse, le Québec est
> aujourd'hui et pour toujours une société distincte, libre et
> capable d'assumer son destin.
>
> Robert Bourassa[2]

Un moment d'histoire plutôt inattendu

Comment en sommes-nous arrivés là? — D'abord une sous-question
préalable afin de pouvoir introduire une réponse complexe et qu'il faudra
schématiser avec excès pour des raisons de clarté et de brièveté: *pourquoi*
et, surtout, *à ce moment-là?* Retournons à ces quelques années entre 1982
et 1987: c'était hier après-midi.

Analystes de circonstances et essayistes pressés jonglaient déjà avec
le thème du déclin, ou même de la fin, du nationalisme au Québec francophone. La vérité était que, sans se *dénationaliser*, les Franco-Québécois
devenaient peu à peu politiquement apaisés ou, si l'on préfère, comme
soulagés dans leur vie civique d'une espèce de trop-plein de «constitutionnel» et de «politique» qui s'y accumulait depuis tellement d'années.
D'un second document constitutionnel, en la forme de la Charte des droits
et libertés promulguée en avril 1982, on allait finir par s'accommoder,
d'autant que le gouvernement québécois d'alors avait refusé sa signature

et qu'en dehors des quelques éléments du litige persistant, elle ne semblait pas devoir être tellement nocive.

Trudeau et Lévesque avaient gagné et perdu — tous deux relativement — leur grand pari de vie politique. D'ailleurs, nos héros contradictoires se trouvaient l'un et l'autre en instance de départ. Après les brefs intérims d'un John Turner et d'un Pierre-Marc Johnson, Mulroney installait et Bourassa réinstallait, à la force des poignets et même d'une façon éclatante, un nouveau pouvoir fort. Il allait s'ensuivre dans la vie collective québécoise le sentiment d'une bienfaisante décompression politico-constitutionnelle. La situation tournait à l'ambiance d'une espèce de trêve, bien que sans limite de temps précise. La situation, pour le moins incongrue, d'un État fédéré toujours membre d'une fédération mais refusant son adhésion formelle à un second acte fédératif, allait bien durer encore un certain temps. Pour le reste, ce pouvait être *politics as usual...*

Mais plutôt moins que plus, à la vérité ..., car la population avait bien pris le nouvel «air du temps», propre au tournant des années 1980 un peu partout dans les palais, sur les places publiques et dans les chaumières d'Occident. Depuis les affaires de l'Afghanistan, des euromissiles, de la guerre des étoiles, il était exact que la guerre froide avait connu une nouvelle (qui serait aussi la dernière) phase de glaciation sous les dernières années de Brejnev et les premières de Reagan. Mais dans tout l'en deçà de la vie collective, l'époque se marquait plutôt par l'irruption d'un ensemble de valeurs privées et même intimes envahissant les vies individuelles: valeurs expressives de la personnalité et du petit groupe, de la réussite de carrière, des loisirs au grand air et des voyages au loin; aussi, valeurs encore plus globales de la «qualité de vie», portées par les nouveaux thèmes à la mode de l'écologie et de la convivialité. Pour faire bref, disons que les Québécois se trouvaient ponctuellement accordés aux courants nouveaux en train de se manifester dans les sociétés comparables du type dit occidental.

Mais, comment donc en sommes-nous arrivés là? Là, c'est-à-dire en récidive aiguë de *constitutionite* chronique *a mare usque ad mare*, et qu'entretiendra une épidémie de *commissionites* proliférant dans tout ce que nous comptons de villes capitales au Canada. «Mon pays, c'est l'hiver» constitutionnel.

Nous y sommes arrivés par l'enchevêtrement complexe, mais flagrant dans leurs conséquences compliquées, chez les Franco-Québécois et les Anglo-Canadiens,

de deux impairs historiques,

de deux perceptions mythiques et

de deux sous-estimations réciproques par myopie politique.

Détailler ce schématisme d'exposition ne se ferait pas de gaieté de cœur.

Deux *impairs* furent commis, non pas inconsciemment, mais plutôt avec le sentiment, trompeur malgré tout, d'un état de nécessité chez les preneurs de décision:

1. Le manque de ratification, à l'extrême pointe d'un *in extremis* procédural, d'un accord unanimement signé, portant sur la constitutionnalisation de la clause dite de la «société distincte» du Québec, et dont le contenu était estimé minimal par son gouvernement et la grande majorité de ses citoyens.

2. Six mois plus tôt, le recours par le gouvernement du Québec à la clause constitutionnelle dite «Nonobstant[3]» pour l'adoption de la Loi 178, en révision partielle de la Loi 101 de 1977, au sujet de l'affichage (extérieur) unilingue français, affectant particulièrement la région montréalaise.

C'est moins le bien-fondé de chacune de ces propositions qui constitue le propos que le fait de la relation au plan des conséquences, réelles ou même anticipées, entre les deux événements. Ainsi en adaptant sa législation linguistique, le gouvernement du Québec savait bien qu'il allait hypothéquer gravement les chances, déjà s'amenuisant de jour en jour, d'une ratification unanime de l'accord constitutionnel dit de Meech, auquel il tenait beaucoup et qu'il avait été le premier à faire ratifier par son assemblée législative. Il s'ensuivrait une dialectique ambiguë et même vicieuse entre, d'une part, la clause de la «société distincte» d'une province et, d'autre part, celle du *Notwithstanding* qu'avaient réclamée en 1981-1982 quelques provinces anglaises, et à laquelle le Premier ministre Trudeau avait dû consentir, en ses propres termes, «la mort dans l'âme».

Deux *mythes* d'interprétation allaient ensuite prendre naissance à l'effet que:

1. L'accord sorti des délibérations du lac Meech et de l'édifice Langevin en juin 1987, à l'époque de ce qui avait justement été qualifié de «ronde du Québec», constituerait un réel danger pour le fonctionnement efficace et équitable de la fédération canadienne[4].

2. Trois ans plus tard, le défaut de ratification unanime de l'accord signifiait, selon une forte majorité de Québécois, que les Anglo-Canadiens indiquaient ainsi la porte de sortie de la fédération aux Franco-Québécois, puisqu'était finalement dénié leur caractère le plus global et évident de constituer une «société distincte».

Même remarque à faire ici qu'à propos des deux impairs: l'important à dégager ici reste la causalité réciproque entre ces deux facteurs. Ils continuent de s'alimenter dans leur mythologie conséquente et durable. Même si l'on discute moins de la clause explicite de la «société distincte» telle que définie dans le texte de 1987, les effets doublement mythiques persistent par les références polémiques à la notion tabou de «statut parti-culier», ainsi qu'à l'extension pour le moins discutable de ce présumé privilège aux autres provinces.

Quant à la nature réelle des effets du second mythe, des sondages à répétition chez les Franco-Québécois en ont établi la persistance de semaine en semaine dès avant le rejet formel du 22 juin 1990. Tant et si bien — ou si mal — que l'option «souverainiste» s'est mise à prendre une saveur «séparatiste», phénomène tout nouveau, et qu'elle a atteint des scores jamais atteints jusque-là et, depuis lors, continuant à varier à de hauts niveaux.

Des *sous-estimations* des intérêts et intentions de chaque groupe sont devenues courantes dans l'autre groupe:

1. Au Canada majoritairement anglophone, une partie importante de l'opinion publique, se gonflant graduellement, croyait ou faisait mine de croire qu'un refus de cette symbolique culturelle de Meech pou-vait être supportable, tout au moins tolérable par les Franco-Québé-cois; ou pis encore, il ne manquait pas de voix dans la majorité pour reprocher à ceux-ci de faire de nouveau du marchandage ou de recourir au chantage, etc.

2. Au Québec majoritairement francophone, d'emblée une partie impor-tante de l'opinion croyait ou faisait mine de croire que les gouverne-ments des autres provinces ne seraient que trop heureux, dans l'hypothèse sécessionniste, de conclure dans un court délai une cer-taine forme d'association économique puisque les deux parties auraient un intérêt manifeste à relancer différemment l'aventure com-mune, etc.

Cette dernière paire de perceptions fautives constituerait la base explicative des erreurs jumelées qui précèdent: c'est parce qu'on se sous-estime de part et d'autre qu'on mythifie simultanément l'un par rapport à l'autre, et qu'on commet de telles confusions valant d'être qualifiées d'impairs historiques difficilement récupérables dans la suite. Je sais bien que je vais vite, que je tourne les coins ronds. Je n'ai surtout pas l'inten-tion de faire la promotion de cette petite grille de lecture d'événements, mais qui se comprennent encore moins à les considérer isolément. Elle ne comporte que six éléments, alors qu'il faudrait peut-être les augmenter surtout si la crise en vient à évoluer selon les grandes stratégies qu'on nous annonce et avec indications d'échéances[5] dont la seule chose certaine est qu'elles ne seront pas toutes tenues! C'est le temps de jeter un coup d'œil à ce qu'offre la cafétéria constitutionnelle.

Au comptoir de la cafétéria constitutionnelle

Au lieu des deux ou trois statuts dont on parle principalement, on peut identifier au moins sept types ou modèles de formules constitutionnelles. Cinq relèvent de l'espèce fédéraliste, un de la catégorie confédéraliste et le dernier est celui de l'État unitaire et indépendant comme le serait un Québec faisant sécession de la fédération canadienne. Ces modèles sont ceux:

1. d'un statu quo fédéral;
2. d'un fédéralisme modernisé;
3. d'un fédéralisme décentralisé dans son ensemble;
4. d'une union fédérale de quatre à six régions regroupant des provinces actuelles ou futures (à l'exception de deux, l'Ontario et le Québec);
5. d'un fédéralisme dualiste unissant un Canada fédéral sans le Québec et un Québec unitaire;
6. d'un arrangement dualiste du type de la souveraineté-association (selon la doctrine péquiste);
7. d'un État souverain et indépendant du Québec (et permettant des actes d'intégration internationale par traité de libre-échange ou de marché commun, par exemple).

La ligne du clivage principal entre les divers statuts de cette série, qui n'est pas exactement un continuum, passe entre les catégories 5e et 6e selon les distinctions, classiques mais souvent oubliées et même confondues, entre les systèmes fédératifs et les organisations confédérales. Pour que le Québec opte résolument pour l'une ou l'autre des deux dernières formules, il faudrait d'abord qu'il devienne indépendant et souverain, c'est-à-dire qu'il sorte de la fédération actuelle (ou que, tout au moins, il soit en processus de le devenir en préparant une telle sortie). Comme il n'est plus personne au Canada pour défendre ou promouvoir explicitement la formule n° 1 du statu quo constitutionnel, la carte nouvellement «fédéraliste» se réduit à quatre options selon un ordre d'intensité croissante de changement des modèles 2 à 5. Cependant, ce choix reste encore plus large que ce que la solution «souverainiste» offrirait sur la carte associationniste ou indépendantiste inconditionnelle (les modèles 6 et 7).

D'autre part, que les deux options aux extrémités de cette série, la 1ère, le statu quo fédéral et la 7e, l'indépendance tout court, ou classique, du Québec, n'aient pas encore fait l'objet d'un choix préférentiel et délibéré, n'implique pas qu'il faille les tenir pour négligeables. Non seulement, restent-elles fort «pensables» en leur simplicité même; mais elles le sont, l'une par rapport à l'autre, par la force d'attraction des extrêmes où elles se situent. Ainsi, d'une situation de fixité fédérative complète, on ne saurait déduire que n'en pourrait pas finir par sortir une très vive réaction québécoise sous la forme, la plus hardie de toutes, de l'indépendantisme inconditionnel. Aussi faut-il considérer à l'égal des autres les formules qui se situent aux deux extrémités de cette gradation. Reprenons de façon moins sommaire chacune de ces formules en gardant à l'esprit la part d'hybride inévitable en passant de l'une à l'autre.

1. *Le statu quo fédératif:* en ce cas, il n'est envisagé aucune modification constitutionnelle d'importance substantielle. Des arrangements de type administratif courant peuvent permettre une certaine adaptabilité ou souplesse, mais sans annoncer une tendance à les développer à l'avenir. Même reconnus comme désirables ou nécessaires, des besoins de changement ne sont pas satisfaits ou encore sont bloqués par des membres de la fédération les jugeant inacceptables ou non désirables. L'actuelle remise en question du problème constitutionnel dans l'après-Meech peut s'étirer sur une période indéfiniment «intérimaire». Elle engendrerait de l'attentisme et un état de malaise dans la population; mais elle pourrait aussi entretenir ou même susciter des adhésions passives pour l'option du statu quo, comme étant la moins compliquée, aléatoire ou risquée de toutes... Or, comme il ne peut se produire de *vacance* constitutionnelle, la situation présente prévaudrait et durerait jusqu'à nouvel ordre.

2. *Un fédéralisme modernisé:* la constitution est revue et rajeunie, pour des fins d'ajustement du fonctionnement fédératif actuel, sur des points d'importance très inégale, mais pouvant aller jusqu'à l'instauration d'un nouveau Sénat. De façon générale, les changements envisagés pourraient profiter, sur certains points, aux autorités provinciales, sur d'autres aux institutions centrales, mais le tout s'accomplirait à l'enseigne du maintien d'un «État central fort». Peu ou pas de dispositions spéciales, si ce n'est peut-être «symboliques», au sujet du Québec, considéré comme une «province comme les autres» selon le principe, récemment réaffirmé, de «l'égalité des provinces» pour refuser l'accord du lac Meech.

3. *Un fédéralisme décentralisé dans son ensemble:* il s'agit d'un récent mouvement d'opinion qui s'est manifesté assez paradoxalement dans la période suivant l'échec de l'accord du lac Meech (donc en l'absence du Québec) et pouvant affecter des responsabilités et programmes centraux (communications, développement industriel et

formation professionnelle) et des pouvoirs fiscaux (programmes à coûts partagés). L'inspiration de ce courant est, en certains milieux, assez nettement néo-libérale. L'actuel gouvernement central semblerait en voie d'y consentir, ainsi qu'un certain nombre d'universitaires et d'experts constitutionnels. En contre-partie, les tenants d'un traditionnel centralisme fédéral et les porte-parole du Manitoba et des provinces de l'Atlantique (toujours sensibles aux bienfaits de la péréquation et du développement régional) sont plus réticents. D'après d'aucuns, ce serait le pire des choix, compte tenu du plus large contexte[6].

4. *Une union fédérale faite d'un remaniement des entités composantes sur une base régionale, mais exerçant, seule, la souveraineté au sens du droit international:* il s'agirait donc d'un État unique et de pleine souveraineté, mais organisant sa complexité intérieure[7] autrement que ne le fait la fédération canadienne actuelle et, a fortiori, autrement que ne le font les confédérations d'États (qui sont un fait plural). Communauté, union ou encore «union communautaire», signalent aussi, mais assez improprement un arrangement ramenant à l'unité étatique un nombre moindre d'entités composantes que celui des actuels dix provinces et deux territoires (Yukon et Territoire du Nord-Ouest). Les entités composantes pourraient être au nombre de quatre ou cinq ou six régions[8], seules les deux grandes provinces d'Ontario et de Québec constituant chacune une région. L'intention du regroupement serait de permettre les avantages de plus naturelles équilibrations entre les masses géographico-démographiques des entités composantes, tant aux points de vue culturel qu'économique. On n'y parviendrait que par un réaménagement général des unités provinciales et territoriales actuelles dont le caractère inégal et biscornu n'a pas à être démontré! Seules, n'auraient pas besoin d'être «regroupées» les deux provinces qui sont déjà — et ont toujours été — à l'échelle régionale. Au lieu d'être une province parmi dix (et deux territoires), le Québec serait, dans cet ensemble nouveau, une des quatre, cinq ou six régions.

5. *Un fédéralisme renouvelé en profondeur selon un mode dualiste ou encore dit «asymétrique»:* chaque terme compte ici avec son maximum de sens. L'épithète, qui provient de la lexicologie du rapport Pépin-Robarts, a, dans le présent contexte, une autrement plus forte signification puisqu'elle détermine une construction dualiste: d'une part, le Canada sans le Québec, de l'autre, le Québec *avec* le Canada pour une *Union nouvelle.* Seule cette dernière aurait la

plénitude de la souveraineté au sens du droit international. Cette *Union Canada-Québec*[9] reposerait sur une structure, sinon strictement égale, du moins paritaire, mettant ensemble, «par le haut», un Canada fédéral et un Québec unitaire[10]. L'Union aurait l'exclusivité de tous les grands pouvoirs indispensables au maintien et au fonctionnement de l'unité du nouvel ensemble: défense, politique étrangère, monnaie (Banque Centrale), environnement, citoyenneté et nationalité, emblèmes de la souveraineté, responsabilité constitutionnelle suprême, etc. Laissant au reste du Canada le choix d'aménager sa propre structure fédéraliste, le Québec posséderait sa propre organisation politique et son maximum d'être collectif sans rompre pour autant avec le Canada anglophone historique. Il se définirait comme le partenaire paritaire d'un puissant voisin et ne serait plus restreint au statut d'une «province» sur dix ou d'une «région» sur quatre, cinq ou six.

6. *Une association du type de la souveraineté-association:* son modèle a fini par sortir des interminables discussions au sein du Parti québécois et s'est exprimé sous la forme du Livre blanc de 1979: *La nouvelle entente Québec-Canada* (1979). Malgré l'intention d'assouplir la portée de l'expression par le second terme relié par un trait d'union, le premier terme de ce couple présupposait l'accession à la *souveraineté*, soit à l'inévitabilité d'une rupture sécessionniste. Le produit hypothétique d'un pareil alliage eût supposé, à défaut d'une stricte «égalité», un état de parité dans le fonctionnement des mécanismes communs, difficilement recevable par la partie, trois fois plus nombreuse, de laquelle le Québec aurait fait sécession. Ces derniers temps, le Parti québécois a plus ou moins laissé tomber le second terme «d'association» sans, toutefois, procéder à une modification formelle à cet effet dans son programme officiel. Le terme, partout ailleurs usuel et courant, «d'indépendance» en est venu à se substituer à celui de la *souveraineté* avec l'espoir, incertain, qu'une *association* subséquente finira par être possible quoi qu'en disent ceux qui, à l'heure actuelle, déclarent la refuser absolument. Par cette formule de la souveraineté-association, est franchie la ligne de la grande division. Il ne reste plus que l'option de l'indépendance inconditionnée, à laquelle pourrait aboutir l'échec de celle de la souveraineté-association si cette dernière était essayée, ce qui ne paraît guère probable[11].

7. *Un État souverain et indépendant:* c'est la plus drue, la plus nette des options, autant que l'est, d'une façon contraire, la toute première.

C'est aussi celle qui ouvrirait une grande aventure historique, sans doute marquée d'événements hautement dramatiques de part et d'autre, ainsi que, par ricochet, dans l'environnement nord-américain et plus largement occidental même si le reste du monde ne s'interdirait certes pas de tourner!

La présentation de cette série de statuts constitutionnels, graduée selon l'ampleur et l'intensité du changement, n'est certes pas une fin en elle-même. Si sa valeur informative, quoique faible, a quelque justification, ce serait de suggérer une première exploration du champ des possibles et, peut-être, de chercher à dégager les plus ou moins probables parmi ces possibles. Elle intègre les extrêmes du non-changement (le statu quo constitutionnel) et du changement le plus radical (l'indépendance inconditionnelle du Québec, que d'aucuns, selon des emprunts extérieurs, ont parfois qualifiée avec exagération de «pure et dure»). On observera encore que cette liste n'inclut pas un modèle, préalable, de négation du fédéralisme par unitarisme simplificateur et qui ne serait imaginable que par quelque impérialisme inexistant, non plus qu'à l'autre extrême les participations volontaires d'un État existant à des phénomènes d'intégration internationale ou partiellement suprainternationale, comme sont les associations de libre-échange ou les communautés économiques et monétaires (dont la Communauté économique européenne est devenue le prototype, surtout en rapport à l'horizon 1993). Il s'agit en ces derniers cas de phénomènes d'internationalité externe et non de constitutionnalité interne; et jusqu'à nouvel ordre, leur pente reste confédérale, mais non encore fédérale selon la distinction classique toujours pertinente.

Remarque encore plus importante: l'observateur le moindrement averti des discussions constitutionnelles au Canada depuis une trentaine d'années, et singulièrement depuis la dernière décennie, saurait très bien reconnaître sous l'une ou l'autre de ces catégories statutaires des projets globaux ou partiels de réforme constitutionnelle, et constater, en outre, que certains de leurs éléments spécifiques peuvent se ranger sous plus d'une classe. Dans cette première exposition sommaire, il fallait insister sur les contrastes entre les éléments d'une catégorie pour bien la distinguer des voisines; mais à l'analyse, il importerait non moins de détecter et de souligner les similitudes et même les caractères transitionnels d'éléments appartenant à des classes voisines. Cette liste graduée de statuts constitutionnels, qui n'a pas les vertus d'une typologie stricte avec utilisation de concepts et de critères, etc., et ne s'attachant qu'à faire ressortir une dominante, n'a d'autre prétention que de fournir des outils analytiques qu'on espère, malgré tout, pas trop grossiers. Ainsi, il se pourrait fort bien que des éléments inter-classes suggèrent, par leur ambivalence même, les formules d'émergence ponctuelle de modifications éventuellement bénéfiques pour le système. Enfin et pour faire bref, il n'est probablement pas de projet concret le moindrement élaboré, qu'il soit celui d'un gouvernement, d'une commission parlementaire ou d'enquête, d'un parti, ou d'une quelconque association ou groupe de citoyens dont les éléments n'appartiennent qu'à une seule de ces classes — le projet de la souveraineté-association constituant peut-être l'unique exception à cause de ses origines, encore qu'il conviendrait d'y regarder de plus près de ce strict point de vue.

Seules, les positions 1 et 7 soulèvent ce qu'on pourrait appeler de la répulsion systématique et, pour le dernier cas, au contraire de l'enthousiasme chez les indépendantistes ou «souverainistes» québécois: nous avons, d'ailleurs, signalé au début le lien logique d'une causalité virtuelle outre ces situations extrêmes. Mais au Canada anglophone (comprenant les anglophones du Québec), les réflexions et projets, les critiques et suggestions s'étendent selon une aire assez large couvrant les options 2, 3 et 4. Pour ce dernier cas, rappelons la poussée récente des régionalismes dans l'Ouest, dans les Maritimes et chez les autochtones (dont le *localisme* tend souvent à s'exprimer en un large régionalisme). Au Québec francophone, la position 2 n'attire guère étant estimée insuffisante, et non plus que la 4 (le Québec constituant déjà une *région*); mais la 3 séduit bien davantage (dont le rapport Allaire constituerait la Bible ou, tout au moins, le texte de référence); et la 5 relance un vieux rêve dualiste et paritaire dont les partisans québécois, plus hardis, des options 6 et 7 prétendent rejoindre plus complètement la dialectique historico-culturelle d'un Canada qui fut d'abord français.

Voilà bien la grande nouveauté de l'époque: le sentiment québécois du «rejet» dans l'après-Meech a fait sauter la ligne de clivage que constituait une traditionnelle réticence, freinant la poursuite de l'indépendance nationale jusqu'au bout. La seconde grande nouveauté, de la part cette fois du Canada anglais, est que celui-ci (du moins ceux qui parlent haut ce langage) commence à dire: *Let them go!* et (en français dans le texte), *Bonne chance et Bon voyage!* Des majorités fermes et persistantes pour la poursuite de ces deux fins contradictoires sont encore loin d'être acquises: ce qui, malgré tout, permet d'affirmer que la collision reste encore évitable.

Après avoir parcouru du regard un tel étalage, on pourrait penser que, la cafétéria constitutionnelle étant bien pourvue, il suffirait de quelque imagination et d'un peu de hardiesse pour s'en sortir. Bien sûr, si l'on était raisonnable... Mais la situation comporte d'autant plus de gravité qu'on l'impute d'ordinaire aux hommes politiques et à leurs insuffisances devant les institutions, alors que c'est l'inverse qu'il faudrait poser. Les culs-de-sac constitutionnels incitent les citoyens canadiens, sans même qu'ils s'en rendent compte, à penser politiquement en dessous d'eux-mêmes. L'infirmité des structures constitutionnelles devient comme la multiplicatrice des insuffisances des hommes politiques où qu'ils soient: pas de chambre haute sérieuse pour représenter les régions, pas de processus manœuvrable de révision constitutionnelle, pas de présence du «peuple» alors que de nouveaux intervenants collectifs sont entrés en force dans le jeu constituant, etc. Tout cela n'est que trop bien connu pour épiloguer longuement.

En a même fini par émerger cet état de conscience, chez l'un des «gros morceaux» historiques des origines, que c'est peut-être le moment de quitter une pareille fabrique de la stérilité impuissante avant qu'elle ne s'érige en système. D'un système atteint d'artériosclérose chronique. C'en est au point où l'un de nos plus distingués constitutionnalistes[12] se demande si la voie pour s'engager dans la prochaine ronde constitutionnelle ne devrait pas être celle d'un processus se situant en dehors des règles constitutionnelles elles-mêmes [13].

Qui parle? Comment parler? — Référendums ou Constituantes, ou les deux?

De sa nature, un problème constitutionnel peut toujours attendre. Les pouvoirs en place, ce qui inclut les oppositions officielles, ont tendance, sous les multiples pressions de l'immédiat, à renvoyer la recherche active de solutions à de perpétuels «plus tard». L'excuse pour motifs nobles est toute trouvée: la question est tellement grave qu'il s'impose d'y penser avec infiniment de sérieux c'est-à-dire longtemps! En devenant manifestement majeur et souverain entre 1926 et 1931, le Canada a laissé passer l'occasion de se donner une constitution accordée à l'importance de son nouveau statut: la Constitution traînerait plus que jamais sur l'Événement. Depuis lors, ce pays n'en finit plus de ne pas réussir à rattraper le temps perdu, ce pourtant premier en date des *Dominions* britanniques!

Il a fallu un autre trente ans pour qu'avec l'arrivée sur la scène de contestataires d'origine québécoise, il commence à se passer constitutionnellement quelque chose. Chacun en son temps et à sa façon, Lesage, Lévesque, Trudeau ont tiré dans le harnais constitutionnel. Et après tant d'énergies déployées par des attelages aussi composites, nous nous sommes retrouvés dans les ornières boueuses de l'après-Meech, ce dernier enlisement où tout le monde patauge avec pas plus de dignité que de grâce.

L'organe de révision constitutionnelle de nos célèbres conférences des premiers ministres est devenu totalement discrédité. Le premier ministre du Québec boycotte ses réunions lorsque l'ordre du jour porte sur cette question: attitude insoutenable indéfiniment et nuisible à tous. L'impasse est devenue à ce point compacte qu'on s'est avisé sur le tard que «le peuple», pour lequel les constitutions d'État s'élaborent, valait au moins d'être informé préalablement et, de préférence, consulté. Par des moyens propres restant à déterminer, on a enfin reconnu qu'il devait avoir une certaine voix au chapitre: ce qui n'a pas pour effet de faciliter la sortie de l'ornière...

Les populations du Canada et du Québec pourraient *parler* par référendum ou même par constituante. D'autres moyens furent d'abord employés: devant des commissions parlementaires sédentaires ou itinérantes, mixtes ou élargies; on multiplie aussi les *task forces* mais ce n'est guère un lieu de fréquentation pour le citoyen moyen ou le «monde ben ordinaire»; par ailleurs, la commission-forum public de M. Keith Spicer ne pouvait faire plus que gratter les bas-fonds de la psyché collective des Canadiens: «Voulez-vous un pays? Ou combien de pays? Voulez-vous ... dites-le nous, ce que vous voulez!» Tout cela aura suscité beaucoup de *conversations de café de commerce* comme on dirait en France, ou de *town hall solutions* selon l'expression typiquement américaine. Mais cette ferveur nouvellement *populiste* des gouvernants, en panne d'imagination, devient aussi suspecte que le mouvement d'une fuite en avant. Il s'agit d'acheter, littéralement, du temps. Nos gouvernants s'accordent aussi des alibis «démocratiques» pour n'avoir pas à décider, pour encore remettre à plus tard. Pourtant, on le savait déjà que les opinions sont très partagées. Aucun sondage particulier n'est probant de quoi que ce soit, mais les résultats répétés de leur flux continu deviennent globalement crédibles et, d'une consultation à l'autre, finalement fiables. Et que chacun se consacre à son métier: le sondeur et le manipulateur d'opinion, chacun de son côté.

Entre barbares ennemis, on se bat; entre démocrates civilisés, on se compte. Mais cette proposition ne fonde pas absolument le fondement d'équité ou d'opportunité du plus grand nombre, s'il faut tout de même procéder à des dénombrements électoraux pour la sélection des gouvernants et des législateurs. En génétique constitutionnelle, il n'en est pas de même, aussi strictement parlant tout au moins. «Un spectre hante le Canada — le spectre du populisme», écrit de façon frappante un politologue de l'Université Wilfrid-Laurier. Au mieux, opine-t-il, les réunions «municipales» de citoyens et les référendums fournissent un alibi juridique pour des décisions qui doivent être finalement prises par des élites dirigeantes et, au pire, ils ouvrent les voies à de la manipulation de masse. Et il n'est pas vrai, par ailleurs, que les décisions politiques se justifient du seul fait qu'on puisse leur attacher une étiquette légaliste, comme c'est devenu récemment le cas en ce pays[14]»

À ne considérer que les référendums constitutionnels, il peut y avoir une différence énorme de fondement entre ceux qui se tiennent dans des États unitaires (même sur une base régionale) et ceux qui ont lieu dans les États fédéraux. La propension à la création de *légitimations* nouvelles est bien autrement plus forte — et naturelle — lors des référendums qui se tiennent dans des États fédérés que pendant les consultations référendaires régionales dans les pays unitaires. D'autre part, et en dépendance de la gravité des questions mises en cause (comme la constitutionnelle!), les critiques les plus fréquentes qu'on oppose à ce mode de consultation sont devenues classiques: accentuer des phénomènes de division au sein de la population et souvent trahir un esprit peu courageux de désistement chez les autorités gouvernementales responsables.

Il y a, du reste, référendum et référendum. Ainsi celui qui est du type indicatif ou consultatif peut prendre l'allure d'un sondage officialisé ou solennisé (*dignified*) et, sans être obligatoire ni impératif, comporter tout de même un certain aspect *astreignant* du fait de l'autorité publique qui en a décidé dans des circonstances très particulières. On pourrait se demander si le référendum sur la souveraineté, que déclencherait, à point nommé dans les délais convenus, le gouvernement de Robert Bourassa, ne relèverait pas de cette classe. Cela restera à voir. Mais du fait que ce gouvernement ferait probablement campagne contre cette option, un référendum mathématiquement perdu sur cette question lui deviendrait d'autant plus «astreignant», comportant, par exemple, l'obligation morale d'une démission ou du déclenchement d'élections législatives générales.

Il est aussi des référendums constitutionnels qui sont susceptibles de prendre un tour arbitral au sujet de la rivalité entre des autorités ressortissant aux deux niveaux du fédéralisme. Ainsi, le 20 mai 1980, il était aussi demandé au peuple québécois de jouer comme un rôle d'arbitre entre Québec et Ottawa dans la vilaine querelle constitutionnelle qui les oppose depuis si longtemps.

À l'opposé, le référendum de ratification se présente comme le plus net et le plus utile alors que les négociations constitutionnelles sont arrivées à terme aboutissant à un texte précis et complet. La réponse est demandée en bloc, par oui ou par non. Le processus ratificateur peut s'appliquer à la totalité d'une constitution allant jusqu'à déterminer un changement de régime, ou bien n'être restreint qu'à des clauses de changements spécifiques ou partiels. La question évidemment cruciale de ce type de référendum est l'exigence ou non d'une majorité qualifiée (55%, 60% ou davantage) ou d'une majorité simple (50% des voix plus une); le vote simplement plural n'est généralement pas considéré comme recevable. Dans une opération référendaire portant sur l'indépendance d'un État membre d'une fédération, le fondement moral est celui de l'autodétermination de la collectivité en cause, et le terminal, celui de la capacité sécessionniste, étant entendu que, sauf rarissime exception[15], le droit à la sécession est absent des textes constitutionnels[16]. Au Québec, les effectifs «souverainistes» ou indépendantistes affirmeraient d'emblée qu'un résultat favorable à cette option devient créateur d'une légitimation nouvelle, tandis que les «fédéralistes» (y inclus ceux du Québec) soutiendraient le contraire, professant plutôt à la limite qu'un référendum tenu dans une unité fédérée de la fédération n'est indicatif que de l'état de l'opinion à un moment donné sur le dit territoire. Bref, les autorités de l'État central et des États fédérés ne se sentiraient pas nécessairement liées par un référendum québécois[17] qui pourrait être favorable à l'indépendance du Québec. Aisément, on voit d'éventuelles conséquences proliférantes et allant dans tous les sens.

Le principe de l'autodétermination devient initialement entremêlé en l'abordant par le processus référendaire. D'abord, quel(s) référendums(s)? Du Québec seul, du Canada en son entier, ou même de quelques provinces qui, facultativement, en décideraient? Lequel parmi ces référendums serait consultatif ou arbitral, impératif ou ratificateur d'un autre? L'opération référendaire, surtout en régime fédéral, charroie des couples d'ambivalences: les élus et le peuple, le Canada et le Québec, au nom de qui et au service de quoi? On pourrait allonger la liste et même signaler des référendums qu'on pourrait qualifier de «stratégiques» dans la mesure où ils sont conçus, par leurs instigateurs, comme des éléments de négociation ou même des instruments de pression en vue d'étapes ultérieures. Sous le «double langage» de plusieurs hommes politiques dans l'après-Meech, on discernerait nombre d'exemples de cette conception.

On ne saurait abandonner cette question sans relever les deux sentiments de méfiance qui alimentent les positions divergentes des grandes entités collectives au Canada: pour n'être pas noyés sous le nombre d'une population quatre fois plus nombreuse, les Québécois n'accorderaient de validité qu'au référendum qui serait décidé et mené par leur gouvernement sur leur territoire; à l'opposé, la population canadienne hors Québec n'accorderait de validité impérative qu'à un référendum pancanadien qui, a priori, ne la mettrait pas «hors du coup» d'une consultation affectant si directement le Canada dans l'intégrité de son organisation fédérative. L'antinomie est totale avant même la considération de résultats éventuels. Ces deux méfiances se retrouvent, bien que quelque peu atténuées, dans le recours à une procédure plus large, qui est celle d'une Assemblée constituante. Quoique les circonstances s'y prêtent moins, l'idée fait tout de même son chemin. Mais n'abandonnons pas si tôt la question des référendums qui, malgré leur caractère inévitable, restent des moyens de consultation populaire fort ambigus.

Voilà bien une arme à multiple tranchant. Dans les années 1960, le premier ministre Jean-Jacques Bertrand en avait lancé l'idée pour se débarrasser de groupuscules «séparatistes», les trouvant par trop agités, et qui se verraient ainsi réduits à leur taille réelle. Tandis qu'aujourd'hui, il n'est plus de pareille «marginalité» et l'on voit bien plutôt poindre deux majorités virtuelles à la veille de s'affronter de plein fouet ... Ce serait une prévision fort peu hasardeuse que d'annoncer (en août 1991) tout un charivari autour d'un premier «appel au peuple»: qu'il s'agisse d'un référendum au Québec, au Canada sans-le-Québec, ou dans l'ensemble du Canada. On peut parier qu'il sera disqualifié, dès son principe même, par quelqu'un quelque part; et qu'aussi par avance, seront même contestés ses résultats par celui des camps auquel ils ne s'annonceront pas pour être favorables. Si un référendum il y a, il y aura d'autres référendums. D'une bataille des référendums on peut être certain, au point de décourager toute tentation d'esquisser des scénarios dont aucun ne serait peint en rose.

Déjà, c'est à qui réclamerait le plus fort la tenue d'un référendum: au Québec, la commission Bélanger-Campeau, qu'allait relayer d'un ton plus sec encore le rapport de la commission Allaire et, pendant ce temps, les péquistes veillent au grain en disant hautement leur méfiance à l'égard du gouvernement sur son intention réelle de tenir un référendum, ou encore de poser la «bonne question»; au niveau fédéral, tandis que Jean Chrétien et ses libéraux réclament des élections référendaires (*whatever it means*), le parti conservateur et le NPD se déclarent favorables à ce mode de consultation à la grandeur du pays et, pour sa part, le comité mixte Beaudoin-Edwards, en prônant le même processus, propose surtout, pour le mode de révision constitutionnelle, le principe des quatre vetos régionaux, le Québec étant l'une de ces régions avec l'Ontario. Nombre de partis et d'hommes politiques dans les diverses provinces se sont aussi fait propagandistes de la tenue d'un référendum «national» qui, tout «consultatif» qu'il pourrait être, ne manquerait pas d'avoir des effets astreignants. L'échelle préférentielle du gouvernement Mulroney rejette absolument — et pour cause — le recours à des élections référendaires et le discours du Trône de mai 1991 prônait une consultation nationale «par référendum de préférence» et «par assemblée constituante si nécessaire». Cette dernière éventualité ne serait envisageable selon le ministre des Affaires constitutionnelles, Joe Clark, que comme l'ultime recours d'un échec de son super-comité qui doit produire des propositions décisives vers la fin de l'hiver 1992: «si nécessaire»...

Le voilà lâché le grand mot des solennelles circonstances, une Constituante! Rien de moins. L'expression n'étonne plus guère, elle est même en train de se banaliser par le fait que tout le monde ou presque en parle, à commencer pas des constitutionnalistes en vue (Peter Russell, Kenneth McRoberts et Philip Resnick, ce dernier plaidant même la nécessité d'en avoir deux, une pour le Canada et l'autre pour le Québec en vue de l'Union Canada-Québec[18]. C'est par involontaire maladresse que j'ai peut-être l'air d'en parler légèrement. Par définition, une assemblée constituante ne se conçoit que pour donner une constitution à une collectivité qui n'en possède pas; si elle en a une, le premier effet constituant consiste à l'abroger en bloc ou en substance pour faire place à la suivante. Serait-ce qu'après ce siècle et quart d'existence, le Canada soit devenu constitutionnellement bien malade? *Malade imaginaire*, selon la pièce de Molière, oui il y a bien un peu de cela, sans trop forcer la note; ou encore, «malade psychosomatique», ce serait bien davantage ce dont il s'agirait. Est, en effet, politiquement malade cette fédération de 125 ans d'âge, qui a réussi à s'inventer en Occident, à la pré-aube du XXIe siècle, une crise de cette gravité à partir de l'évidence de ces deux mots platement descriptifs de «société distincte»!

Mais le sérieux dans l'engouement récent pour une Constituante canadienne se fonderait sur ce besoin, enfin ressenti, de recommencer à neuf! D'autre part, l'effrayant, c'est qu'à moins d'un phénomène cataclysmique[19], une constituante ne paraît guère possible, ni même tellement désirable à première vue si on y parvenait à meilleur compte. Et le «peuple»? Oui, toujours lui, pourtant si éloigné des machinations «constituantes» des origines, puis plus tard, constitutionnelles et depuis toujours! Question préalable: comment lui trouver un mode de représentation justifiable avec les membres des assemblées légiférantes du Canada central et des dix provinces? Les autochtones, refoulés et oubliés si longtemps, seraient peut-être, en vertu de leur retard historique, finalement les moins inaptes à se donner d'une façon équilibrée une représentation constituante; et peut-être aussi les populations, un peu moins démunies, des deux territoires nordiques?

À l'Ouest, les penseurs de la Canada West Foundation se sont mis à répandre leur dernière bonne nouvelle: une constituante oui, et oui encore sans-le-Québec s'il la boudait. *Any way*[20]. M. Nystrom et de ses amis du NPD pensent en gros la même chose, la nuance désagréable en moins. Le gouvernement du Québec réagit défavorablement au projet d'une constituante dans laquelle ses citoyens seraient encore si fortement minorisés. Et le mainteneur officiel de l'unité canadienne, le Premier ministre Mulroney, d'énoncer ce dilemme: «Si la décision du gouvernement du Québec était de ne pas participer à une assemblée constituante, il serait surprenant que ceux qui se disent en faveur de l'unité se donnent un instrument dont le Québec serait absent a priori». Les plus «séparatistes» ne sont pas toujours ceux auxquels on pense d'abord [21]. L'idée d'une constituante fait tout de même son chemin et contribuent à l'alimenter aussi bien les premiers ministres Rae et Wells que des esprits qui naviguent dans des eaux plus calmes, un banquier comme M. Peter Nicholson de la BNE et un juge retraité de la Cour suprême, M. Willard Z. Estey[22].

Le premier réflexe du ministre Rémillard allait consister à opposer un refus à l'offre d'une espèce de festival constituant: les Québécois s'y retrouveraient de nouveau minoritaires comme aux classiques conférences constitutionnelles des premiers ministres ainsi que lors d'un éventuel référendum transcanadien, fût-il «consultatif»; le gouvernement du Québec suit son programme stratégique et son échéancier, et il n'a pas l'intention de tout reprendre à zéro; faites-nous d'abord des offres intéressantes et les Québécois verront après, etc. Une telle attitude n'est guère critiquable, et surtout, elle se comprend fort bien. Mais, en perspective de dynamique historique, elle serait un peu courte.

Ce qui ajoute encore à la confusion de notre malström constitutionnel qui traîne depuis trop longtemps, c'est que, tandis que le Québec n'a qu'une voix officielle, celle du gouvernement libéral, et qu'une voix alternante, celle de l'opposition péquiste, le Canada anglais, lui, a vraiment trop de voix, officieuses en plus des officielles (dix, trente ou ... cinquante — ce serait un petit jeu amusant de les dénombrer!), ou pas assez! Et si, par hypothèse, une assemblée constituante sans-le-Québec réussissait à s'agglutiner suffisamment pour parvenir à parler, au moins une fois, d'une voix nette, cohérente et intelligible ..., la Grande-Allée saurait elle-même mieux établir ses propres positions à partir de bases plus nettes. En effet, le problème n'est plus tellement les atermoiements d'un Québec avec lui-même mais bien les confusions, les incohérences d'un Canada anglais qui n'en est encore qu'aux phases préliminaires de sa propre révolution tranquille.

Pour qu'il se retrouve, tel qu'en lui-même il se souhaite être, le Canada anglais gagnerait à télescoper les deux étapes de ses états généraux et de sa propre constituante. Ainsi le dialogue fondamental avec le Canada français (de sa partie gouvernementale québécoise, tout au moins) pourrait enfin avoir lieu. J'hésiterais toutefois à étendre une proposition analogue au sujet du projet d'un référendum national sans-le-Québec, parce que le procédé serait trop carrément *divisif* en son principe. Mais, après coup s'il avait tout de même lieu, un second référendum — que dis-je? — deux référendums ratificateurs, au Canada et au Québec, deviendraient éventuellement nécessaires à point nommé.

Voilà bien une esquisse de scénariste pour l'an 2000? — Peut-être pas: quand la machine fédérative en viendra à complètement se gripper au bout de l'impasse piétinante actuelle, le(s) rendez-vous constituant(s) deviendra (ou deviendront) peut-être la seule issue pacifique qui restera. Ce qui, évidemment, impliquerait un haut degré d'aggravation du fort malsain état actuel.

* * *

Pourquoi, en vertu de quelle heureuse fatalité historique, les Canadiens continueraient-ils à s'en tirer mieux que les peuples qui s'engagent résolument sur des voies risquées, tout en croyant ou en espérant que les conséquences de tels risques, selon l'expression courante, «n'arrivent qu'aux autres»? Le professeur Mc Whinney a produit tout un effet à la Commission Beaudoin-Edwards en soumettant qu'à moins d'un événement «cataclysmique» pour le Canada, ce dernier ne saura pas à temps se donner une nouvelle constitution. Le «cataclysme» évoqué est évidemment le départ du Québec de la fédération. Il n'est pas requis d'avancer des titres de comparatiste chevronné pour soutenir que l'histoire constitutionnelle parle à répétition dans ce sens. Et le rappeler n'est en rien soutenir la méthode du *Big Bang* pour récrire les constitutions, bien qu'il semble que l'euphorie ou le consensus nécessaire à la naissance de nouvelles constitutions n'émergent que du choc causé par des catastrophes politiques[23].

Quoique les circonstances nous incitent à nous gorger de *constitutionisme*, nous de la classe politique des deux cultures politiques semblons posséder en commun une comparable inexpérience constitutionnelle. Nous ne savons pas faire les choses parce que nous ne les sentons pas venir. En particulier, nous imitons en croyant faire original. Alors que la pensée constitutionnelle des Canadiens anglais évolue de plus en plus «à l'américaine» maintenant dépassée, celle des Québécois francophones continue de trouver son inspiration «à la britannique», à laquelle nous avions dû nous adapter pour survivre «distinctement» tout le siècle précédent. Depuis que le «souverainisme» péquiste a laissé tomber l'«associationnisme», cette tendance québécoise de pointe, au lieu de prôner avec ferveur l'indépendantisme de plénitude ou de finalité objective, l'a plutôt transformé en enchère ou en instrument de négociation, quand ce n'est pas en une espèce de solution de pis-aller, à laquelle il faudra bien finir par céder[24]! Et pendant que les péquistes s'appliquent à amenuiser les dures secousses qui nous attendent et qu'entraîneraient leurs succès, pour leur part, les fédéralistes donnent un peu l'impression de faire joujou avec l'indépendance instrumentale, et sans trop clairement récuser l'indépendance irréversiblement terminale! Et l'on s'étonne que le «bon peuple» — d'où nous sortons tous — soit un peu mêlé ...

Une belle expression s'est récemment répandue dans les milieux politiques français: parler vrai. Si les porte-parole de nos partis *parlaient vrai* et tout le temps, voici quelle devrait être la ligne centrale de leur discours.

Les *péquistes*: Puisque nous avons manifestement une vocation à l'indépendance nationale, avec tous ses moyens de divers ordres, c'est pendant que nous tenons encore une forte majorité démographique de «parlant français» en cette terre d'Amérique, qu'il faut la faire, l'indépendance nationale. Plus tôt, il eut été trop tôt. Plus tard, lorsque nous risquons de perdre la force relative du nombre il sera trop tard. Nous ne voulons plus constituer une minorité. La chance historique ne passera pas deux fois.

Les *fédéralistes québécois*: Pourquoi sortir d'un système déficient mais malgré tout réformable, qui ne nous a pas si mal servis puisque nous sommes encore là pour nous en rendre compte, pour devoir ensuite travailler dur à remettre en place avec d'autres une organisation environnementale qui, au total, devra remplir les mêmes fonctions que celles du système que nous aurons quitté avec éclat?

Ces deux propositions présentent l'avantage d'être irréfutables au plan où elles se situent. Elles comportent, chacune, leur part de rationalité froide et de sensibilité culturelle. Le problème c'est qu'elles sont en train de devenir mutuellement exclusives depuis l'affligeant échec de Meech. Et pas à cause de nous, d'abord. C'est un autre problème, ou, si l'on veut, le même mais à sa seconde dimension.

L'inquiétude populaire persistante, relevant du brut instinct de conservation, s'exprimerait ainsi: *que nous ne rations pas finalement ce qu'au fond nous n'avons pas tellement envie d'entreprendre à cause des énormes risques à encourir...* À quoi, il faut ajouter cet autre sentiment sans racines héroïques, j'en conviens sans honte: dans l'échelle du malheur des peuples, nous ne nous voyons pas à l'échelon le plus désespérément fatidique...

J'arrête ici après m'avoir, en ces quelques lignes, exposé un peu beaucoup ... Si je continuais sur ce ton on me reprocherait peut-être de «faire de la littérature» et non de la science politique et constitutionnelle. Pourtant ...

NOTES

1. Ainsi l'ex-Premier ministre du Canada terminait, devant le comité sénatorial le 30 mars 1988, un long exposé, qui est reproduit dans *Lac Meech: Trudeau parle*, textes réunis et présentés par Donald Johnston, Montréal, Hurtubise HMH, 1989, p. 115.
2. Ainsi le Premier ministre du Québec terminait son discours à l'Assemblée nationale, le 22 juin 1990, à l'occasion de l'échec de l'accord du lac Meech, cité par Pierre Fournier, *Autopsie du Lac Meech*, Montréal, VLB Éditeur, 1990, p. 79-80.
3. À l'article 33 de la Charte des droits et libertés de 1982.
4. C'est ce mythe qu'étudie mon étude «Qui a peur... du monstre du Lac Meech?» écrite à l'automne 1989 pour l'ouvrage collectif (à paraître) *Governance in an evolving society: Canada approaches the twenty-first century* (Essays in honour of John Meisel) sous la direction de C.E.S. Franks.
5. Écrivant en août 1991, je fais allusion au délai des dix-huit mois accordés par le Premier ministre du Québec aux autorités fédérales pour soumettre des offres acceptables à sa province et devant y être soumises par référendum. Le tiers de cette période est déjà écoulé. D'autre part, le Premier ministre Mulroney et son ministre des Affaires constitutionnelles, Joe Clark, ainsi que le chef de l'opposition officielle, Jean Chrétien, ont donné l'avertissement que le délai imparti par le gouvernement du Québec était trop bref. On peut d'ores et déjà prévoir de grandes manœuvres dans l'opinion pour l'enjeu d'échéances difficilement compatibles.
6. Tel Kenneth Mc Roberts qui, après avoir constaté que «decentralization has become the majority view among academics and constitutional experts», estime que «yet, attractive as it might be, a massive across-the-board decentralization would be the worst possible choice for English Canada since it would destroy any remaining basis for cohesion» («English Canada and Quebec: Avoiding the issue», Sixth Annual Robarts Lecture, York University, March 5, 1991, p. 41).
7. Pour ce modèle, je m'inspire principalement du mémoire de Thomas J. Courchene, soumis à l'invitation de la Commission sur l'avenir politique et constitutionnel du Québec, le 15 janvier 1991, et intitulé «La communauté des Canadas». Ce texte est utilement complété par le compte rendu de cette commission dans le *Journal des Débats* (15 janvier 1991, p. 1896-1907) alors que l'auteur fit ressortir, au début, les neuf points majeurs de son étude.

D'autre part, *Le Devoir* du 16 janvier 1991 a reproduit un passage substantiel du mémoire décrivant les institutions centrales de cette Communauté des Canadas; cet extrait correspond aux pages 31 à 37 du mémoire.

8. On n'en précise pas le nombre à cause de l'imprécision statutaire de la Colombie-Britannique (région à elle seule?) ou des deux territoires nordiques (éventuelle(s) province(s))?

9. Comme l'appelle Philip Resnick dans un ouvrage récent, *Toward a Canada-Quebec Union*, Montréal-Kingston, Mc Gill-Queen's University Press, 1991. Voir également du même auteur, dès le 22 juin 1990 dans le *Globe and Mail*: «A new Canada-Quebec union?» reproduit en français dans *Le Devoir* le lendemain, le 23 juin 1990. Presque un an plus tard, un substantiel extrait du livre de Resnick paraissait dans le *Globe and Mail* du 6 mai 1991.

10. L'auteur m'ayant mis en cause, à la fin de son ouvrage (p.116), pour avoir naguère lancé «such a scheme», je me permets d'en donner les références: d'abord une première publication dans *Le Devoir* du 9 février 1977, puis une reproduction beaucoup plus tard, en deux tranches, dans le même journal les 28 et 29 juin 1990, auquel je crus bon d'ajouter un mode d'emploi sous le titre «Du bon usage du modèle du Commonwealth», *Le Devoir*, le 7 juillet 1990 (je proposais, en effet comme nom de code de l'union nouvelle l'expression bilingue de *Canadian Commonwealth Canadien*). Ce court texte d'une demi-douzaine de pages fut l'objet de plusieurs communications à l'occasion de conférences et de colloques, ou dans des ouvrages collectifs et revues de spécialité. Il fut en particulier l'objet d'un échange de vues avec Donald Smiley (reproduit dans mon livre *Ce jour-là, le Référendum*, Montréal, Quinze, 1978, p. 130-172). Enfin, le modèle du Commonwealth me servira de point de référence pour faire une «Lecture du Livre blanc et du Livre beige selon une perspective "super-fédéraliste"» dans *Canadian Public Policy — Analyse des politiques*, VI:3, été 1980.

11. Ce modèle et le précédent, ainsi qu'à un degré un peu moindre le quatrième, ont peu de chances de se réaliser. Dans ce petit exercice de logique élaborative, ce n'est tout de même pas une raison pour les passer sous silence. La précaution doit porter sur le danger de les *réifier*. C'est à cette prudence que fait appel Peter Leslie en traitant avec humeur d'«Humpty-Dumpty options». They are (a) sovereignty-association, (b) an association of several regional states, and (c) «reconfederation». All three are fantastic — abstract models that either are inherently unworkable (...) or are, given political forces in Canada, absolute nonstarters: unattainable, because you can't get there from here (...). Toutefois, quelques pages plus loin l'auteur précise que «re-Confederation is the one to be taken most seriously. It would be the easiest to negotiate, since most of the bargaining would involved only two partners». Il venait de décrire ce modèle ainsi: «There has been some discussion of possible bilateral negociations between Quebec and Ontario, either preceding or subsequent to UDI (unilateral declaration of independence) by Quebec. The two central provinces would, under this scenario, strike a new federal bargain through a process of re-Confederation. Once

struck or even partially sketched out, the Ontario-Quebec agreement might then be extended to other comers, east and west» (Peter M. Leslie, «Options for the future of Canada: the good, the bad, and the fantastic», Ronald L. Watts et Douglas M. Brown (editors), *Options for a new Canada*. Toronto, University of Toronto Press, 1991, p. 134, 138.). Dans l'esquisse de mon Canadian Commonwealth Canadien, c'était en gros ce que j'imaginais en 1977 au sujet d'une dynamique historique pensable pour la réalisation de ce modèle (bien que n'en ayant pas traité alors sous cet aspect).

12. Peter Russell se présente ainsi: «I am a constitutional conservative. I am happy with the constitution the way it is. But I have a sense of constitutional politics, which I have been studying for a long time in a lot of countries (...). But I guess, I'am speaking as a patriot. I love my country. I know patriotism is the first refuge of scoundrels, but I don't mind. Canada is a great place, and not for economic reasons» (Peter Russell, dans *Confederation in crisis*, ed. Robert Young, Toronto, James Lorimer, 1991, p. 90-95).

13. «The other way (que le processus référendaire) of dealing with the next constitutional round is through a process outside the constitutional rules themselves. Frankly I think this is the most likely process (...). The way the next round of constitutional politics might well proceed is through a unilateral declaration of independence by Quebec.» (*ibid.*, p. 85).

14. Thomas O. Hueglin: «(Plebiscites) Hardly a substitute for leadership», *The Globe and Mail*, 12 novembre, 1990.

15. La constitution soviétique, accordée par Staline en 1936, en était le premier exemple. Cette clause, reproduite dans des constitutions subséquentes, prendra une bizarre actualité sous Gorbatchev!

16. Cette absence pouvant aussi permettre la faille d'une non-interdiction, non plus!

17. Madame Kim Campbell déclarait, aux Communes à la fin juin 1990, qu'il n'y a «aucune obligation légale, pour le gouvernement du Canada, de tenir compte des résultats d'un référendum tenu au Québec» (*Le Soleil*, 26 juin 1990). Par ailleurs, à leur congrès de Toronto au mois d'août 1991, les conservateurs fédéraux votaient le droit à l'autodétermination du Québec à une majorité de 92%!

18. Voir la note 9.

19. Expression employée par le professeur Edward McWhinney devant la commission Beaudoin-Edwards et rapportée par le journaliste Terrance Wills (*The Gazette*, 22 février 1991).

20. D'après John Dafoe du *Globe and Mail* du 6 juillet 1991: «The ultimate question facing proponents of constituent assembly is what to do about Quebec, which says it wants no part of one. The Canada West task force's answer is simple: do it anyway».

21. Le battage publicitaire qui a entouré la publication de l'ouvrage de David J. Bercuson et Barry Cooper: *Deconfederation: Canada without Quebec*, (Key Porter, 1991), n'expliquerait pas à lui seul son succès de best-seller, non seulement dans les Prairies, mais dans les autres régions du Canada anglophone.

22. De ces deux derniers, voir le texte déposé devant la Commission Beaudoin-Edwards et reproduit dans le *Globe and Mail* du 22 avril 1991. Ils introduisent le sujet en faisant remarquer: «We should not be intimidated. Rather, we should be excited by the opportunity».
23. Voir la note 19.
24. Ce sentiment se dégage de plusieurs sondages en profondeur et à recoupements multiples. Je n'en citerai qu'un, qui s'est tenu dans les semaines précédant le naufrage de l'accord du lac Meech au printemps 1990; il fut réalisé pour *l'Actualité* en collaboration avec TVA. La direction du magazine en établissait ainsi la signification dominante: «Une sorte de fatalité sécessionniste chez les Québécois. Le Québec est de plus en plus une "société détachée": les francophones se sentent poussés hors du Canada malgré eux. La géographie politique de 1990 est celle de l'inquiétude et de l'indécision devant la séparation. On ne l'évitera peut-être pas», semble-t-on dire (*L'Actualité*, 1er mai 1990, p. 7).

La nouvelle dualité canadienne

Gilles Breton
Jane Jenson

La crise qui affecte le Canada, à la suite de l'échec des accords du lac Meech, doit être située à trois niveaux, ceux de la démocratie électorale, du continentalisme économique et du contexte mondial. À cet égard, il faut établir un lien étroit entre la faillite de Meech et l'Accord de Libre-échange avec les États-Unis. Dans les deux cas, il s'agit de la rupture avec un système politique et économique qui a prévalu au Canada depuis la Seconde Guerre mondiale: celui de la dialectique fédérale-provinciale et d'une politique économique proprement canadienne. Au Québec, en particulier, l'enthousiasme de la nouvelle classe d'affaires pour le libre-échange s'est prolongé dans un appui aux propositions de Meech. Au Canada anglais, par contre, l'inquiétude suscitée par le libre-échange s'est manifestée sous une autre forme par la préoccupation démocratique de divers groupes de base quant au caractère élitiste du processus du lac Meech. Le fossé entre les deux solitudes s'est élargi.

Deux enjeux majeurs sont au cœur de l'inévitable restructuration canadienne: les liens de plus en plus étroits entre l'espace national (canadien ou québécois) et l'espace mondial, d'une part, et les rapports modifiés entre l'État et la société civile d'autre part. La restructuration canadienne suppose une profonde mise en cause de la structure économique du Canada et du Québec et des rapports sociaux qu'elle entraîne. Gilles Breton est professeur agrégé et directeur au département de science politique de l'Université Laval; Jane Jenson est professeure titulaire au département de science politique de l'Université Carleton.

4

La nouvelle dualité canadienne: l'entente de libre-échange et l'après-Meech

Gilles Breton
Jane Jenson

Fabrication canadienne: turbulence et restructuration

Le Canada vit une crise constitutionnelle dont la compréhension nécessite de sortir du registre des explications politico-médiatiques usuelles. C'est là la première des grandes balises et prémisses sur lesquelles repose notre analyse. Elle nécessite de répondre à cette question préliminaire: comment se fait-il que l'accord du lac Meech de 1987 ait été rejeté et qu'on en soit encore et plus que jamais dans l'immobilisme constitutionnel? Cela s'explique-t-il par l'irresponsabilité du mauvais joueur de dés qu'est Brian Mulroney? Par l'entêtement de Clyde Wells? Par l'incapacité désormais chronique de Robert Bourassa d'en arriver à trouver une solution constitutionnelle qui convienne au Québec? Par l'action isolée d'un Cri qui nous a rappelé que toute solution au problème constitutionnel qui fera l'économie de la question autochtone n'en sera pas une? Prises séparément, chacune de ces propositions peut au mieux apporter un éclairage partiel sur la situation actuelle. Prises ensemble, l'explication se révélerait totalement incomplète et inacceptable. Pourquoi? Parce qu'elle n'inclurait pas un des éléments structurants du processus qui a conduit à l'échec de l'accord de Meech, c'est-à-dire la faillite absolue des institutions de la démocratie libérale que sont le système partisan et le fédéralisme exécutif. Une population exclue de la discussion et réduite au rôle d'applaudimètre et onze hommes blancs qui s'enferment derrière des portes closes pour décider de l'avenir d'un pays; Elijah Harper et les autochtones ne sont plus seuls à en avoir assez d'une telle concrétisation de la démocratie.

Une bonne partie de l'explication au fouillis constitutionnel réside dans le processus même de prise de décision qui, comme les événements de 1982 et ceux de juin 1990 l'ont montré, nie et bafoue les principes mêmes des souverainetés parlementaires et populaires. Au Canada anglais, la vie politique a été marquée dans les années 1980 par un ensemble de revendications pour une plus grande ouverture démocratique. Dans ce contexte, l'échec de Meech pose à sa façon la question de la capacité des institutions démocratiques à reconnaître et à prendre en charge les nouvelles représentations de soi et identités collectives qui se sont structurées au cours de la dernière décennie[1]. Tout en s'organisant à la marge de l'espace politique partisan, ces regroupements de femmes, d'autochtones, d'immigrants en coalition avec les syndicats et Églises, ont réussi à mettre à l'agenda politique une critique de la démocratie électorale et du schéma élitiste qui caractérise le processus de réforme constitutionnelle[2].

Cela dit, s'il peut paraître acceptable de conclure que l'épisode du lac Meech dans son entièreté, c'est-à-dire de la signature de l'accord en 1987 à l'échec de juin 1990, se singularise avant tout par son aspect non démocratique, force est de constater que cela n'est pas suffisant[3]. Car, penser l'événement Meech comme étant seulement un enjeu constitutionnel visant à solutionner la question de la place du Québec à l'intérieur du Canada est une proposition de lecture manifestement trop courte et trop étroite.

L'expérience de Meech est aussi et surtout un élément essentiel de la réponse canadienne à la nécessité de réagir à deux décennies de turbulence par un projet de restructuration politique, économique et social. En ce sens, et c'est là notre deuxième grande balise, il est primordial de tenir compte dans l'analyse de la situation présente du fait que cette crise constitutionnelle se produit au moment même où le Canada et le Québec cherchent à redéfinir leurs places dans l'économie mondiale. Après avoir signé l'Entente de Libre-échange canado-américain en 1988, le Canada participe en 1991 à l'actuelle ronde de négociation qui vise, par l'inclusion du Mexique, à élargir à trois le ménage.

Enfin, notons que le Canada n'est pas le seul pays où la restructuration est à l'ordre du jour. En ce sens, le caractère global ou mondial de ce processus doit nécessairement être pris en considération dans l'analyse de ce qui se passe ici. C'est là notre dernière grande balise.

Le temps mondial, loin d'être au beau fixe, est plutôt à la turbulence et à la restructuration. Parmi tous les bouleversements en cours, les plus évidents concernent bien sûr la dissolution de ce que l'on appelait, il y a peu, le Bloc de l'Est et dont les effets se font sentir tant au niveau international avec la fin du dualisme stratégique et de l'ancien ordre mondial qu'au niveau de chacun des pays concernés où la violence, la profondeur et surtout le rythme des changements font avancer l'histoire au pas de course.

S'ajoutent à cela les mutations qui caractérisent l'espace économique et qu'illustrent la délocalisation spatiale et sectorielle de l'activité économique mondiale, ainsi que l'accentuation des rivalités économiques entre le Japon, l'Europe et les États-Unis par la construction de blocs économiques régionaux.

Les pays occidentaux ou du capitalisme avancé ne sont pas en reste, eux qui vivent actuellement la fin du modèle de développement, l'essoufflement du mode de régulation économique ainsi que l'ébranlement des grands compromis socio-politiques qui s'étaient mis en place après la Deuxième Guerre mondiale.

De même, plusieurs travaux et publications récents rendent compte eux aussi de la crise que nous traversons. À moins de considérer que les théoriciens et praticiens des sciences sociales sont carrément à côté de leurs pompes, les débats qui traversent ces domaines de connaissance peuvent être considérés comme des indices que quelque chose se passe sûrement quelque part. Sinon, comment comprendre toutes ces discussions et travaux qui tentent de caractériser le mouvement actuel de ces sociétés soit en termes de transition vers la post-modernité ou la radicalisation de la modernité, de glissement du fordisme vers le post-fordisme ou le néo-fordisme, ou bien encore d'éclatement des identités et espaces nationaux résultant de l'impact du processus de globalisation sur les sociétés?

Dans un tel contexte, il serait bien malaisé de considérer que le Canada avec sa crise politique et constitutionnelle actuelle est un «cas à part», isolé et isolable des grands bouleversements actuels. Manifestement, il n'y a pas qu'ici qu'on se demande comment tenir compte de l'évolution des grands paramètres internationaux fussent-ils politiques, économiques, sociaux et culturels; comment redéfinir le rôle et la place de l'État dans la régulation des sociétés; comment réfléchir la question des identités collectives; comment repenser le fonctionnement des institutions démocratiques; comment restructurer l'organisation de l'activité économique?

Même si l'on constate que plusieurs pays traversent actuellement des moments de turbulence, peu d'entre eux semblent vivre cela avec autant de difficultés que le Canada. À cet égard, la construction de l'Europe illustre que la prise en compte des grandes transformations de l'économie et de la politique mondiales peut se faire sans conduire à une crise politique interne majeure. Tel n'est manifestement pas le cas au Canada qui voit le processus de restructuration prendre une des formes les plus pénibles qui soit avec l'explosion au grand jour de l'ensemble des problèmes non résolus depuis 150 ans, telle la question du Québec, la situation des autochtones et les rapports linguistiques et régionaux. Malgré tout, cette manière de concrétiser un processus plus général, loin d'isoler le Canada et d'en faire un cas exceptionnel, le ramène au centre des grands enjeux politiques et des grandes tensions socio-économiques qui caractérisent le temps mondial.

Sur la base de ces trois grandes balises, le reste de ce chapitre montrera que la situation de turbulence actuelle doit être comprise comme le produit de la conjonction de la résistance aux pratiques non démocratiques du processus de révision constitutionnelle, des efforts et tentatives de relocalisation dans la nouvelle économie mondiale des socio-économies canadienne et québécoise et de l'impact du processus de globalisation lui-même. Ce qui différencie le Canada de la majorité des autres pays du capitalisme avancé, ce qui fait sa spécificité, réside dans le fait que la recherche d'une trajectoire pour l'avenir a conduit à une crise politique majeure à deux volets, à savoir, d'identité et de la démocratie. Cette crise politique s'est matérialisée et cristallisée dans les débats, discussions et luttes qui ont marqué non seulement l'échec de l'accord du lac Meech mais aussi la signature de l'Entente de Libre-échange canado-américain. En ce sens, Meech et le Libre-échange sont beaucoup moins isolables l'un de l'autre qu'on veut bien le croire. Sans postuler que ces deux processus ont entre eux un rapport de cause à effets, nous montrerons qu'au-delà de leur complexité propre, les projets de Libre-échange et de révision constitutionnelle actuelle sont difficilement séparables et qu'ils représentent le point nodal de la restructuration politico-économique en cours au Canada et au Québec.

Qui plus est, nous estimons que ces événements doivent être au cœur de toute proposition de lecture de la réalité politique canadienne et québécoise des dernières années. L'Entente de Libre-échange et l'échec de l'accord du lac Meech cristallisent la *dualité* de toute situation de crise. Ils peuvent aisément être analysés comme étant le prolongement du passé. Par contre, l'on peut tout aussi facilement les concevoir comme des indications claires que l'avenir devra emprunter une voie nouvelle et sortir des sentiers battus. En ce sens, ils peuvent être compris comme des ruptures politiques qui, tout en rendant compte de l'effondrement des pratiques de régulation antérieure, indiquent des nouvelles trajectoires et des enjeux inédits.

Dans ce contexte, il vaut la peine de s'arrêter quelque temps sur la signification même de la notion de crise[4]. Les crises ponctuent et rythment le passage des périodes de stabilité à une autre ou d'un mode de développement à un autre. Ces périodes de stabilité et d'équilibre peuvent être conçues comme des espaces temporels à l'intérieur desquels coexistent un certain consensus et un discours politique commun. Cela signifie que ceux qui prônent le changement et ceux qui supportent le statu quo partagent la même parole politique même si leurs analyses du présent et leurs espoirs futurs respectifs peuvent varier grandement. Les crises sont au contraire des moments de bouleversements, de turbulence et de restructuration, au cours desquels l'ancien se meurt — mais n'est pas encore mort — cependant que le nouveau commence à voir le jour. Ce sont des moments de grande agitation politique, de lutte entre des perspectives d'avenir différentes, d'incertitude profonde sur la signification des choses et des événements et d'éclatement du discours politique. Sont en jeu non seulement la question du pouvoir et de la signification de la répartition mais la représentation et l'identité même des acteurs et de leurs intérêts[5]. Dans une telle situation, l'on retrouve pêle-mêle des acteurs qui défendent aussi bien le passé qu'ils appuient le nouveau, d'autres qui veulent maintenir intacte leur place dans la société alors que d'aucuns réclament une nouvelle inscription et enfin, certains qui prônent la continuité alors que leurs opposants favorisent des changements profonds.

Bref, une crise indique simultanément la fin d'une période dans l'histoire et le début d'une autre. Pour l'analyste ou l'acteur, le défi que pose une telle situation consiste à saisir, en dépit de toute l'opacité inhérente à de tels moments, quelle est l'ouverture réelle du champ des possibles que cette crise produit, puis à cerner quels enjeux nouveaux se font jour.

Voilà précisément d'après nous ce qu'ont produit les débats entourant l'Entente de Libre-échange et l'échec de l'accord du lac Meech en inscrivant à l'agenda politique la discussion de deux problèmes essentiels pour l'avenir de ce pays: les rapports entre les niveaux national et mondial et la question des liens entre la société civile et l'État. Le premier thème interroge bien sûr le processus de la globalisation politique et le problème de son impact sur l'État national; plus précisément, sur les capacités réelles de celui-ci de réguler une socio-économie dite nationale aux frontières de plus en plus perméables. Le deuxième thème identifié pose tout simplement la question des droits des citoyens et citoyennes devant un État en mutation rapide, non seulement dans ses formes constitutionnelles mais aussi dans ses capacités à bâtir une économie concurrentielle et capable de faire face aux enjeux de la globalisation. Le Libre-échange et Meech ont montré clairement que Canadiens et Québécois veulent être parties prenantes de la discussion lorsque leurs sociétés et États sont à de tels moments charnières.

La suite de cet essai sera consacrée à analyser comment Meech et le Libre-échange matérialisent et spécifient la recherche de la sortie de crise au Canada. Pour ce faire, nous procéderons en deux temps. D'abord, nous mettrons au jour la dualité intrinsèque de ces deux événements, c'est-à-dire, comment ils sont à la fois produits et moments de dépassement du modèle de développement qui a été au cœur des socio-économies canadiennes et québécoises depuis la fin de la deuxième guerre mondiale. Par la suite nous indiquerons comment le Libre-échange et Meech ont mis au centre de la recherche d'une issue à la période de turbulence actuelle, la prise en compte de ces deux enjeux majeurs que constituent l'impact du processus de globalisation et la crise de la démocratie.

ÊTRE DEUX CHOSES À LA FOIS

L'échec de l'accord du lac Meech est un événement politique original dont la complexité réside dans sa dualité. D'une part, les négociations et les oppositions qui ont respectivement produit et fait échouer l'accord sont la conséquence logique des discussions fédérales/provinciales qui ont depuis plus de trente ans, toujours rejeté toute forme de statut spécial pour le Québec au profit d'un fédéralisme à dix provinces égales. Ce modèle s'appuyait — et s'appuie toujours d'ailleurs — sur le postulat que tout ce qui était accordé au Québec devait être disponible pour les neuf autres provinces. L'autre dimension de Meech, c'est que son échec débouche sur un avenir constitutionnel nécessairement autre et ce, parce que le Québec, rejetant les compromis passés, revendique les leviers nécessaires à la mise en place de sa propre stratégie de développement qui est pour l'instant, celle véhiculée par les milieux d'affaires. Il est encore trop tôt pour savoir si cette stratégie, pour être menée à bien, aura besoin de la Souveraineté-Association, d'une nouvelle confédération modelée peut-être sur celle de la C.E.E., ou encore, si un nouveau partage des pouvoirs suffira. Les prochains mois devraient nous éclairer là-dessus. Ce que l'on sait par contre, c'est qu'il sera difficile pour ne pas dire impossible de faire comme si Meech n'avait pas existé et échoué, de laisser le fédéralisme exécutif canadien fonctionner comme il le fait depuis des décennies et de faire comme si à ce niveau, on n'avait pas atteint un point de non retour.

Ce fédéralisme exécutif est au cœur de la mise en place et de la régulation du modèle de développement qui structurait la socio-économie canadienne depuis la deuxième guerre mondiale à savoir, le fordisme perméable[6]. La consolidation au cours des années 60 de l'État-providence et keynésien s'est faite principalement à travers les formes concrètes du fédéralisme exécutif, c'est-à-dire les négociations fédérales-provinciales[7]. C'est en réponse aux demandes répétées du Québec pour l'obtention d'une plus grande marge d'autonomie, afin de réaliser le projet de sortir la société québécoise de sa supposée grande noirceur qu'est adoptée la stratégie de donner à toutes les provinces ce qui est accordé au Québec et de lui refuser de la sorte toute forme de statut spécial[8]. Cette centralité du fédéralisme exécutif dans l'extension de l'État tant aux niveaux fédéral que provincial a produit un effet politique majeur sur la configuration institutionnelle du système politique: l'appropriation de la représentation politique par le fédéralisme exécutif et la secondarisation du système partisan ainsi que des institutions parlementaires des grands processus décisionnels.

C'est donc sans grande surprise que l'on a retrouvé les institutions du fédéralisme exécutif au centre du débat lorsque le fordisme perméable est entré en crise. Les efforts des dernières décennies des gouvernements de l'Alberta, de l'Ontario, du Québec et de la Colombie-Britannique pour obtenir des pouvoirs économiques supplémentaires afin d'être en mesure d'appliquer leur propre stratégie de sortie de crise traduisent d'une certaine façon la nouvelle réalité: ce sont les provinces qui désormais revendiquent le droit de développer leurs propres alternatives et qui de surcroît prétendent être mieux à même de représenter leur population.

Cependant, cela laisse toujours en suspens la question du Québec. En ce sens, le rejet, depuis plus de trente ans, de toute solution binationale a maintenu à l'ordre du jour la question québécoise, produit un fédéralisme décentralisé par nécessité par la création de dix provinces égales et permis surtout à chacune d'entre elles de vivre à son propre rythme[9].

L'Entente de Libre-échange canado-américaine proposée par le gouvernement conservateur et appuyée par l'ensemble des provinces sauf l'Ontario, constitue bien sûr l'autre élément principal de la réponse canadienne à la crise des vingt dernières années. Comme pour l'accord du lac Meech, cette entente se caractérise aussi par sa dualité. En effet, le Libre-échange est simultanément le point d'arrivée de plus de trente ans de continentalisme et un moment crucial de la stratégie des gouvernements et des milieux d'affaires canadiens et québécois face à la globalisation de l'activité économique.

Élément-clé de la régulation du fordisme perméable depuis 1945, le projet a toujours été de construire l'économie canadienne sur un axe est-ouest tout en voulant renforcer les liens continentaux, c'est-à-dire nord-sud. Après des décennies de croissance économique soutenue, la crise économique des années 70 a débouché sur un questionnement en profondeur de ce projet «national» et continentaliste. L'option du retrait ou d'un retour au «national» disparut avec l'échec retentissant de l'embryonnaire troisième politique nationale mise de l'avant par les Libéraux au début des années 80. L'option du renforcement du continentalisme par le

Libre-échange fut reprise en charge et revalorisée par la Commission Macdonald, fermement appuyée par les milieux d'affaires et, malgré l'opposition de la majorité de la population canadienne, menée à terme par les Conservateurs en 1988.

L'Entente de Libre-échange n'est pas seulement un prolongement de ce passé continentaliste qui s'enracine dans l'après-guerre. Elle marque aussi une rupture importante avec ce dernier par la matérialisation du refus du gouvernement central de promouvoir un modèle de développement piloté par l'État. Le Libre-échange signifie, d'une part, l'adhésion au modèle néo-libéral selon lequel les forces du marché et non l'État doivent être au centre de la régulation de l'activité économique et d'autre part, une intégration accrue au bloc continental nord-américain. De plus, cette entente s'articule à l'abandon des politiques keynésiennes d'après-guerre de gestion de la demande par politiques fiscales et budgétaires contre-cycliques et de plein-emploi, ainsi qu'à l'éclatement du discours politique qui les supportait et encadrait. Au cours des années 80, nous avons assisté à la montée d'une nouvelle parole politique qui a élevé le marché au niveau d'une force à laquelle tous doivent s'adapter ou bien périr. Cette consécration du marché a provoqué une réorganisation du discours politique par une marginalisation des thèmes de l'égalité et de la justice sociales au profit de ceux de la concurrence et de la compétitivité sur les marchés mondiaux, de la flexibilité, de la réduction de l'emprise de l'État et de son cortège de rigidités, etc. L'on ne saurait mieux illustrer l'hégémonie de ce nouveau discours par les réactions d'incompréhension et de dénonciation qui ont accueilli la présentation, au printemps 1991, du premier budget social-démocrate et keynésien du gouvernement ontarien de Bob Rae.

Au Québec aussi, l'on peut facilement percevoir que l'Entente de Libre-échange représente à la fois continuité et changement, et s'articule aux discussions sur la réforme constitutionnelle. En fait, Libre-échange et règlement du problème constitutionnel sont deux éléments d'un même projet au Québec. Pour les nationalistes et les milieux d'affaires québécois, les années de «construction nationale» qui ont commencé avec la révolution tranquille semblent avoir fait disparaître l'insécurité collective. Dans les milieux d'affaires surtout, la montée de la nouvelle garde a accompagné et produit, au cours des années 80, le discours du «nouveau héros entrepreneurial», celui du succès et de la réussite. Pour ces milieux, la dite entente représentait non seulement une victoire et un but mais aussi et surtout le moyen indispensable à leur expansion. Cependant, le soutien qu'ils ont accordé au Libre-échange s'appuyait sur une version du discours néo-libéral plus nuancée que celui de la consécration du marché et du rejet de l'État mise de l'avant par les Conservateurs de Mulroney et les milieux d'affaires canadiens. Si depuis 1985, les gouvernements libéraux de Robert Bourassa ont montré moins d'enthousiasme pour l'État interventionniste, il n'en demeure pas moins qu'un discours centré sur la solidarité continue à organiser la représentation de l'avenir au Québec. Même si le nouveau héros entrepreneurial a remplacé le techno-crate comme figure centrale de ce discours et que l'État doit maintenant s'adapter à ce que font les milieux d'affaires et non l'inverse, la conception du marché qui domine au Québec nous le présente avant tout comme un moyen supérieur au dirigisme étatique pour atteindre l'éman-cipation de la collectivité québécoise. Cela dit, la présence de cette ver-sion québécoise du projet de Libre-échange est en bonne partie une conséquence directe de l'espace de manœuvre dont bénificiaient les provinces dans leur recherche de solutions à la crise du fordisme permé-ble et que le fédéralisme exécutif et décentralisé leur permettait d'utiliser. La spécificité québécoise a permis à cette marge de manœuvre de se transformer en un appui nationaliste à un Libre-échange qui célébrait les succès internationaux de la bourgeoisie francophone.

LA GLOBALISATION, LA COMPÉTITIVITÉ ET LE LIBRE-ÉCHANGE.

De plus en plus, les rapports sociaux, qu'ils soient d'ordre économique, politique, culturel et même privé n'ont plus pour seul ancrage la réalité nationale. Ils se trouvent de la sorte à être conditionnés et structurés par le processus de globalisation[10]. Cela soulève évidemment un certain nombre de problèmes inédits. D'abord, le processus de globalisation a des effets directs sur l'organisation de l'espace. La crise du fordisme a mis en question l'espace traditionnel de régulation des rapports sociaux qui était, comme on le sait, national. En particulier, la réinscription spatiale de ces derniers aux niveaux transnational, régional et local, hypothèque sérieusement les capacités de la régulation étatique.

Cette dérive des espaces qui se traduit entre autres choses par la fin de l'homologie entre les espaces politiques, économiques et culturels comporte aussi des conséquences importantes pour la régulation des rapports capital/travail et des normes salariales. Sous le fordisme, ceux-ci étaient régulés principalement au niveau de l'État-nation. La crise se traduisit par une décomposition de ces mécanismes de régulation au profit de mécanismes plus décentralisés qui se localisent aux niveaux de la région et de la firme elle-même. Parallèlement, la création de blocs économiques régionaux et continentaux en Europe et en Amérique du Nord pose toute la question de la possibilité et de la nécessité de mettre sur pied des mécanismes de régulation transnationaux.

Toute la discussion qui a cours présentement sur la re-définition du rôle de l'État-nation dans le contexte mondial actuel est évidemment une autre conséquence lourde de ce processus de globalisation[11]. Alors que le dit État était, depuis 1945, le point nodal de la régulation des socio-économies, le rôle qui lui sera dévolu par le post-fordisme et la mondialisation demeure pour l'instant une question ouverte.

Ces changements que nous venons d'esquisser rapidement contraignent analystes et acteurs à réviser leurs schémas usuels d'analyse s'ils veulent être en mesure de donner tout son sens à ce nouveau qui semble se faire jour. Personne ne peut désormais faire l'économie d'une telle réflexion. Cela signifie qu'il faut délaisser les schémas passéistes et renouveler les analyses et pratiques. Par exemple, au cours des dernières décennies, lorsque des groupes de solidarité s'impliquaient au niveau des luttes internationales, ils tendaient à isoler ces dernières des questions politiques nationales ou internes. Une telle manière de concevoir les problèmes internationaux comme extérieurs à ses propres batailles était tout à fait convenable aux dernières décennies qui ont vu dominer, au Canada comme dans l'ensemble des pays dits développés, des régimes d'accumulation, des modes de régulation et des paradigmes sociétaux enracinés dans l'espace national. L'on comprend donc que dans une telle situation, les luttes politiques se polarisèrent autour des problèmes internes et considérèrent «extérieures» à ces dernières les luttes internationales. Il nous semble que le processus de globalisation remet inévitablement en question cette façon de mener de front mais de manière séparée les luttes nationales et internationales.

Au Canada, c'est le débat sur le Libre-échange qui a condensé et condense encore la complexité, les incertitudes et les ouvertures que porte avec lui le processus de globalisation. À la lumière de la perspective d'analyse que nous avons développée précédemment, l'entente canado-américaine de 1988 peut être analysée soit comme la continuation des stratégies continentalistes antérieures, soit comme un enjeu qui ouvre sur de nouvelles alternatives et le développement de stratégies inédites.

À l'occasion du débat de 1987-1988, il nous apparaît que les forces anti-Libre-échange se sont limitées à ressortir leur bon vieux et solide discours anticontinentaliste et laissé complètement de coté l'originalité de la situation[12]. Un examen attentif de leurs prises de position nous révèle qu'elles ont analysé le Libre-échange comme étant exclusivement le produit du continentalisme et des seuls rapports canado-américains. Le processus de globalisation a été négligé pour ne pas dire complètement laissé de coté au profit du rappel en force des craintes habituelles de la domination américaine.

En 1988, ce sont principalement les forces pro-Libre-Échange qui ont compris que celui-ci n'était pas que le point d'arrivée de la politique continentaliste d'après-guerre mais aussi la réponse du Canada et du Québec à la nouvelle réalité mondiale en pleine mouvance et restructuration. Cependant, la présente ronde de négociation qui vise à inclure le Mexique dans le Libre-échange nous laisse voir que les positions se sont transformées de façon substantielle. En effet, tous les intervenants dans ce débat excluent maintenant l'hypothèse du statu quo. L'Entente de 1988 a intensifié et accéléré la restructuration économique au Canada et au Québec d'une manière telle que tout retour en arrière est désormais impossible. La tâche qui s'impose maintenant à tous est d'orchestrer le mouvement vers la création d'un bloc régional nord-américain.

Deux grandes tendances semblent néanmoins présentes dans le débat actuel. D'un côté, il y a ceux qui célèbrent les vertus du marché et de la compétitivité et pour qui le Libre-échange est indispensable à la restructuration de l'économie canadienne même si le prix à payer peut être un chômage massif et la réduction de la protection sociale. De l'autre, l'on retrouve ceux qui, tout en reconnaissant la nécessité de la construction d'un bloc économique nord-américain, refusent que le marché soit le seul artisan de ce projet. Ils estiment que l'État doit être partie prenante de cette réponse à la globalisation, que ce soit pour réduire les impacts négatifs de cette restructuration économique ou bien encore pour promouvoir une stratégie de développement.

Contrairement au débat de 1988, ce dernier groupe ne peut réussir cette fois-ci à obtenir des appuis importants et à établir des alliances élargies au Québec. Cela s'explique par l'interférence de la question constitutionnelle dans ce débat. Nous l'avons vu précédemment, le discours politique québécois sur la nécessité de l'ouverture sur l'extérieur repose sur l'importance et la centralité du marché pour ce faire. Parce qu'il n'est pas un discours néo-libéral dogmatique, fermé sur lui-même, simpliste, naïf et sans nuance et qu'il reconnait la nécessité des interventions de l'État pour accompagner ce processus de restructuration et en minimiser les effets les plus néfastes, l'on peut présumer qu'il pourrait alimenter et ajouter aux positions similaires mises de l'avant au Canada anglais. Le problème vient de l'interférence de la question constitutionnelles dans ce débat. En ce sens précis, révision constitutionnelle et restructuration économique sont plus articulées ensemble que jamais. L'isolement et le fossé entre les deux «solitudes» est à ce point profond qu'une telle alliance semble désormais impossible, surtout depuis le 23 juin 1990.

LA RONDE QUÉBEC OU LA RONDE DE LA DÉMOCRATIE?

L'après Meech a vu émerger une différence nouvelle entre le Québec et le reste du Canada. On ne retrouve pas au Québec cette hostilité généralisée à l'égard de la classe politique et des Partis politiques traditionnels qui se manifeste actuellement dans le reste du Canada. Celle-ci se traduit par une chute dramatique de la crédibilité des dirigeants politiques que les sondages ne cessent de chiffrer à la baisse. Les niveaux atteints sont d'ailleurs uniques dans l'histoire canadienne.

Le Québec a vécu sur un registre complètement différent les suites du 23 Juin 1990. L'échec de Meech a été vécu au premier degré, c'est-à-dire comme un refus de reconnaître la spécificité québécoise, comme une humiliation de plus pour le Québec et comme une gifle. L'après Meech fut dominé par l'insistence pour obtenir que la prochaine étape de la révision constitutionnelle soit encore une ronde pour le Québec, et ce, en dépit du fait que le reste du Canada ne cessait de répéter que l'ordre du jour devrait être plus chargé.

Dans le reste du Canada, l'échec de Meech a été lu d'une manière substantiellement différente. On y a vu surtout le résultat d'un processus non démocratique, élitiste et qui nécessite d'être complètement repensé. Dans cette perspective, l'après Meech ne pouvait se réduire à la seule question du Québec. L'enjeu était plutôt l'absence d'institutions démocratiques à l'intérieur desquelles les citoyens et citoyennes pourraient être entendus, proposer leurs visions de l'avenir et surtout contester celles des élites économiques et politiques en place.

La dualité de la crise constitutionnelle a permis la présence simultanée de ces deux lectures des événements entourant Meech. Au Québec, l'enjeu constitutionnel s'enracine dans les luttes politiques antérieures et s'exprime toujours dans le discours politique usuel qui veut que plus de pouvoirs sont nécessaires à la réalisation du projet québécois. Prolongeant de la sorte les revendications nationalistes québécoises des années 60 et 70, les discussions actuelles ne représentent que les dernières d'une longue liste de confrontations similaires.

C'est pourquoi d'ailleurs, le débat sur la question constitutionnelle au Québec se résume toujours à choisir entre l'indépendance, la Souveraineté-Association ou le fédéralisme renouvelé. De même, la lutte pour l'obtention en 1992 d'un référendum sur la Souveraineté-Association est la continuation directe de cette manière traditionnelle de réfléchir la question du Québec au sein du Canada. Le référendum s'inscrit beaucoup plus dans la logique du vote de grève pour faire pression — la fameuse image du couteau sur la gorge — qu'à l'intérieur d'une stratégie qui viserait à sortir le débat des mains de la classe politique et à permettre aux citoyens et citoyennes de s'approprier véritablement cet enjeu. Ce discours traditionnel refuse de s'ouvrir à toute parole qui voudrait sortir la discussion constitutionnelle de la logique de l'affrontement Québec versus le reste du Canada. C'est donc sans surprise qu'on a vu les requêtes des autochtones pour avoir leur place à la table de négociation tomber dans l'oreille d'un Québec sourd.

Par contre, le silence dans l'accord du lac Meech sur la question des droits des autochtones a été, dans le reste du Canada, le point de départ d'une critique radicale du processus même de révision constitutionnelle. Caractérisé comme étant l'accord de «11 hommes blancs cravatés» par les groupes progressistes autochtones et de femmes, Meech est rapidement devenu le symbole de ce qui, politiquement parlant, peut être produit de pire au Canada. Ces groupes qui ont vu leur importance croître depuis le début des années 80, ont perçu Meech comme une entente freinant l'émergence d'une nouvelle définition de la citoyenneté et des droits des citoyens et l'établissement de nouvelles relations entre la société civile et l'État. C'est pourquoi l'ensemble de ces groupes luttent actuellement pour que la prochaine ronde de négociation constitutionnelle soit celle de la «démocratie».

Dans le reste du Canada, une des explications-clé de la débâcle de l'accord du lac Meech réside dans la prise de conscience de l'élitisme du fédéralisme exécutif et de la faillite des systèmes parlementaire et partisan. Depuis lors, les discussions sur les moyens appropriés pour mener à terme la révision constitutionnelle ont reçu autant sinon plus d'attention que le contenu même de celle-ci. La proposition de l'instauration d'une Assemblée constituante est à cet égard un exemple révélateur.

Les débats qui y ont cours pivotent autour du renouvellement de la démocratie parce que tant les partis politiques que le fédéralisme exécutif n'offrent plus de garanties de ce côté. Ce sont des institutions qui ont acquis leur configuration présente dans la période d'après-guerre et ont été parties prenantes de ce mouvement de construction des institutions politiques pan-canadiennes qui était fondé principalement sur l'instauration de rapports bureaucratisés entre les citoyens et l'État. Qui plus est, nous avons plutôt assisté ces dernières années à la tendance inverse avec le développement d'une «politique de leader» qui s'est traduite par une démocratie à sens unique du haut vers le bas et une concentration du pouvoir entre les mains d'un cercle restreint qui comprend les dirigeants des partis, les spécialistes en opinion publique et autres conseillers grassement rémunérés. S'étant mis en place et institutionalisé dans le cadre de l'instauration du paradigme d'après-guerre, le fordisme perméable, l'on comprend que le système de partis soit plus sensible aux intérêts des acteurs centraux de ce modèle, le patronat et le mouvenent syndical, qu'à ceux des nouveaux acteurs collectifs qui ont vu le jour au cours des années 80.

En ce sens, présentes mais marginalisées parce que se situant à l'extérieur du système partisan, les nouvelles identités collectives, religieuses, autochtones, féminines, raciales, immigrées, jeunes, etc., sont présentement porteuses de ce renouveau démocratique et d'une manière inédite de discuter des problèmes constitutionnels. Le groupe Action Canada constitue un exemple de cette réorientation de l'action politique («identity politics») qui lie participation électorale et mobilisation de la société civile par le biais d'organisations non bureaucratisées et élitistes. Ces groupes ne réduisent plus le débat à la seule question de savoir si le Québec doit avoir ou non plus de pouvoirs ou s'il constitue bel et bien une société distincte. Les discussions constitutionnelles devraient élargir leur ordre du jour pour inclure des questions telles, la garantie des droits individuels et sociaux, la création d'espaces d'autonomie politique et la restauration économique.

Voilà, nous semble-t-il, ce qui constitue l'essentiel de la période de tourmente actuelle. D'un côté, le Québec qui, pour réaliser son projet d'adaptation à l'économie mondiale, revendique plus de pouvoirs étant entendu qu'ils ne peuvent être laissés ni entre les mains d'Ottawa ni dans celles du marché. En ce sens, l'on comprend qu'une autre ronde Québec soit ce que revendiquent les élites néo-nationalistes, entrepreneuriales ou politiques québécoises. Pour réaliser ce projet de restructuration économique et politique ces derniers laissent de côté la question du renouvellement démocratique qui constitue, comme on l'a vu, l'autre volet de la crise politique canadienne actuelle.

Du côté du reste du Canada, l'absence de tout consensus au niveau de la révision constitutionnelle s'articule à un profond désaccord sur la façon de restructurer l'économie. L'abandon des formes de la régulation fordiste et leur remplacement par la consécration néo-libérale du marché comme axe central de restructuration ont insécurisé des pans entiers de la population. Plus les gens sont craintifs, plus ils luttent sur tous les fronts, y compris le constitutionnel, afin de protéger les acquis de l'État-providence et leurs droits et identités. Ce faisant, cela a permis la fusion des discours de la globalisation et de la démocratie. De plus en plus de gens en sont ainsi arrivés à la conclusion que c'est peut-être là leur dernière chance de sauver leur propre avenir.

En somme, et bien qu'on y soit arrivé par des voies différentes, tant le Canada que le Québec réalisent que l'avenir constitutionnel, c'est l'avenir tout court.

NOTES

1. Sur l'émergence de ces nouveaux acteurs et du secteur populaire qui se retrouvent pour l'essentiel au Canada dans le réseau Pro-Canada, voir Duncan Cameron et Daniel Drache, *The Other Macdonald report,* Toronto, McMillan, 1985.
2. Sur la question du développement par ces groupes de nouvelles stratégies de représentation qui évitent le système des partis, voir H. Clarke, J. Jenson, L. Leduc et J. Pammet, *Absent Mandate: Interpreting Change in Canadian Politics* (Toronto, 1991) chap. 1.
3. Sur le processus de ratification de l'accord du lac Meech, Alain Cairns écrit: «Those outside the charmed circle of executive federalism were confronted with a *fait accompli*, defines as «outsiders», and informed their criticisms would be without effects unless they uncovered «egregious» errors, as defined by «insiders»... to the federal government, the role of the citizen was to be a public relation cheerleader, in effect to join the monarchy as part of the dignified components of the constitution». *in Ritual, taboo and bias in constitutional controversies in Canada*, the Timlin Lecture, University of Saskatchewan, November 1989, p. 6-7.
4. Sur la notion de crise telle que développée par l'École française de la régulation, voir Alain Lipietz, *Choisir l'audace: Une alternative pour le XXIe siècle*, Paris, La Découverte, 1989, ainsi que Gérard Boismenu et Daniel Drache (sous la direction de), *Politique et régulation, modèle de développement et trajectoire canadienne*, Montréal, Le Méridien, 1990, p. 35-70.
5. Pour une discussion détaillée de la notion de crise comme lutte entre mode de représentation d'une socio-économique, voir Jane Jenson, «Représentations in crisis: The Roots of Canada's Permeable Fordism» *in La Revue Canadienne de Science Politique*, vol. XXIII, n° 4, 1990.
6. Sur la notion de fordisme perméable, voir Jane Jenson, ««Different» but not «exceptionnal»: Canada's permeable fordism», *in La Revue Canadienne de Science Politique*, vol. XXIII, n° 4, 1990.
7. Sur le développement du fédéralisme exécutif voir Richard Simeon et Ian Robinson, *State, Society and the Development of Canadian Federalism*, Toronto, University of Toronto press, 1990, chapitres 9 et 10.
8. Sur la remise en question de la thèse de la grande noirceur des années Duplessis, voir J. Létourneau, «The Unthinkable History of Québec» *in Oral*

History Review, vol. 17, n° 1, Spring 1989, ainsi que Gilles Bourque et Jules Duchatel, *Restons traditionnels et progressifs. Pour une nouvelle analyse du discours politique: le cas du régime Duplessis*. Montréal, Boréal, 1988.

9. Ce résultat reflète les dimensions contradictoires inhérentes au rejet de toute forme de statut spécial pour le Québec. Répondre aux demandes du Québec par l'obtention de pouvoirs accrus à l'intérieur du fédéralisme canadien en rendant les autres provinces semblables à celui-ci, signifiait inévitablement une perte de pouvoirs pour le gouvernement central surtout si les provinces décidaient d'exercer sérieusement leurs responsabilités. Même si ce n'était certainement pas le résultat recherché, l'on peut penser qu'une des conséquences de l'aversion de Pierre Trudeau à l'égard de toute forme de statut spécial pour le Québec a conduit, de manière non intentionnelle, à l'affaiblissement du gouvernement central.

10. Sur cette question de la globalisation politique, lire Evan Luard, *The Globalisation of politics, The Changed Focus of Political Action in the Modern World*, Londres, Macmillan, 1990; Mike Featherstone, edited by *Global Culture: Nationalism, Globalisation and Modernity*, Sage publications, Londres, 1990; Gilles Breton, Globalisation, État et science politique, conférence prononcée au Quinzième Congrès Mondial de l'Association Internationale de Science Politique, Buenos Aires, Juillet 1991.

11. Sur cette question, lire Aristide Zolberg, «L'influence des facteurs «externes» sur l'ordre politique interne» *in* Madeleine Grawitz et Jean Leca, éditeurs, *Traité de science politique, Tome 1, La science politique, science sociale, L'ordre politique*, Paris, 1986, p. 567-598.

12. Pour une analyse plus approfondie de ce discours, voir Gilles Breton, *L'économie politique canadienne et le Libre-échange: un dernier tour de piste pour l'École de la dépendance*, Laboratoire d'Études politiques et administratives, Université Laval, cahier 90-03, 1990.

Le choc de deux sociétés globales

Simon Langlois

Responsable d'un chantier sur les tendances sociales à l'Institut québécois de recherches sur la culture et professeur de sociologie à l'Université Laval, Simon Langlois analyse en ces pages la révolution tranquille qui a secoué le Canada dans les années quatre-vingt. Un nouveau devenir constitutionnel pour l'État canadien et le renforcement d'une identité nationale canadienne sont les principaux éléments de cette révolution. En 1982, affirme l'auteur, le Canada s'est donné une nouvelle constitution. Il s'est redéfini sans le Québec. Le modèle d'un rapport Canada-Québec fondé sur la dualité s'en est trouvé brisé. Simon Langlois pense que le conflit prend de plus en plus l'allure d'un affrontement entre deux sociétés globales, chacune d'entre elles pouvant s'appuyer sur un réseau institutionnel fortement imbriqué. La perspective des deux sociétés globales sert à mieux faire comprendre l'évolution récente des politiques de bilinguisme et de multiculturalisme. Après avoir identifié les obstacles qui bloquent la voie d'un retour à la dualité l'auteur conclut, tout comme Gérard Bergeron, que l'incertitude est vraiment à son comble.

5

Le choc de deux sociétés globales

Simon Langlois

Le Québec et le Canada apparaissent de plus en plus comme deux sociétés globales incapables de trouver un consensus sur le partage des pouvoirs nécessaires à leur développement respectif et à la satisfaction des aspirations de leurs citoyens. Il faut parler maintenant de deux sociétés globales, plutôt que de deux nations ou de deux communautés, pour bien marquer ce qui distingue ces deux entités qui sont en train de négocier un nouveau *modus vivendi*. Ne plus comprendre le conflit actuel entre le Québec et le Canada comme un conflit entre une province et l'État central est fondamental aussi pour cerner les raisons de l'échec de l'entente du Lac Meech et les enjeux du débat constitutionnel qui se poursuit.

LA RÉVOLUTION TRANQUILLE DU CANADA

Le Canada a connu, durant les années 1980, une véritable révolution tranquille, analogue à celle qu'avait vécue le Québec vingt ans auparavant, révolution qui a marqué profondément la société canadienne en tranchant avec les institutions passées, les valeurs, la définition de l'identité, les formes d'organisations sociales. Le changement est tel que le pays est devenu différent, fort différent même, comparé à ce qu'il était auparavant. Autant le Québec de Lévesque et de Bourassa est éloigné de celui de Taschereau et de Duplessis, autant le Canada de Trudeau et de Mulroney est éloigné de celui de King ou de Diefenbaker.

Pour mieux saisir l'ampleur de ce changement et les contours de cette révolution, il paraît nécessaire de rappeler la conception du Canada qui a, en quelque sorte, été dominante du côté francophone ou québécois depuis le XIXᵉ siècle: le modèle dualiste, et la distance qui sépare maintenant le Canada des années 1990 du Canada des deux nations fondatrices du temps de la Commission Laurendeau-Dunton.

Le modèle dualiste trouve son origine loin dans le temps, loin dans l'histoire du pays, marqué par la cession de la colonie française en 1763 et par l'incapacité des Britanniques à assimiler les Canadiens français[1].

Ce modèle a été explicité dans l'Acte de l'Amérique du Nord Britannique qui a donné en 1867 au Canada la forme juridique d'une fédération plutôt que celle d'une union législative souhaitée par Sir John A. Macdonald, principalement afin de satisfaire les demandes du Bas-Canada.

L'interprétation de l'AANB a été, on le sait, divergente. Du côté canadien-français et québécois, on a vu la Confédération comme un pacte entre deux nations mais cette lecture a été largement contestée du côté anglophone, notamment par l'historien Donald Creighton et par le juriste Eugene Forsey. Peu importe ici qui a raison. L'important est plutôt de retenir que «le rêve canadien des Québécois a toujours été dualiste», pour reprendre l'expression de Guy Laforest[2]. Ce rêve a été porté et défendu par plusieurs générations d'intellectuels et de politiciens et on le retrouve explicité dans nombre de rapports rédigés par des Commissions chargées de définir le Canada, principalement dans celui de la Commission Laurendeau-Dunton et celui de la Commission Pépin-Robarts.

Le rêve dualiste a échoué pour des raisons qu'il serait trop long d'analyser ici. On a empêché ou freiné le développement de provinces bilingues dans l'Ouest, la protection et la promotion du fait français à l'échelle du pays est venue tardivement et le Québec s'est affirmé comme le principal pays de développement de la culture française au Canada parce que les francophones y étaient largement concentrés et qu'ils contrôlaient un État provincial ayant suffisamment de pouvoirs.

Au fil des ans, le Canada a évolué vers un modèle unitaire, qui a trouvé sa consécration dans la Loi constitutionnelle de 1982. Cette Loi sanctionne l'abandon de la conception dualiste du Canada en affirmant l'égalité entre toutes les provinces et en proposant une Charte des droits individuels enchâssée dans la Constitution. Mais surtout, le rapatriement de la Constitution et les changements qu'on y a apportés ont été faits sans l'accord du Québec, ce qui marque bien, sur le plan symbolique, la fin du rêve dualiste. Ajoutons à cela l'échec de l'accord du Lac Meech, puisque c'est la reconnaissance du statut de société distincte au Québec avec les pouvoirs spécifiques mieux limités qu'elle impliquait, qui a été en quelque sorte la pierre d'achoppement de l'entente négociée.

Certains intellectuels anglophones ont soutenu que le Canada moderne prenait véritablement naissance en 1982 et que la Loi constitutionnelle constituait réellement le pays, en sanctionnant la réalité sociologique nouvelle[3]. Cette opinion n'est pas seulement partagée par certains extrémistes aux vues étroites ou biaisées. On la retrouve en filigrane dans de sérieuses analyses écrites par des intellectuels respectés. Citons ici l'étude récente du sociologue Reginald Bibby. Pour lui, il n'y a pas de crise constitutionnelle. S'il y a crise, c'est d'abord celle du Québec qui aura à choisir de quitter le Canada ou de rentrer dans le rang.

In the midst of the hoopla and gnashing of teeth, it's time that someone got the message out: there is no crisis. The only crisis is one that we have created. At this point in history, Quebec is again reviewing its options. [...] No, Quebec's reflections on its future do not represent a crisis for Canada. Despite the irresponsible declarations of the alarmists, Canada will continue to exist, regardless of what Quebec decides do to[4].

La définition même de la «crise» a changé radicalement. Durant les années 1960, on parlait de crise entre les deux nations, entre Francophones et Anglophones au Canada. Maintenant on parle de crise à propos des relations entre le Québec et le Canada, ce qui est bien différent. La question n'est plus de savoir quel Canada vont construire les Anglophones et les Francophones; la question est plutôt de savoir comment on pourra intégrer (ou réintégrer) le Québec dans un Canada qui s'est redéfini sans lui. Simple changement de perspective? Non, loin de là. Force est de reconnaître que le Canada s'est bâti et s'est redéfini dans les faits sans le Québec. Il a une existence en quelque sorte autonome et il entend se développer avec ou sans le Québec. Du côté québécois, on se demande encore si le Canada pourra survivre sans le Québec. Cette question ne se pose plus au Canada anglais. On y vit déjà sans cette province, et on cherche à voir comment il sera possible de l'intégrer dans le futur sans déranger les orientations déjà prises. On est donc loin de la renégociation d'un nouveau pacte, pour reprendre le langage des années 1960.

Il existe maintenant au Canada une véritable identité nationale qui a pris corps autour des symboles que le pays s'est donné, le drapeau adopté en 1968 et l'hymne national proclamé en 1984, de ses artistes, écrivains et intellectuels, de ses institutions publiques, de ses programmes sociaux, de sa charte des droits, de ses deux langues officielles, du caractère composite de sa nouvelle immigration. Le Canada est fier de faire partie du Groupe des Sept, de déclarer la guerre à Saddam Hussein, de dispenser des conseils à Gorbachev ou de menacer l'Afrique du Sud.

Cette identité nouvelle et la mise en place d'institutions nouvelles, plus spécifiquement la Charte des droits de la personne, sont basées sur une vision néolibérale d'abord centrée sur l'individu plutôt que sur les communautés fondatrices, contrairement à ce que prétendait la conception dualiste qui avait toujours dominé au Canada français. Le changement est majeur et on commence à peine à en voir toutes les conséquences. D'abord, c'est le fondement même de la démocratie parlementaire d'inspiration britannique qui est en cause, puisque le pouvoir judiciaire peut défaire ou annuler des lois votées par les élus du peuple. Mais comme la réforme des institutions est incomplète, on assiste à un bricolage qui commence à inquiéter les observateurs. D'autres s'interrogent sur les conséquences d'un pays d'abord formé d'une collection d'individus consommateurs de Chartes et préoccupés de défendre leurs droits individuels[5]. Mais surtout, cette vision néolibérale pure et dure rend en quelque sorte illégitime la protection ou la promotion de droits collectifs et conduit même à une extension indue de la notion de droits fondamentaux, ce qui contribue à accentuer le clivage entre les orientations prises par la société québécoise et la société canadienne, de plus en plus divergentes.

LE CHOC DE DEUX SOCIÉTÉS GLOBALES

Les principales composantes autour desquelles s'est élaborée la nouvelle identité canadienne n'ont pas réussi à emporter l'adhésion du Québec. Bien au contraire, plusieurs changements sociaux qui ont contribué à façonner cette identité canadienne ont en fait eu comme effet pervers de renforcer l'émergence du nationalisme québécois moderne et de renforcer les revendications québécoises pour l'obtention de pouvoirs accrus. Deux exemples illustrent ce processus d'évolution divergente de deux sociétés globales: la politique du bilinguisme et la politique du multiculturalisme.

Le bilinguisme

D'abord réticents à l'accepter, les Canadiens anglais ont appuyé, au fil des années, l'implantation du bilinguisme au Canada en proportion de plus en plus importante jusqu'au début des années 1980. L'enseignement du français langue seconde et les classes d'immersion ont connu un fort succès dans les écoles. L'offre de services en français par les gouvernements et les grandes entreprises s'est aussi considérablement améliorée à partir des années soixante. Le Canada anglais a fait un effort sérieux et loyal pour aménager une place au français, qui restait cependant perçu comme la langue d'une minorité dans l'ensemble du pays. Comparés au passé, les progrès et la promotion du fait français au Canada sont apparus considérables aux yeux des Anglophones; comparés à leurs attentes et à leurs aspirations, ces progrès sont apparus minces, relatifs et trop lents aux yeux des Francophones, principalement au Québec. Ottawa est restée une ville largement unilingue anglaise, malgré un bilinguisme de surface. La langue de travail dans les agences et les ministères fédéraux est aussi restée largement l'anglais, bien que la traduction de l'anglais au français y soit largement pratiquée. Le produit final est disponible dans les deux langues, mais il aura été le plus souvent élaboré en anglais. Le français a fait des gains indéniables au Canada, mais il est resté une langue seconde, dans un pays où l'anglais domine partout en dehors du Québec.

Les Francophones hors Québec et les Québécois de langue française avaient des intérêts littéralement opposés en matière de bilinguisme. Les premiers, dispersés sur un large territoire et minoritaires, ont vu dans cette politique une aide précieuse à leur survie. Les seconds l'ont perçu comme une menace, le bilinguisme étant considéré, à tort ou à raison, comme le premier pas vers l'assimilation dans le grand tout américain. Mais surtout, le bilinguisme *from coast to coast* ne répondait pas aux aspirations ni aux besoins spécifiques des Québécois. On a oublié que ceux-ci ne recherchaient pas avant tout l'accès à des services en français à Vancouver, Halifax ou Toronto. Ils aspiraient plutôt à éduquer leurs enfants, à vivre et à travailler en français d'abord là où ils formaient la majorité, ce qui les a amenés au fil des ans à voter des lois et à adopter des politiques pour protéger et étendre la place du français. Ils ont cherché avant tout à se donner une certaine sécurité culturelle en s'appuyant sur l'État dont ils contrôlaient les leviers du pouvoir. Dans cette perspective, le gouvernement du Québec s'est affirmé depuis des décennies et ce, bien avant la Révolution tranquille, comme un véritable gouvernement national, contrairement aux autres gouvernements provinciaux.

Dans ce contexte, il est apparu difficile de justifier l'extension, et même le maintien des politiques de bilinguisme dans le reste du Canada, alors que le Québec prohibait l'usage de l'anglais dans la langue d'affichage et réglementait l'accès des immigrants à l'école anglaise. D'où un important mouvement de ressac au Canada anglais contre le bilinguisme, surtout dans les villes et régions où il y a de faibles concentrations de Francophones. La promotion du bilinguisme d'une mer à l'autre fut une «erreur fatale», pour reprendre l'expression de William Thorsell, le rédacteur en chef du *Globe and Mail*, qui a mécontenté le reste du Canada et «qui a affaibli et rendu plus confus le nationalisme anglophone dans les autres provinces et régions» tout en passant à côté des besoins propres du Québec[6].

On a cru un temps que le bilinguisme allait devenir une composante essentielle de l'identité canadienne, susceptible de la distinguer de l'identité américaine. Malgré un essai sérieux et beaucoup d'efforts sincères déployés en ce sens au Canada, au point même où une partie de l'élite canadienne est maintenant bilingue, l'entreprise a maintenant atteint ses limites et elle est remise en question dans le reste du Canada, où l'on commence à parler d'une révision en profondeur de la Loi sur les langues officielles de 1969 au profit d'une politique des langues élaborée sur des bases géographiques: le français au Québec, l'anglais au Canada et le bilinguisme pour la capitale, Ottawa.

Le multiculturalisme

Bien plus encore que le bilinguisme, le multiculturalisme a transformé l'identité canadienne. Cette politique a été élaborée deux ans après l'adoption de la Loi sur les langues officielles, en 1969, largement pour apaiser les réactions négatives devant cette dernière. On se souviendra de la déclaration célèbre de Trudeau devant le Parlement canadien en 1971: «Même s'il y a deux langues officielles, il n'y a pas de culture officielle, et aucun groupe ethnique n'a préséance sur un autre». Le multiculturalisme visait aussi la reconnaissance de l'apport des nouveaux immigrants non assimilés à la majorité. «Mais c'était également un moyen d'éviter de reconnaître le biculturalisme du pays et d'admettre les conséquences politiques de la spécificité québécoise. Le multiculturalisme réduit en principe le fait québécois à un phénomène ethnique[7].» Là est sans doute la raison principale de cet énoncé de politique. Au fil des ans, la politique du multiculturalisme a pris de l'importance à cause de l'afflux continu de nouveaux immigrants, d'origine et de culture plus variées que ceux des vagues précédentes mais aussi plus visibles.

L'immigration est en train de changer radicalement la société canadienne. La proportion des citoyens nés à l'étranger y est le double de celle qu'on observe aux États-Unis, et très peu de pays sont aussi ouverts à la venue de nouveaux immigrants que le Canada, à une époque où les frontières ont plutôt tendance à se fermer aux étrangers. Ce dernier se propose d'accueillir un million de nouveaux immigrants d'ici cinq ans, ce qui est beaucoup pour un pays ayant une population de 26 millions d'habitants. D'autres pays font aussi face à une arrivée massive d'immigrants: Israël et l'Allemagne par exemple, mais ceux-ci sont de même culture, de même langue ou de même religion, ce qui peut faciliter leur intégration, alors que l'immigration est très diversifiée au Canada.

Les Canadiens se questionnent sur la cohésion d'un corps social et politique qui érige en système la promotion des particularités. Un récent éditorial du *Globe and Mail* résume bien cette inquiétude:

> The danger in actively promoting multiculturalism is, as one citizen told the Spicer Commission, that "nobody is Canadian: instead everyone remains what he was before he came here and 'Canadian' merely means the monetary unit and the passport". This is not a situation any of us, old or new Canadians, want to embrace. (Le 5 août 1991)

Tous ces immigrants ont cependant en commun d'apprendre l'anglais, ce qui facilite leur insertion dans la société canadienne. Langue seconde pour les parents, l'anglais deviendra vite langue première pour les enfants et les petits enfants.

La question de l'intégration des immigrants illustre, plus que tout autre, le choc de deux identités nationales et de deux sociétés que nous observons au Canada. Le Québec entend intégrer à la majorité franco-phone les nouveaux arrivants, en les obligeant à apprendre le français ou en forçant leurs enfants à fréquenter les écoles françaises. Alors que l'apprentissage de l'anglais et la fréquentation des écoles anglophones sont une nécessité de la vie quotidienne au Canada anglais qui s'impose d'elle-même, le choix du français comme langue nationale et langue d'enseignement est contraint ou forcé par la loi au Québec. Cette politique a été nécessaire, du point de vue québécois, pour contrecarrer l'attrait considérable de l'anglais. Les immigrants qui choisissent cette province viennent aussi au Canada — pays à majorité anglaise — et plus largement en Amérique du Nord, d'où l'attrait quasi incontournable de l'anglais. Or, le Québec propose plutôt aux immigrants une autre option (en ne leur laissant pas le choix, tel qu'entendu avec eux au moment de quitter leur pays d'origine): celle de s'associer à la majorité francophone. Le Québec n'avait pas d'autre choix que d'agir comme il l'a fait pour assurer sa sécurité culturelle.

L'identité québécoise s'est construite à partir de l'appartenance à une société restreinte aux frontières du Québec, mais elle prétend maintenant associer au noyau de souche francophone les nouveaux arrivants d'origine ethnique diverse. Pour les Québécois, la langue est plutôt le moyen privilégié permettant l'intégration des personnes de diverses origines à un même ensemble. En tant que langue officielle, le français marque alors l'appartenance à une société donnée et entend être le point de rassemblement des individus vivant dans cette dernière. Le français joue ici un rôle analogue à l'anglais aux USA et dans le reste du Canada: la langue n'est pas seulement un moyen de marquer l'appartenance à un groupe ethnique précis; elle est aussi le moyen de promouvoir la parti-cipation à la société civile. Mais l'apprentissage de la langue de la société d'accueil est aussi le moyen pour les immigrants d'avoir un apport spéci-fique susceptible de la transformer.

Le Québec se comporte envers ses immigrants comme une société globale, avec comme résultat que l'identité québécoise est (et sera) de moins en moins une identité ethnique et de plus en plus une identité nationale à laquelle s'identifieront des personnes de souches et d'origines différentes, contrairement à l'identité canadienne-française qui va continuer d'être basée sur des liens de filiation, de consanguinité ou de descendance. Les immigrants venant d'Haïti ou de Pologne pourront s'identifier comme Québécois; ils ne deviendront pas des Acadiens ni des Canadiens français. Ils vont aussi contribuer à définir un Québec différent, comme les immigrants ont amené le Canada à se redéfinir.

Les francophones ne sont plus systématiquement les porteurs d'eau d'autrefois. La réduction des écarts et des différences entre les membres des deux groupes linguistiques s'est effectuée prioritairement par le biais du développement d'institutions parallèles. Voilà l'un des traits originaux de la société canadienne, qui a conduit à l'avènement d'une société distincte au Québec. La «minorité officielle» du Canada ne se limite pas à être en compétition avec la majorité dans les grandes institutions «nationales», comme c'est le cas pour les membres des autres minorités; comme elle est concentrée au Québec, elle a créé ses propres institutions: politiques, scolaires, sociales, culturelles, de communications, mais aussi ses propres institutions économiques. Ce développement d'institutions parallèles a eu tendance à toucher un grand nombre de secteurs d'activités. Les grandes associations savantes et scientifiques ont pour la plupart été dédoublées; il y a deux galas du disque (l'un, francophone, l'autre, anglophone), sans parler des autres manifestations artistiques; il y a deux bibliothèques nationales, deux archives nationales; on compte aussi deux systèmes de Conseils de recherches scientifiques: CRSH, CRSNG et CRS au fédéral et CQRS, FCAR, CRSQ au Québec. Et la liste de ces institutions parallèles pourrait s'allonger.

Durant les années 1970 et 1980, le déplacement des activités économiques vers l'Ouest du pays et principalement vers Toronto a favorisé le départ d'une partie de l'élite anglophone, ce qui a contribué à faire augmenter l'importance relative des francophones dans le monde des affaires. Ce déplacement a amené les grandes entreprises canadiennes à créer des centres régionaux au Québec et par conséquent, à confier plus de pouvoir aux francophones afin de couvrir ce marché. Enfin, les grandes entreprises restées au Québec ont engagé davantage de cadres francophones. Le départ d'un bon nombre d'anglophones ayant des postes importants et la montée des francophones dans les entreprises ont modifié la place respective des deux groupes linguistiques dans l'économie du Québec au profit de ces derniers.

Jusqu'à présent, on a trop restreint la spécificité du Québec à des questions de langue et d'ethnicité. Or, le Québec est aussi devenu peu à peu une société globale avec un ensemble d'institutions spécifiques, une organisation sociale et une culture propre, des objectifs nationaux et politiques différents, qui en ont fait bien davantage un pays qu'une province, qui en ont fait bien davantage une société civile qu'un groupe ethnique. Mais beaucoup de Canadiens perçoivent encore les francophones comme une minorité; les Québécois se perçoivent eux comme une majorité. La spécificité québécoise s'est affirmée au fil des ans, alors que s'émoussait l'identité canadienne-française, parce qu'elle a su s'appuyer sur un ensemble d'institutions fortes et sur l'existence d'un État qui a assuré la promotion collective de ses citoyens, mais aussi sur des institutions qui reconnaissent et dispensent tous les services à la minorité historique anglophone, des institutions qui affirment le visage français de la société civile québécoise, des institutions qui permettent d'atteindre des objectifs sociaux donnés et des institutions mises en place pour accueillir et intégrer les immigrants à la majorité francophone.

Le Rapport de la Commission sur l'avenir politique et constitutionnel du Québec a formulé le constat de l'existence d'un choc entre l'identité canadienne et l'identité québécoise. Si l'analyse qui précède est juste, on ne peut plus parler d'insatisfaction d'une minorité au sein d'une majorité, mais bien plutôt du choc de deux majorités, du choc de deux identités nationales. Cette conclusion paraîtra probablement banale ou évidente aux yeux du lecteur québécois; elle surprendra encore bon nombre de Canadiens qui ne l'acceptent pas, comme l'a illustré l'échec de l'Accord du lac Meech, qui a précisément échoué sur les questions de la reconnaissance de la société distincte et de l'attribution au Québec de certains pouvoirs spécifiques conformément à la tradition de la Confédération canadienne depuis son origine en 1867.

En fait, ce n'est pas vraiment la reconnaissance du caractère distinct du Québec qui pose problème. À peu près tout le monde le reconnaît au Canada, à commencer par les opposants à l'Accord tels que Clyde Wells. Ce qui fait problème, c'est plutôt la reconnaissance que le Québec forme une société globale avec des institutions, des pouvoirs, une situation linguistique, une identité et des aspirations propres, différents du reste du Canada, société qui exige des pouvoirs spéciaux pour se développer, accueillir et intégrer les immigrants et protéger la culture d'expression française.

Un retour au dualisme est-il possible?

Deux obstacles majeurs vont s'opposer à la conclusion d'un accord entre le Québec et le Canada dans les négociations en cours et, faute d'entente, ils risquent d'être la cause majeure d'une rupture: le principe de l'égalité des provinces et la Charte des droits de la personne. Ces deux éléments sont en quelque sorte au coeur de la nouvelle identité canadienne et l'usage qu'en fait le Canada anglais paraît, à première vue, irréconciliable avec les attentes exprimées au Québec.

L'idée que les provinces sont égales est récente dans l'histoire de la fédération canadienne, comme l'a souligné Gordon Robertson. Dès l'origine et jusqu'à l'entrée de Terre-Neuve dans la Confédération, on a reconnu des différences et des statuts spéciaux à diverses provinces, et non seulement au Québec. L'Acte de l'Amérique du Nord Britannique imposait au Québec des obligations spécifiques en matière de langue (section 133), la pratique du code civil y était autorisée (section 94) et on prévoyait une représentation spécifique de sénateurs anglophones venant du Québec (section 22). Le Supreme Act Court de 1875 a même accordé au Québec le droit d'avoir trois juges sur neuf à la Cour suprême pour y assurer une représentation de son système juridique différent du Common Law d'origine britannique. Le Manitoba, la Colombie-Britannique, la Saskatchewan et l'Alberta ont été traités selon leurs situations particulières au moment de leur création. De même, huit articles prévoient un traitement spécial permanent pour Terre-Neuve dans le contrat qui l'a adjoint au Canada en 1949. Selon Robertson, «le reste du Canada doit se départir de la fiction selon laquelle l'égalité des provinces est un principe du fédéralisme. [...] Québec *peut* être traité différemment et devrait l'être lorsqu'il y a une bonne raison de le faire[8].»

Mais les Canadiens ne pensent pas ainsi. L'égalité entre les provinces est un principe bien ancré dans la philosophie politique canadienne qu'il sera difficile de contourner. Deux raisons, au moins, expliquent l'importance accrue accordée à ce principe. Le Canada est un vaste pays inégalement développé, avec un centre industriel très concentré en Ontario (qui produit plus de 40 % du PIB canadien) suivi du Québec (qui compte pour 23 % du PIB). Le gouvernement fédéral cherche à contrer depuis des décennies les inégalités régionales, donc à tendre vers plus d'égalité entre provinces et régions. Mais surtout, le discours sur l'égalité qui a été mis de l'avant avec emphase sous le gouvernement de P.-E. Trudeau a permis de mettre un frein à l'octroi au Québec de pouvoirs spéciaux, le Québec étant défini comme «une province comme les autres».

L'AANB avait reconnu, au siècle dernier, que le Québec pouvait exercer des pouvoirs spécifiques dans des domaines importants pour l'époque. Le monde a changé et le Québec contemporain aspire à exercer ses responsabilités dans des domaines nouveaux (communication, formation de la main-d'oeuvre, langue de travail, immigration, etc.). Il a besoin d'intervenir dans des sphères nouvelles, non prévues en 1867, afin d'affronter les problèmes et de relever les défis contemporains auxquels fait face toute société. C'est parce que le Québec est une société globale ayant des responsabilités propres (intégrer les immigrants, former la main-d'oeuvre ou protéger le français dans l'environnement nord-américain) qu'il a besoin de ces pouvoirs, contrairement aux autres provinces qui n'en ressentent pas la nécessité parce que leur situation est différente.

Charles Taylor, dans un article remarquable qui clarifie et remet en perspective les traits spécifiques du Québec et du Canada, avance que la demande des provinces pour plus d'égalité et celle du Québec d'exercer des pouvoirs plus étendus sont tout à fait compatibles car elles ne s'opposent pas logiquement, à condition d'abandonner toute référence à l'uniformité, qui est loin d'être synonyme d'égalité.

> It could be argued that Quebec needs powers that other provinces do not have. Accordingly, this point could be seen as a move towards equality (to each province according to its tasks) not away from it. Moreover, the special status has nothing to do with having more clout at the centre. It involves something quite different[9].

L'application de la Charte fédérale des droits de la personne au Québec pose plus de problèmes, car elle risque d'invalider les politiques adoptées en matière de langues et d'intégration des immigrants à qui on impose la fréquentation obligatoire de l'école française. Ici, les positions du Québec et du Canada sont irréconciliables car les deux sociétés se réfèrent à deux traditions libérales différentes en la matière, comme l'a bien montré encore une fois Charles Taylor.

Le Québec cherche à protéger certains droits collectifs en parallèle à la protection des droits individuels. Pour Taylor, le premier objectif peut être poursuivi sans brimer les droits individuels fondamentaux tels qu'identifiés dans la grande tradition libérale: droit à la vie, droit à la liberté, droit de parole et de pratiquer sa religion, etc. et à condition de ne pas trop extentionner la notion des droits au point d'y inclure des privilèges, tels que la liberté d'affichage par exemple[10]. Mais aussi, plusieurs penseurs libéraux ont montré que la promotion de droits collectifs peut être bénéfique et nécessaire pour le bien-être des individus eux-mêmes lorsque leur culture est menacée. Voyons ce que dit Taylor à propos de la langue, point chaud de désaccord sur l'application d'une Charte des droits au Canada et au Québec.

> It is not just a matter of having the French language available for those who might choose it. This might be seen to be the goal of some of the measures of federal bilingualism over the last 20 years. But it is also a matter of making sure that there is a community of people here in the future that will want to avail itself of this opportunity. Policies aimed at survival actively seek to create members of the community, for instance

in assuring that the rising generations go on identifying as French-speaking or whatever. There is no way that they could be seen as just providing a facility to already existing people[11].

Il est faux de prétendre que le Québec est moins respectueux des droits de la personne que le Canada ou qu'il brime ses minorités. Le fait est plutôt que s'opposent deux traditions libérales différentes. Le Québec n'en est pas non plus moins démocrate.

Y a-t-il une solution à ce conflit entre deux conceptions ou deux approches en matière de droits? Oui, à condition de reconnaître l'existence de plusieurs modèles et non seulement de s'aligner sur celui qui est en vigueur aux USA, toujours selon Taylor qu'il faut citer encore une fois, compte tenu de l'importance de la solution proposée.

Procedural liberals in English Canada just have to acknowledge that there are other possible models of liberal society, and second that their francophone compatriots wish to live by one such alternative. That the first is true becomes pretty evident once one looks around at the full gamut of contemporary free societies in Europe and elsewhere, instead of attending only to the United States. The truth of the second should be clear to anyone with a modicum of knowledge of Quebec history and politics.

Le Canada est prêt, semble-t-il, à reconnaître la promotion de droits collectifs aux communautés indiennes dont la culture est menacée. La même logique ne peut-elle pas s'appliquer à la société québécoise?

Incertitudes canadiennes et québécoises

Le Canada est dans une impasse. Il n'a pas su se donner une constitution qui définit clairement le partage des pouvoirs entre les niveaux de gouvernements et qui est même devenue dysfonctionnelle sur bien des aspects parce que mal fabriquée à l'origine même. Une constitution aussi qui évolue mal. La Charte des droits et le rôle accru de la Cour suprême heurtent la tradition parlementaire britannique sans s'inscrire dans un tout cohérent. Le Canada s'aligne sur l'approche américaine en matière constitutionnelle, mais sans avoir de plan d'ensemble, d'où le caractère bricolé des réformes qui se mettent en place à la pièce de ce côté-ci de la frontière. Ainsi, la nomination des juges à la Cour suprême n'est pas soumise à un examen public, comme cela se passe aux USA, alors qu'ils sont appelés à jouer en fait un rôle politique en statuant sur les lois adoptées par le Parlement.

La Constitution canadienne a été incapable d'évoluer de pair avec les changements sociaux. Or ces changements ont été nombreux: le Canada est devenu multiculturel, le taux d'assimilation des Canadiens français hors Québec est élevé, le Québec s'est de plus en plus distingué du reste du Canada, les identités régionales se sont raffermies. À la question de la dualité linguistique présente depuis l'origine du pays en 1867 se sont ajoutées en quelques décennies la question du multiculturalisme, la question régionale ou celle des tensions entre les grandes parties de ce pays et, finalement, la difficile question de la place des 58 peuples fondateurs d'origines amérindienne et inuk. Cela fait bien des contradictions et bien des situations conflictuelles à gérer pour les 264 ministres et les 11 premiers ministres qui ont à discuter de l'avenir du pays.

Le Québec pour sa part fait face à un dilemme. Il se débat entre deux avenirs possibles: l'adhésion à un fédéralisme auquel tous, sans exception, accollent aussitôt l'étiquette de renouvelé, et la souveraineté, à laquelle une majorité de citoyens accollent cette fois l'étiquette de l'association avec le reste du Canada. Une majorité de Québécois veulent la souveraineté et certains membres influents du milieu des affaires, traditionnellement conservateurs, sont même en train de se rallier à l'idée. Mais en même temps, ils vivent avec la peur de perdre des acquis en allant dans cette voie et de voir diminuer leur niveau de vie, ce que les adversaires ne manquent pas de leur rappeler en employant les arguments les plus démagogiques qui auront toujours du succès au moment de voter dans un référendum décisif. D'autres sont sincèrement attachés au Canada français qu'ils ont contribué à bâtir, il ne faudrait pas l'oublier, mais dans lequel ils trouvent de moins en moins leur place et qui est de moins en moins le cadre approprié pour y réaliser leurs aspirations propres. Les Québécois sont coincés entre leur désir d'en finir avec le nœud gordien de leur situation dans le Canada et la crainte de plonger dans l'inconnu. Peuple abandonné à lui-même par la mère-patrie en 1763, les Québécois sont placés devant un dilemme qu'il leur sera bien difficile de résoudre dans les années à venir.

NOTES

1. Voir Christian Dufour, *Le défi québécois*, Montréal, L'Hexagone, 1989.
2. Guy Laforest, «Des balises pour l'avenir. Le Québec et l'interprétation du fédéralisme canadien», Congrès de l'ACFAS, Sherbroke, 1991.
3. Plusieurs articles publiés dans le *Globe and Mail* depuis l'échec de l'entente du lac Meech sont éloquents sur ce point. Voir aussi l'opuscule pamphlétaire *Deconfederation*.

4. Reginald W. Bibby, *Mosaic Madness. The Poverty and Potential of Life in Canada*, Toronto, Stoddart Publishing Co, 1990, p. 167-168, souligné par l'auteur.

5. Voir par exemple l'ouvrage cité de Bibby, *Mosaic Madness*, qui soulève fort bien ce problème.

6. William Thorsell, «Radiographie d'un grand malade», *Le Devoir*, 17 avril, 1991.

7. Christian Dufour, *Le Défi québécois*, Montréal, L'Hexagone, 1989:77.

8. Gordon Robertson, «Sauver noblement le Pays», *Le Soleil*, 8 avril 1991; *Does Canada Matter?*, Institute of Intergovernmental Relations, Queen's University, Reflections Paper &, 1991.

9. Charles Taylor, «Shared and Divergent Values», dans R.L. Watts and D.M. Brown, *Options for a New Canada*, Toronto, University of Toronto Press.

10. Taylor, *op. cit.*, p. 70-71.

11. Taylor, *op. cit.*, p. 70.

12. Taylor, *op. cit.*, p. 72.

Le mal canadien

Christian Dufour

Rattaché à l'Institut de recherches politiques du Canada, Christian Dufour donne aussi un cours sur le fédéralisme à l'Université Laval. Il est l'auteur d'un important essai, *Le défi québécois,* paru en 1989 chez *L'Hexagone.* En 1990-1991, il a œuvré au service de la recherche de la Commission Bélanger-Campeau. Aux sources du mal canadien, Dufour voit un conflit entre deux identités nationales qui s'interpénètrent. Il prolonge sur cette question la réflexion de Simon Langlois. Le Canada, selon l'auteur, s'approprie les effets politiques de la différence québécoise. Parce qu'il s'en nourrit, il ne peut reconnaître cette spécificité autrement que d'une façon symbolique. Dufour pense que le Canada, surtout celui issu de la réforme constitutionnelle de 1982, demeure en situation de dépendance face à la Conquête. C'est ce qui l'empêche de vraiment reconnaître le Québec. Il en résulte un certain nombre d'effets pervers, comme par exemple l'exacerbation du provincialisme. La crise se transformera-t-elle en opportunité sur la voie d'une redéfinition positive des rapports entre le Canada et le Québec? Christian Dufour n'en devine aucun signe prémonitoire du côté de nos leaders politiques.

6

Le mal canadien

Christian Dufour

1. Les deux dernières années nous ont sans doute davantage appris sur la dynamique Québec-Canada que les deux ou trois décennies antérieures. Que l'on se souvienne de l'intense finale du débat sur l'accord du lac Meech, du poignant échec de ce dernier le 23 juin 1990. Puis, la crise autochtone, la Commission Bélanger-Campeau, le rapport Allaire... Ce qui s'en vient promet d'être encore plus intense.

Dans le sens le plus fort du mot, le débat sur l'Accord du lac Meech a servi de révélateur au mal canadien. Il s'agit de quelque chose de fondamentalement positif, étant donné qu'il est plus facile de résoudre un problème lorsqu'on en est conscient. Par ailleurs en politique, on consacre souvent beaucoup d'énergie à essayer de résoudre des problèmes qui n'en sont pas vraiment. Or le mal canadien est maintenant éclatant pour quiconque est capable de voir, catastrophe ou défi incontournable.

Parce qu'elle touche au cœur de l'identité québécoise et de l'identité canadienne, qu'elle comporte des aspects émotifs et psychologiques majeurs, l'affaire est plus profonde qu'une crise constitutionnelle, plus complexe qu'une crise d'identité nationale. Le système politique canadien sert de cadre à la confrontation systématique de deux identités «quasi-nationales», en crise sans vraiment le réaliser, se pénétrant profondément l'une l'autre. Un problème de cette envergure ne saurait être résolu par de seules solutions techniques, fussent-elles de nature constitutionnelle. Une réforme réussie à ce niveau sera autant le résultat d'un changement plus profond qu'un moyen parmi d'autres de résoudre le problème.

2. Si les solutions restent à venir, le problème est en tout cas clair. Le débat sur l'Accord du lac Meech a révélé que le Canada restait structurellement bâti sur la Conquête de la Nouvelle-France par l'Angleterre, au XVIIIe siècle. Le pays est profondément dépendant de la confiscation de certains effets politiques qui découlent spontanément du fait que les Québécois sont collectivement différents. Il était révélateur que le plus souvent, même les Canadiens anglais favorables à la reconnaissance du Québec comme société distincte ne l'étaient qu'à la condition implicite que cette reconnaissance ne soit pas porteuse de pouvoir politique.

Les Québécois sont collectivement différents des autres Canadiens et cela a des conséquences politiques dont ils ont le droit de profiter. Le pays est incapable de reconnaître cette réalité — même dans une version minimale comme la société distincte — parce que depuis la Conquête, le Canada anglais se nourrit structurellement des effets politiques de la différence québécoise. Que l'on pense à la façon dont des Québécois comme Laurier et Trudeau ont renouvelé l'identité «Canadian» de leur temps, à partir d'éléments tirés de l'identité canadienne-française et québécoise.

Dans le système canadien, le Québec doit être une province comme les autres; ce qui s'applique spécifiquement à la province francophone est toujours perçu comme un privilège qu'il faut accorder aux autres provinces. C'est ainsi que dans l'accord du lac Meech, quatre des cinq conditions québécoises ont été immédiatement appliquées à toutes les provinces. Pourtant, la plupart de ces dernières n'en avaient pas besoin. Cela introduisait une dangereuse rigidité dans la formule d'amendement constitutionnelle, en plus d'affaiblir inutilement Ottawa, le gouvernement national des Canadiens anglais.

Comble de l'absurde, à la fin de l'exercice, la condition que l'on croyait par définition québécoise — la clause sur la société distincte — fut revendiquée par le premier ministre de la Colombie britannique pour toutes les provinces.

3. Non seulement le pays reste-t-il structurellement bâti sur la Conquête, mais cette dépendance empire. Elle remet carrément en cause les aspects fonctionnels de la relation existant depuis 125 ans entre l'identité québécoise et l'identité canadienne. On a tellement tiré sur l'élastique qu'il va casser. En fait, il est déjà cassé.

Un élément majeur est évidemment constitué par les réformes constitutionnelles de 1982. Il y eut alors transfert de pouvoir de l'ordre politique québécois à l'ordre politique canadien. Le Québec a perdu le veto et l'on a constitutionnalisé une Charte canadienne des droits. Ces réformes ont accentué l'intégration constitutionnelle du Québec au sein du pays, mais surtout elles ont aidé à l'accouchement d'un nouveau Canada qui reconnaît moins qu'avant la spécificité québécoise.

Cela n'a rien d'un hasard si l'opération a été menée par un Québécois, M. Pierre Elliott Trudeau, qui avait l'appui de la majorité des siens. Incarnation s'il en fût de la Conquête, le leader du French Power n'était pas représentatif des Québécois sur un point fondamental: sa fidélité première allait au Canada, alors que ses compatriotes s'identifiaient avant tout au Québec, sans nécessairement rejeter le Canada.

Le vieux Canada de 1867 reconnaissait dans les faits, «à l'anglaise», la différence canadienne-française, ne serait-ce que pour accorder dans la constitution un traitement privilégié à la minorité anglo-québécoise. Au début du siècle, il ne serait venu à l'idée de personne de nier que ce Québec français, catholique et conservateur était fondamentalement différent. Le fédéralisme asymétrique, les statuts particuliers, étaient la norme en 1905, quand Ottawa créait l'Alberta et la Saskatchewan sans leur donner compétence sur les richesses naturelles.

Le système politique canadien de 1867 était pragmatique, ambivalent, incohérent. Mais il s'avéra étonnamment créateur. En soixante ans, il transforma un État au départ à peine fédéral en une fédération très décentralisée à maints égards; pour compenser l'absence d'un Sénat incapable de jouer son rôle de représentant des régions, il accoucha d'un phénomène spécifiquement canadien, le fédéralisme exécutif. Et surtout, il se révéla capable d'accommoder deux visions très différentes du pays, selon que l'on était Canadien français ou Canadien anglais.

Les premiers se voyaient souvent encore comme les véritables Canadiens, citoyens d'un pays qu'ils devaient partager avec les Anglais. Fréquemment, les seconds se sentaient Britanniques avant tout, supérieurs à ces Canadiens français qui avaient le privilège de vivre dans la partie nord-américaine de l'Empire. L'ambiguïté, la distance qui existait entre les deux identités constituaient des éléments essentiels du compromis permettant au Canada de fonctionner.

Ce Canada-là, qui n'était pas sans valeur et n'aura pas à rougir devant l'Histoire, est mort le 23 juin 1990. S'il avait été encore vivant, l'Accord du lac Meech aurait été entériné: on aurait reconnu son caractère éminemment canadien de compromis pragmatique, susceptible de différentes interprétations. Affleure maintenant le Canada de 1760, le vieil atavisme que le pays doit dépasser sous peine de périr.

Sans que l'on ne s'en rendît trop compte au début, un autre Canada a pris son envol en 1982. Ce nouveau pays tourne résolument le dos au passé anglo-saxon, au passé dualiste. Il aspire à se constituer en une vraie nation, à l'américaine. Il ne semble pas y avoir de place là-dedans pour un Québec dont la différence à terme ne serait pas folklorique.

Le vieux Canada britannique n'avait jamais admis franchement la différence québécoise, à cause de la Conquête bien sûr, mais aussi parce que la culture politique anglo-saxonne était traditionnellement non-déclaratoire. Le nouveau Canada issu de 1982 est lui, imbu de déclarations, de principes et de chartes; il est disposé à reconnaître à peu près tout le monde: des autochtones aux femmes, en passant par les groupes multiculturels, le Nord, les sociétés provinciales, les environnementalistes, les handicapés, les droits des citoyens, en attendant le reste. Il est révélateur qu'il bute sur la seule différence fondamentale et irréductible en ce pays, la différence québécoise. Sous les belles chartes et les beaux sentiments, le Canada de 1982 est plus dépendant de la Conquête que ne l'était le Canada de 1867.

Traditionnellement, les Canadiens anglais se démarquaient de leurs voisins américains par l'accent qu'ils mettaient sur «la paix, l'ordre et le bon gouvernement», sur les relations harmonieuses entre les communautés. Les deux nouveaux piliers identitaires d'un Canada anglais de plus en plus américanisé sont le multiculturalisme et la charte des droits, déguisements peu convaincants du melting pot et de l'idéologie américaine des droits individuels. Par ailleurs, les flux économiques au Canada sont de moins en moins canadiens, de plus en plus canado-américains. Pas étonnant que le Canada soit plus dépendant que jamais de l'appropriation de certaines conséquences de la différence québécoise.

L'ancien greffier du Conseil privé, M. Gordon Robertson, reconnaissait devant la Commission Bélanger-Campeau que la plus grave lacune de la constitution de 1982 était sa non-reconnaissance des droits collectifs des francophones du Québec, la seule majorité française dans une Amérique du nord entièrement anglophone[1].

Le problème du Québec est devenu LE problème canadien, un cancer qui pourrit tout. L'incapacité du système à reconnaître l'incontournable différence québécoise est en train de détruire lentement et systématiquement le pays. Moins on les reconnaît, plus les effets politiques de la différence québécoise affectent de façon perverse l'ensemble du système. Le multiculturalisme et le provincialisme sont poussés à des niveaux absurdes; le problème autochtone est exacerbé; le Canada anglais devient de plus en plus américanisé, de plus en plus faible. Et l'antagonisme grandit entre l'identité québécoise et l'identité canadienne.

Manifestement, le cercle vicieux continue. À la fin des années 60, on s'était servi des groupes ethniques pour neutraliser la dualité culturelle du pays et accoucher du multiculturalisme, dont on voit aujourd'hui les lacunes. Dans le même esprit, le système essaie maintenant de mettre sur le même pied les revendications autochtones et les aspirations québécoises. On espère que les premières neutraliseront les secondes, beaucoup plus menaçantes pour l'intégrité de l'État canadien. À terme, le passé est garant que l'aliénation des autochtones et des Québécois au sein du Canada en ressortira pire que jamais.

4. Depuis l'échec de l'Accord du lac Meech, il n'est pas réaliste pour le Québec de compter sur le maintien du statu quo face à ce nouveau Canada qui prend son envol. Convenu à un moment où le nationalisme

québécois était à un niveau très bas, l'accord du lac Meech était entre autres pour le Québec un moyen de maintenir le statu quo, face aux effets à long terme des réformes structurantes de 1982.

C'est ainsi que, dans la foulée de l'échec de l'accord, des Québécois âgés en sont venus à remettre en cause leur allégeance au Canada. Moins que le désir d'un éventuel Québec souverain, leur changement exprime le rejet d'un nouveau Canada qu'ils ne reconnaissent plus, qui menace un Québec qu'ils ont bien connu.

L'échec de l'accord du lac Meech a stimulé les défenseurs au Québec du statu quo, ces héritiers modernes du vieux nationalisme canadien-français d'avant 1960. Mais il a aussi réveillé le lion qui dormait depuis 1980, le nationalisme revendicateur et souverainiste issu des années 60. D'où l'ampleur du front commun post-lac Meech qui a traversé la presque totalité de la société québécoise. D'où l'importance aussi d'une entente entre ces deux volets du nationalisme québécois de 1991.

Depuis la Révolution Tranquille, s'est développée une nouvelle identité québécoise qui se voit et se veut exclusivement française. L'aspiration de cette identité à une plus grande souveraineté, sinon à LA souveraineté, est profonde. Par ailleurs, cette identité est encore dans les faits ambivalente par rapport au lien canadien: elle a souvent perdu le contact conscient avec ce lien, sans avoir vraiment rompu avec lui. Enfin, elle a de la difficulté à assumer le legs de la Conquête, et en particulier la partie anglaise constitutive d'elle-même.

Le minimum vital pour l'identité québécoise post-lac Meech, le plus petit commun dénominateur entre les deux volets du nationalisme québécois, semblent trop haut pour le reste du Canada. La nouvelle identité québécoise et la nouvelle identité canadienne sont en compétition. Cette dynamique antagoniste est d'autant plus dangereuse que les deux identités sont parfois très enchevêtrées, en particulier dans la région de Montréal.

On doit donc s'attendre à une crise, après la période de latence qui a suivi l'échec de l'accord du lac Meech. Cette crise constituera l'une des dernières opportunités, sinon la dernière, pour restructurer de façon constructive la relation entre l'identité québécoise et l'identité canadienne.

5. Un certain nombre d'éléments incitent au pessimisme quant à l'aboutissement du processus.

Tout d'abord, la grande majorité des Québécois et des Canadiens ne sont pas conscients de l'ampleur du problème. Ils apparaissent fermement décidés à s'en tenir à leur identité collective actuelle, à leur vision de la situation. Eux, ils n'ont pas de problème: c'est «l'autre» qui a tort.

Par exemple, beaucoup de nationalistes québécois tiennent mordicus à considérer l'échec de l'accord du lac Meech comme la confirmation de leur thèse que le Référendum perdu de 1980 n'a été qu'une péripétie que l'on renversera par un autre Référendum, pour accéder «au grand soir». Le terrible prix du Référendum — la mise systématique du Québec sur la défensive par la décapante charte canadienne des droits — est passé sous silence. Parallèlement, bon nombre d'éléments candiens-anglais dits «progressistes» essaient plus que jamais de noyer le problème du Québec dans le marais des différences, prolongeant sans vergogne la Conquête: rien ne semble avoir été retenu du fiasco du lac Meech.

Il est révélateur aussi qu'un grand nombre de spécialistes et de politiciens essaient de faire croire que dans le fond, il ne s'agit que de la plus récente des innombrables crises de l'unité canadienne. En conséquence, il sera possible de la résoudre «à la canadienne», en communiquant davantage, en insistant sur ce qui nous lie plutôt que sur ce qui nous sépare. Il faudra user également de solutions constitutionnelles ingénieuses, dont le commun dénominateur est d'essayer encore une fois de noyer le poisson, de mettre de côté le véritable problème: l'incapacité viscérale du système canadien à reconnaître franchement que le Québec est différent et que cette différence a des conséquences politiques.

Il est troublant enfin que la crise ne semble provoquer l'émergence d'aucun homme d'État capable d'en identifier le potentiel créateur et de l'utiliser pour bâtir une nouvelle relation Canada-Québec.

6. Un certain pessimisme n'est que réalisme quand on est en plein cœur d'un difficile processus, dont l'issue est cruciale et profondément incertaine. Cependant, certains éléments permettent d'espérer qu'il y a de la lumière au bout du tunnel.

Le premier est le consensus de la Commission Bélanger-Campeau sur la démarche générale à adopter par le Québec, dans la redéfinition de sa relation avec le Canada. Il s'agit là d'un élément majeur, positif pour le Canada autant que pour le Québec. Après l'échec de l'accord du lac Meech, il était vital pour tout le monde que les Québécois — les Canadiens les plus à même de dégager des consensus — conviennent d'une approche générale.

Collectivement, institutionnellement, les Québécois se sont entendus sur une démarche; ils se sont donné un cadre; ils ont convenu qu'à un moment donné, il faudrait prendre une décision. Quoiqu'il arrive, ce cadre demeurera en arrière-plan dans l'inconscient collectif, fort de l'émotion investie dans la Commission Bélanger-Campeau. Les Québécois sanctionneront ceux qui voudront se soustraire à ce cadre sans raison. L'importance du consensus dégagé par la Commission Bélanger-

Campeau devrait ressortir de plus en plus, à mesure que le temps passera.

Par ailleurs, le rapport de la Commission Bélanger-Campeau faisait suite au rapport Allaire, le nouveau programme constitutionnel du parti libéral du Québec. Au Canada anglais, l'effet du document — très souverainiste — a été majeur. Le reste du pays savait que le PQ favorisait l'indépendance; il s'attendait à ce que le rapport de la Commission Bélanger-Campeau soit encore plus nationaliste: le rapport du parti libéral était le dernier espoir d'un certain Canada.

Trois jours après la publication du rapport Allaire, il était clair que le coup avait porté, que quelque chose là-bas s'était brisé, qu'il n'était plus dans le pouvoir de personne de réparer. Au delà de la publication du rapport d'un parti politique, il s'est agi d'une conséquence de l'exceptionnel consensus québécois post-lac Meech.

L'opinion publique canadienne-anglaise a réalisé que le statu quo n'est plus possible. Cela ne signifie pas que l'on est disposé à accorder au Québec ce qu'il demande. Ce qui est clair par contre, c'est que l'emprise idéologique de M. Trudeau sur la pensée politique canadienne-anglaise diminue, cette pensée n'étant plus entièrement fonctionnelle. La rupture du 23 juin est consommée de l'autre côté. Dans les relations avec le Canada anglais, plusieurs des anciennes règles ne tiendront plus.

Un autre facteur qui incite à l'optimisme d'un point de vue québécois est la prise de conscience plus grande par plusieurs de l'ambivalence qui caractérise l'identité québécoise, en particulier en regard de la relation avec le reste du Canada. Même si elle est vécue quelquefois de façon douloureuse ou honteuse, si on sent venir le moment où la situation devra être davantage clarifiée, cette prise de conscience renforcit le Québec: elle le met en contact avec ce qu'il est réellement, forces et faiblesses.

Par ailleurs, cette ambivalence rend difficile pour quiconque de prévoir comment les Québécois réagiront aux événements à venir. C'est heureux: un Québec qui donnerait à son vis-à-vis canadien-anglais toute l'information sur ses intentions, en lui laissant prendre la décision finale, renoncerait à exercer du pouvoir.

Une autre prise de conscience importante au sein de certains éléments de la majorité francophone a trait au coût à payer, en terme de pouvoir québécois, pour la mauvaise relation avec la minorité anglo-québécoise. La difficulté de l'identité québécoise à reconnaître la partie anglaise constitutive d'elle-même — sans passer au bilinguisme institutionnel et à la mise des deux langues sur un pied d'égalité — constitue de facto l'un des obstacles à l'accession du Québec à la souveraineté.

7. Au Canada anglais, certains réalisent le prix énorme que le pays paie pour son incapacité à reconnaître la différence québécoise. De même, un nombre croissant de Québécois apparaissent davantage conscients de l'importance de l'enjeu.

Dans le monde, peu de sociétés peuvent rivaliser avec celles que les Québécois et les Canadiens ont édifiées: riches, civilisées, tolérantes, compatissantes. C'est ce fabuleux héritage qui est maintenant remis en question.

NOTE

1. Gordon Robertson, «Mémoire présenté à la Commission sur l'avenir politique et constitutionnel du Québec», dans *Les avis des spécialistes invités à répondre aux huit questions posées par la Commission*, Commission sur l'avenir politique et constitutionnel du Québec, Document de Travail, n° 4, Québec, Éditeur officiel du Québec, 1991, p. 918.

Le système politique canadien depuis l'avènement de la charte: démocratie ou juriscratie?

Alain Baccigalupo

La science politique québécoise, il faut le reconnaître, a mis un peu de temps avant de se mettre à l'heure de la Charte fédérale des droits et libertés de 1982, pourtant au cœur de la révolution tranquille canadienne dont parlait Simon Langlois dans un chapitre précédent. Alain Baccigalupo, professeur titulaire d'administration publique et de droit public au département de science politique de Laval, de même qu'avocat au barreau de Québec, remédie ici à cette carence. Il présente d'abord les facteurs qui ont mené à un renforcement du pouvoir judiciaire depuis l'entrée en vigueur de la Charte: l'étendue de son champ d'application, la liberté interprétative des juges, la diversité des mécanismes mis à leur disposition. La réforme constitutionnelle de 1982 avait prévu des contrepoids au pouvoir judiciaire. L'auteur de ce chapitre croit que ces contrepoids n'ont eu qu'une portée limitée. Des facteurs tant juridiques que politiques ont freiné l'action de la clause nonobstant et celle du premier article de la Charte, qui reconnaît l'existence de limites à l'exercice des droits et libertés. Néanmoins, Alain Baccigalupo écrit que les juges ont jusqu'à présent fait preuve de modération dans la gestion de leurs vastes pouvoirs.

7

Le système politique canadien depuis l'avènement de la charte: démocratie ou juriscratie?

Alain Baccigalupo

INTRODUCTION

Le pouvoir, au cours des derniers siècles, a vu son siège se déplacer. Lors des révolutions démocratiques du XVIIIe et du XIXe il s'est vu transférer, des mains du Monarque, aux membres des Parlements. Le début et la première moitié du XXe siècle ont, pour leur part, contribué également à transposer la source véritable du pouvoir. Le centre décisionnel, au cours de ces décennies, s'est en effet davantage localisé au cœur du Conseil des ministres et au sein des administrations publiques et parapubliques que sur les banquettes des Parlements. À un point tel que d'aucuns ont pu voir surgir là, l'ère des technocrates.

Le Canada, comme la plupart des sociétés occidentales, n'a pas, lui non plus, échappé à cette évolution. Cependant, un changement notable est intervenu, dans cette région septentrionale de l'Amérique du Nord, le 17 avril 1982. Ce jour là, le Canada assiste au rapatriement de sa constitution et à l'enchâssement constitutionnel d'une Charte des droits et libertés[1] «largement inspirée des principes de la Constitution américaine[2]».

Certes, depuis 1867, les tribunaux supérieurs canadiens s'étaient déjà vus reconnaître le droit de juger de la constitutionnalité des lois fédérales et provinciales en ce qui concerne le respect, par chaque parlement, du partage constitutionnel des pouvoirs.

Ce qui est nouveau depuis la date historique du 17 avril 1982, c'est que les juges canadiens peuvent maintenant déclarer inconstitutionnels — «inopérants» pour être plus précis — toute loi votée par la Chambre des Communes ou une législature provinciale, et tout règlement adopté par une administration fédérale, provinciale ou municipale.

Conséquence de cela? Depuis le 17 avril 1982, au Canada, la vieille formule de Winston Churchill: «le Parlement peut tout faire sauf changer un homme en femme» n'est plus vraie. Toutes les lois doivent désormais respecter non seulement le partage constitutionnel des pouvoirs entre le fédéral et les provinces, mais également la Charte canadienne des droits et libertés érigée en Loi des lois.

La Charte, Loi Suprême du Canada s'imposant à tous les parlements du pays, en venant porter un rude coup au concept traditionnel de Souveraineté parlementaire, ne vient-elle pas une fois de plus, en cette fin de siècle, déplacer sensiblement la source du pouvoir au sein des institutions canadiennes?

En confiant aux juges le soin de veiller au respect par les parlements des droits et libertés garantis par la Charte, le système politique n'est-il pas en train de remettre les clés du pouvoir entre les mains des juges canadiens[3]? La souveraineté parlementaire aurait-elle vu se substituer à elle la «souveraineté judiciaire[4]»?

Autrement dit, depuis le 17 avril 1982, le Canada est-il toujours une démocratie? Ou bien est-il déjà résolument engagé sur la voie d'une forme nouvelle et encore mal connue de pouvoir: la juriscratie?

Les pages qui suivent auront pour but de répondre à cette question. Pour ce faire, nous adopterons une démarche en deux temps. La première étape nous permettra d'analyser les principaux facteurs qui sont à l'origine du renforcement du pouvoir judiciaire au Canada et qui font de ce dernier, aujourd'hui, une réalité avec laquelle il faut compter. La seconde étape nous conduira à l'examen des divers éléments qui tentent de conserver au pouvoir politique certaines de ses prérogatives, mais dont la portée est, plus souvent qu'autrement, beaucoup plus apparente que réelle.

Facteurs favorisant grandement le pouvoir judiciaire

Les tribunaux supérieurs ont toujours fait partie intégrante du système politico-administratif canadien. Nous avons, précédemment, brièvement rappelé le rôle des juges, et tout particulièrement des membres de la Cour suprême du Canada, en ce qui concerne le contrôle judiciaire de la constitutionnalité des lois fédérales et provinciales relativement à l'importante question du partage des compétences entre les deux principaux niveaux de gouvernement[5]. Toute l'histoire du droit constitutionnel canadien est en effet faite des solutions apportées à ces litiges par la Cour suprême du Canada depuis sa création, jusqu'à nos jours. Il nous faut également souligner que les tribunaux canadiens n'ont pas été, au cours de toutes ces années, totalement absents du champ de contrôle des politiques publiques[6]. Les lois votées par le Parlement canadien et les législatures provinciales et, à défaut, la jurisprudence des tribunaux — la Common Law — ont depuis longtemps permis aux juges d'assurer le contrôle judiciaire d'un des principaux agents de conception et d'exécution des politiques publiques: l'administration. Qu'il nous suffise de penser à l'introduction dans notre droit de l'obligation d'agir équitablement — duty to act fairly — imposée aux administrations par la Cour suprême du Canada, en 1979, lors du célèbre arrêt *Nicholson c. Haldimand-Norfolk Regional Board of Commissioners of Police*[7].

C'est cette situation de judiciarisation de notre système politique et administratif qui faisait dire à F.L. Morton: «Most of the rights now enumerated in it were already protected by statute or common law prior to 1982[8]».

Toutefois la Charte confère aux juges une toute nouvelle dimension en leur octroyant le pouvoir de juger de la conformité des lois et des règlements avec les droits et libertés garantis par la Charte[9].

Trois facteurs principaux contribuent à accroître de façon sensible les pouvoirs judiciaires de contrôle du parlement et des administrations publiques et parapubliques. Le premier de ces facteurs est incontestablement l'étendue du champ d'application de la Charte. Le second facteur consiste en un large pouvoir d'interprétation attribué aux juges canadiens en ce qui touche les droits et libertés protégés par cette loi fondamentale. Enfin, le troisième facteur concerne la diversité des mécanismes mis à la disposition, et laissés à l'appréciation des juges, afin de leur permettre d'assurer le respect des droits et libertés garantis par la loi suprême du pays.

L'étendue du champ d'application de la Charte

La Charte canadienne embrasse une grande variété de domaines puisqu'elle permet aux tribunaux de veiller à ce que toutes les lois votées par le Parlement du Canada et les Législatures provinciales, et tous les règlements adoptés sous l'empire de ces lois par les gouvernements fédéraux, provinciaux et locaux, ainsi que par les administrations publiques et parapubliques relevant des divers niveaux de gouvernement, respectent les droits et libertés garantis par la Charte.

Les matières contrôlées par les tribunaux sont d'autant plus nombreuses que les juges n'hésitent plus dorénavant à évaluer la conformité avec la Charte des décisions prises par le Conseil des ministres lui-même. Nous en voulons pour preuve le virage jurisprudentiel pris par la Cour suprême du Canada lorsqu'en 1985 par l'arrêt *Operation Dismantle Inc. c. R.*[10], elle décida de tourner le dos à une décision antérieure à la Charte, rendue en 1980, *Inuit Tapirisat c. P.G. du Canada*[11]. En effet, dans *Inuit Tapirisat* la Cour suprême du Canada avait décidé que l'appel à une autorité gouvernementale — en l'occurrence le Conseil des ministres fédéral — d'une décision rendue par un tribunal administratif fédéral — le CRTC — échappait au contrôle des juges car il s'agissait là d'un acte de nature politique. Or, deux ans à peine après l'entrée en vigueur de la Charte canadienne, la Cour suprême acceptait au contraire d'entendre une cause visant à faire casser la décision du Cabinet fédéral ayant autorisé les essais de missiles cruise américains au-dessus du territoire canadien. Autres temps, autres mœurs!

Un large pouvoir d'interprétation accordé au juges en matière de Charte

La Charte reconnaît aux juges un large pouvoir d'interprétation tant en ce qui concerne le sens à accorder aux divers droits et libertés, qu'au sens qu'il conviendra, dans l'avenir, de reconnaître aux divers concepts philosophiques mis de l'avant par la loi suprême du Canada.

Le caractère philosophique et abstrait des droits et libertés ouvre largement la porte au pouvoir judiciaire d'interprétation

Il saute aux yeux de l'observateur le moindrement averti que nombre de droits et libertés — notamment les libertés fondamentales énoncées à l'article 2 — sont tout particulièrement vagues, flous, imprécis et ambigus[12].

Qu'est-ce en effet que la liberté de conscience et de religion (Art. 2a)? Qu'est-ce que la liberté de pensée, de croyance, d'opinion et d'expression [...] (2b)? Que recouvrent exactement les concepts: «liberté de réunion pacifique» (Art. 2c) et «liberté d'association» (Art. 2d)[13]? Le terme «chacun» que l'on retrouve à plusieurs endroits dans la Charte, notamment aux articles 2, 7 à 10, 12, 13, etc., concerne-t-il les personnes morales[14]? Quel contenu précis doit-on reconnaître aux termes «droit à la vie, à la liberté et à la sécurité de sa personne[15]» et aux mots «principes de justice fondamentale» de l'article 7[16]?

Les questions relatives à la sémantique contenue dans la Charte pourraient être multipliées sensiblement si l'on visait un examen exhaustif de cet aspect des choses. Contentons-nous simplement des quelques exemples donnés ci-dessus, pour constater que ce questionnement est d'autant plus important, que des réponses qui seront apportées découlera l'étendue plus ou moins grande des droits et libertés qui seront garantis aux citoyens de ce pays.

Or, nulle part dans la Charte on ne trouve de définitions des principaux droits et libertés reconnus par le législateur aux ressortissants canadiens. Cette tâche a été, à toutes fins pratiques, abandonnée par le législateur, aux juges de nos cours de justice à qui revient le devoir, souvent difficile, d'interpréter la volonté du législateur.

Inutile de dire que, compte tenu des faibles éclaircissements que peuvent apporter, la plupart du temps, la lecture des documents préparatoires, le juge, pour éviter le deni de justice, comble le vide par sa propre conception de ce qui doit être. Sous le couvert de l'interprétation, le juge en réalité se fait législateur. Plus que jamais, avec la Charte, la théorie du «judge made law» peut trouver à s'alimenter à un terreau fertile[17].

Selon les formules très heureuses de Peter H. Russell, les juges canadiens, aujourd'hui plus encore que par le passé, sont devenus «the Prophets of the Word[18]». Quant aux droits et libertés garantis par la Charte, ils peuvent être comparés à des «limp ballons which the Constitution-makers have handed to the judiciary». Aux juges maintenant de décider «how much air to blow into them[19]».

Par ailleurs, compte tenu de l'inévitable conflit de droits qui ne saurait manquer d'apparaître entre les divers concepts protégés par la Charte, et entre certains d'entre-eux avec tel ou tel droit reconnu par d'autres lois à travers le Canada, il va de soi là encore, faute d'une quelconque hiérarchisation constitutionnelle bâtie par le législateur, qu'il revient aux seuls juges de désigner, entre deux droits concurrents, lequel doit l'emporter sur l'autre?

Un exemple permet d'illustrer ce problème.

L'article 2b reconnaît à chacun la liberté d'opinion et d'expression. Or cette liberté ne vient-elle pas à l'encontre du droit, protégé par le Code criminel, qu'a chaque citoyen de ne pas subir les effets d'une propagande haineuse[20]? La Cour suprême du Canada a, dans ce cas-ci, hiérarchisé les droits en indiquant que la liberté d'expression n'est pas une liberté absolue et qu'elle trouve, comme bien d'autres droits et libertés, les limites que lui imposent d'autres droits individuels ou collectifs[21].

L'existence de conflits de droits et le fait que, en conséquence, la plupart des droits et libertés garantis par la Charte ne soient pas des droits et libertés absolus, mais des droits et libertés relatifs, en l'absence de toute hiérarchisation constitutionnelle précise, confèrent donc aux juges un vaste pouvoir d'interprétation[22]. Ce pouvoir entraîne une conséquence importante sur le fédéralisme canadien. Il contribue grandement actuellement à renforcer les tendances centralisatrices du système. En effet, en dégageant et en imposant par ses jugements, à tout le pays, des critères nationaux uniformes, la Cour suprême tend à gommer les diversités régionales et à faire primer la vision politiquement contestée d'un Canada centralisé et uniformisé «from coast to coast[23]».

Ce pouvoir d'interprétation sera également important dans l'avenir, compte tenu de la conception retenue par la Cour suprême du Canada en ce qui concerne l'évolution future de la Loi des lois.

La théorie du «living tree» contribue également à conférer aux juges un rôle d'acteur politique non négligeable

Contrairement à la portée très restrictive que le pouvoir judiciaire accorda à la Déclaration canadienne des droits — simple loi du Parlement fédéral —, le caractère constitutionnel de la Charte a amené la Cour suprême du Canada à une «interprétation renouvelée» des droits et libertés garantis par cette nouvelle loi fondamentale. C'est ainsi que dans l'arrêt *Singh*, le juge Wilson, rappelant le nouveau mandat constitutionnel qui était échu aux tribunaux depuis 1982, déclara que l'adoption de la Charte «has sent a clear message to the courts that the restrictive attitude which at times characterized their approach to the Canadian Bill of Rights *ought to be reexamined*[24]».

La jurisprudence qui découle de ce revirement d'attitude des tribunaux se manifesta par un rejet des normes classiques d'interprétation de type littéral et formaliste au profit de nouvelles normes larges et libérales.

La cour, par ailleurs, se référant à la formule bien connue utilisée par Lord Stankey dans l'affaire *Persons* rappela que: «The BNAA planted in Canada a *living tree capable of growth and expansion* within its natural limits[25]». Le caractère vivant et évolutif de la Constitution et de la Charte ouvre ainsi largement la porte à tout virage jurisprudentiel que la Cour pourra prendre dans l'avenir en fonction de l'évolution de la société canadienne et des perceptions des tribunaux. Ce qui, là encore, octroie aux juges un pouvoir d'interprétation, et partant, de décision, dont l'ampleur et l'importance n'échapperont à personne.

La diversité des mécanismes mis à la disposition et laissés à l'appréciation des juges afin de leur permettre d'assurer le respect des droits et libertés garantis par la Charte

La Charte reconnaît aux juges des pouvoirs très étendus afin d'assurer le respect des droits et libertés qu'elle garantit aux citoyens. Ces pouvoirs sont au nombre de trois:

— *La déclaration d'inconstitutionnalité* découlant de l'article 52(1) et qui a pour effet de rendre «inopérants» toute loi et tout règlement d'administration publique qui s'avèrent contraires à une ou plusieurs dispositions incluses dans la Charte et qui ne réussissent pas à franchir avec succès les barrières dressées par la clause limitative (Art. 1)[26].

— *L'étendue des recours et des réparations* — notamment des dommages-intérêts — prévus par l'article 24(1) de la Charte;

— *La règle d'exclusion de preuves* (24(2)) qui accorde aux juges le droit de rejeter certaines preuves obtenues illégalement par les pouvoirs publics.

Ces pouvoirs sont d'autant plus importants qu'ici aussi les cours de justice disposent d'une grande marge d'appréciation en raison du libellé même de l'article 24.

En brossant à larges traits, aux contours très imprécis, un corpus somme toute notable de droits et de libertés et en confiant aux tribunaux le soin d'interpréter chacun de ces concepts, de dire le droit et de juger de la constitutionnalité des lois, le législateur a transféré au pouvoir judiciaire une très importante autorité. La question est de savoir maintenant quels contrepoids la Charte a laissé subsister du côté des acteurs politiques afin que son avènement débouche, non point sur un déséquilibre des pouvoirs, mais sur un *nouveau rééquilibrage des forces décisionnelles* au sein du système politique canadien.

FACTEURS FAVORISANT EN PARTIE SEULEMENT LE POUVOIR POLITIQUE

Trois éléments apparaissent de nature à affaiblir quelque peu la capacité de contrôle du politique par le judiciaire et à permettre, dans certains cas, au pouvoir gouvernemental et parlementaire de faire primer ses politiques publiques sur la vision interprétative des juges.

Les limites du domaine d'application de la Charte

La Charte, pour vaste et importante qu'elle soit, et pour haut qu'elle soit située au sommet de la pyramide des textes juridiques, ne protège pas tous azimuts le citoyen contre toutes les attaques à des droits et libertés dont il pourrait être la victime.

En effet, pour que le citoyen soit protégé par la Charte, encore faut-il que les droits et libertés qu'il entend invoquer soient un de ceux *garantis par la Charte.* Or, la Charte n'a pas de portée universelle[27]. Elle ne reconnaît et ne garantit que certains droits et libertés. La Charte par exemple ne reconnaît pas le droit au bonheur, ni le droit à l'instruction supérieure gratuite, ni le droit au travail... D'une façon générale, un examen un tant soit peu attentif de la Charte révèle aisément que celle-ci favorise bien davantage les droits et libertés individuels que les droits et libertés collectifs. C'est ainsi que la Charte ne protège que très faiblement les droits économiques et sociaux[28]. La Loi suprême ne reconnaît ni le droit à la négociation collective, ni le droit de grève, malgré ce qu'avait pu permettre de croire un temps le libellé sibyllin de l'article «2d» relatif à la liberté d'association.

On voit donc que de façon tantôt claire et nette établie par le législateur, tantôt par interprétation judiciaire, la Charte ne place pas le citoyen à l'intérieur d'un abri parfaitement étanche.

De plus, la Cour suprême du Canada, dans une décision célèbre, *Dolphin Delivery Ltd c. Retail, Wholesale and Department Store Union, Local 580*[29], a décidé que la Charte n'a pas d'application en ce qui touche les relations juridiques entre personnes physiques et morales de nature privée[30]. Interprétation restrictive qui limite les pouvoirs judiciaires au détriment toutefois des citoyens et citoyennes visés par la Charte puisque, comme chacun le sait, dans nos sociétés libérales au sens économique du terme, le pouvoir, et non le moindre, est au moins autant du côté du secteur privé que des secteurs public et parapublic.

En foi de quoi, par l'effet conjugué d'un champ d'application délibérément circonscrit par le législateur et d'un domaine d'intervention — à tort ou à raison — volontairement limité par la jurisprudence, le pouvoir des juges se trouve contenu en-dedans d'une zone aux contours flous mais réels.

Un second facteur, imposé par certaines forces politiques, notamment certains leaders politiques provinciaux, lors des multiples rondes de négociation qui précédèrent l'accouchement laborieux de la Loi suprême du Canada, est venu offrir un contrepoids aux risques d'une croissance trop marquée du pouvoir judiciaire. Ce facteur est en fait un diptyque constitué de deux clauses dont l'une — la clause nonobstant — a fait couler beaucoup d'encre et est par conséquent bien connue du grand public. La seconde — l'article 1 — pour être davantage connue des juristes que des citoyens de ce pays, n'en est pas moins une clause d'une importance considérable et, en pratique, beaucoup plus importante même que la clause dérogatoire proprement dite.

Cependant, pour des raisons de nature tantôt politiques, tantôt reliées au vaste pouvoir d'interprétation des juges, ces clauses ne constituent qu'un contrepoids relatif au pouvoir judiciaire.

Les clauses juridiques relativement en faveur du pouvoir politique

La clause nonobstant ou clause dérogatoire (article 33)

Le paragraphe 1 de l'article 33 se lit comme suit:

> (1) Le Parlement ou la législature d'une province peut adopter une loi où il est expressément déclaré que celle-ci ou une de ses dispositions a effet <u>indépendamment</u> d'une disposition donnée de <u>l'article 2</u> ou des <u>articles 7 à 15</u> de la présente charte. (Souligné par nous)

Cette clause, qui permet aux autorités législatives des diverses provinces du Canada et au parlement fédéral de déroger à la Loi des lois et donc de mettre à l'abri leur législation contre tout contrôle judiciaire fondé sur la Charte, vise deux buts: l'un préventif, l'autre curatif.

Un but préventif car le législateur sachant sa loi non conforme en tout ou en partie à certains droits ou libertés protégés par la Charte pourra d'entrée de jeu, afin d'éviter tout recours judiciaire fondé sur ces matières, adopter une telle clause dans le corps même de sa loi. C'est, à toutes fins pratiques, ce qu'a délibérément et systématiquement fait le gouvernement du Parti québécois lorsqu'il a fait adopter par l'Assemblée nationale du Québec, en 1982, la Loi 62 intitulée *«Loi concernant la loi constitutionnelle de 1982»* par laquelle il mettait à l'abri de la Charte canadienne toutes les lois en vigueur au Québec. C'est également ce qu'il fit par la suite jusqu'à sa chute en décembre 1985, de façon systématique, en adoptant dans toutes les nouvelles lois — y compris la Charte québécoise elle-même — une clause dérogatoire ainsi libellée: «La présente loi a effet indépendamment des dispositions des articles 2 et 7 à 15 de la Loi constitutionnelle de 1982[31]...».

Un but curatif car le législateur pourra également, après que les tribunaux — et notamment la Cour suprême — auront déclaré inopérante telle ou telle portion d'une loi contestée, inclure une telle clause dans sa législation afin d'annihiler les effets de la décision judiciaire. C'est ce qu'a fait le gouvernement Bourassa au Québec, après que les dispositions de la loi 101 relatives à la langue d'affichage aient été déclarées inopérantes par la Cour suprême du Canada car adoptées en violation de l'article 2b sur la liberté d'expression, lorsqu'il a fait adopter, avec une clause «nonobstant», la loi 178 en décembre 1988.

Cette clause dérogatoire ne constitue toutefois pas toujours un puissant et très efficace «antidote» au gouvernement des juges[32]. Bien qu'elle puisse être vue effectivement comme «the legislative review of judicial review» cette disposition, pour de multiples raisons, est loin de jouer le rôle qu'une lecture, au seul premier degré, pourrait amener le lecteur à envisager[33].

Plusieurs raisons ont effectivement pour effet de réduire sensiblement la portée d'une disposition de cette nature. D'une façon générale, nous serions amené à regrouper les divers facteurs réducteurs d'impact en deux catégories: les facteurs juridiques et les facteurs politiques.

Les facteurs juridiques comme réducteurs
de la portée de la clause dérogatoire

— Le pouvoir politique ne peut recourir à la clause dérogatoire que pour mettre sa législation à l'abri des seuls articles 2 et 7 à 15 de la Charte. Certes, il s'agit là d'articles d'une très grande valeur puisqu'ils concernent les libertés fondamentales (article 2), les garanties juridiques (articles 7 à 14) et les droits à l'égalité (article 15). Cependant, des pans entiers de la Charte ne peuvent jamais faire l'objet d'une clause dérogatoire et, par conséquent, s'imposent en permanence au pouvoir politique. Ainsi en est-il notamment des droits démocratiques (articles 3 à 5), de la liberté de circulation et d'établissement (article 6), des langues officielles (articles 16 à 22), des droits à l'instruction dans la langue de la minorité (article 23), des droits des peuples autochtones du Canada (articles 25 et 35), des droits à l'égalité pour les deux sexes (article 28).

— Le pouvoir politique ne peut adopter une clause dérogatoire en tentant de la camoufler, à travers le corps de sa loi, par une rédaction obscure ou byzantine. L'article 33 lui impose effectivement d'y procéder «expressément». Contrairement à ce qu'on a pu croire un temps après l'arrêt de la Cour d'appel du Québec dans l'arrêt précité *Alliance des professeurs de Montréal* rendu en 1985[34], une simple référence générale, du type de celle à laquelle a recouru le gouvernement du Parti québécois de 1982 à 1985, rend la mesure valide[35]. Cependant, il est à noter que cette disposition est couplée à une clause crépusculaire qui fait perdre à la mesure toute efficacité au bout d'un maximum de cinq années. C'est en effet là ce que prévoit le paragraphe 3 de l'article 33 lorsqu'il précise que «la déclaration visée au paragraphe 1 cesse d'avoir effet à la date qui y est précisée ou, *au plus tard, cinq ans après son entrée en vigueur*».

Certes, la clause peut être prolongée dans le temps. Toutefois, cette prolongation doit faire l'objet d'une nouvelle déclaration au sein du Parlement ou de la législature concernée. Ce qui oblige le gouvernement à publiciser de nouveau cette mesure avec toutes les conséquences politiques peu favorables que cela entraîne et que l'on peut aisément imaginer.

Les facteurs politiques comme réducteurs
de la portée de la clause dérogatoire

À l'intérieur d'une société démocratique qui porte haut l'étendard du libéralisme et qui s'avère très soucieuse de protéger et de défendre ses libertés fondamentales, il va de soi que ceux qui sont élus par les suffrages de leurs commettants, selon les mécanismes que l'on connaît, ne seront en général pas très à l'aise — c'est le moins que l'on puisse dire — avec l'idée de devoir recourir fréquemment à la clause dérogatoire.

Celle-ci, on le comprend sans peine, charrie trop avec elle l'image d'un gouvernement autoritaire, peu soucieux des libertés individuelles, pour autoriser les gouvernements du Canada à recourir sans mesure à des législations insérant la clause nonobstant afin d'échapper aux conséquences juridiques qui pourraient découler du vote d'une loi violant les droits et libertés garantis par la Charte.

Les conséquences politiques de tels agissements non seulement ne se feraient pas attendre mais pourraient bien s'avérer, en pratique, beaucoup plus graves que les effets juridiques auxquels la puissance publique aurait voulu échapper. La presse notamment aurait vite fait de pourfendre un gouvernement élu si peu soucieux des libertés publiques.

L'exemple cité précédemment pris sous le gouvernement du Parti québécois est le seul exemple connu au Canada d'un gouvernement qui ait eu l'audace d'agir de la sorte. Mais il est vrai qu'il agissait ainsi, moins pour placer sa législation à l'abri des obligations de la Charte, que pour manifester sa désapprobation sur la façon dont il avait été traité par le gouvernement fédéral et ceux des autres provinces durant la célèbre «nuit des longs couteaux[36]».

Nous pouvons trouver la preuve de telles affirmations notamment dans le fait qu'à travers le Canada bien peu de gouvernements aient recouru à l'article 33 depuis l'avènement de la Charte. À notre connaissance seule la Saskatchewan l'a utilisé une fois. En ce qui concerne le gouvernement fédéral, il faut noter que même la nouvelle loi[37] fédérale d'urgence qui est venue remplacer l'ancienne *Loi sur les mesures de guerre* n'a pas été mise à l'abri de la Charte et n'invoque pas la clause dérogatoire. Quant au Québec des années Bourassa, il a recouru à quatre reprises, à notre connaissance, à l'article 33: trois fois pour mettre certaines lois à l'abri de l'article 15 de la Charte canadienne garantissant les droits à l'égalité et une autre fois pour mettre sa législation linguistique à l'abri des foudres des tribunaux, mais en sachant bien, au moment où il l'utilisait, que cette mesure était non seulement très largement populaire mais même jugée insuffisante par bon nombre de citoyens francophones[38].

Enfin signalons que, paradoxalement et par un curieux effet de ricochet, la seule présence de l'article 33 contribue à renforcer le pouvoir de contrôle des juges sur la législation fédérale et provinciale. En effet, tirant les leçons de l'existence et de la non-utilisation de cette disposition par les parlementaires, les juges ont développé une forte tendance à conclure que si la disposition n'a pas été utilisée par le législateur alors qu'elle était à sa disposition, c'est que celui-ci souhaitait voir sa loi soumise au contrôle et à l'interventionnisme judiciaire.

Autrement dit, et malgré les apparences découlant de sa seule existence, l'article 33 non seulement ne contribue pas réellement à renforcer les pouvoirs du politique vis-à-vis des autorités judiciaires, mais bien au contraire encourage les contrôles judiciaires vis-à-vis du législateur. Comme quoi par un effet inattendu de boomerang politique une clause qui devait servir le pouvoir gouvernemental et le législatif est venue, en fait, accroître le pouvoir des juges au cœur de nos institutions.

La clause limitative (article 1)[39]

Contrairement à la clause «nonobstant» proprement dite qui constitue une espèce de bombe nucléaire politico-juridique dont la puissance et les effets prévisibles rendent l'usage trop dangereux pour qu'il y soit recouru autrement que de façon dissuasive, la clause limitative, elle, connaît un recours beaucoup plus fréquent. Elle constitue, en quelque sorte, une marge de manœuvre laissée à la disposition du pouvoir politique afin qu'il puisse, dans certains cas, faire primer, sans avoir à affronter d'insurmontables difficultés, les droits collectifs sur les droits individuels.

Cependant, pour des raisons qui, là encore, tiennent au vaste pouvoir d'interprétation laissé aux juges, la clause limitative se voit, en pratique, quelque peu limitée dans sa portée et son efficacité.

Le contenu de la clause limitative

Le pouvoir politique s'est, par le biais même de la Charte, réservé le droit de voter des lois et d'adopter des règlements qui, tout en étant contraires à un ou plusieurs droits et libertés garantis par la Charte, ne devraient pas être pour autant déclarés inconstitutionnels par les tribunaux, car l'atteinte qu'ils portent à ces droits et libertés peut être jugée «raisonnable dans le cadre d'une société libre et démocratique».

Cette disposition, connue dans les milieux juridiques comme étant la clause limitative, se retrouve à l'article 1 de la Charte[40]. Dans son intégralité, elle se lit comme suit:

La Charte canadienne des droits et libertés garantit les droits et libertés qui y sont énoncés. Ils ne peuvent être _restreints_ que par une _règle de droit_, dans des _limites_ qui soient _raisonnables_ et dont la justification puisse se démontrer dans le cadre d'_une société libre et démocratique_ (les soulignés sont de nous).

Cette clause, on le voit, crée en fait trois catégories de textes: 1) ceux qui sont parfaitement conformes à la Charte, 2) ceux qui sont en opposition flagrante et inacceptable avec les dispositions de la Charte et qui doivent être déclarés «inopérants» et 3) ceux qui tout en violant certains droits et libertés protégés par la Charte se situent à l'intérieur d'une zone de violations acceptable qui les rend juridiquement viables.

En créant trois secteurs au lieu de deux, le pouvoir politique s'est de la sorte accordé une certaine souplesse, une sorte de marge de manœuvre puisqu'il peut légitimement espérer voir une certaine législation et certains règlements qui, sans cela seraient déclarés inconstitutionnels, rangés par les juges dans la catégorie des actes admissibles malgré la Charte des droits et libertés. Et ce, en raison du fait que l'atteinte qu'ils portent à la Loi des lois peut être vue comme une «limite raisonnable» dans le cadre d'une «société libre et démocratique».

Le pouvoir du législateur, en apparence tout au moins, semble également quelque peu renforcé par le fait que la clause limitative recourt au terme «raisonnable» et non pas au mot «nécessaire» qui lui aurait, au contraire, accru la marge de manœuvre du pouvoir judiciaire. Nous allons cependant voir sous peu que l'immense pouvoir d'interprétation dont disposent les tribunaux, en l'absence de définitions claires et précises, va entacher de nullité cette argumentation sémantique.

Une clause limitée dans sa portée par le large
pouvoir d'appréciation des juges

En ne définissant aucun terme et en laissant au seul pouvoir judiciaire le soin d'évaluer ce qui dans notre société, à un moment donné de son histoire, constitue «une limite raisonnable» au sein d'une «société libre et démocratique», le législateur a confié à la magistrature un pouvoir d'interprétation considérable.

Conscient de la rudesse de la tâche et du poids des responsabilités qui était mises sur leurs épaules, les juges de la Cour suprême ont esquissé, dans l'arrêt _R. c. Big M Drug Mart Ltd_[41] deux critères décisionnels qu'ils ont peaufiné dans l'arrêt _R. c. Oakes_[42]. Ceci, afin de tenter d'objectiviser, le plus possible, la méthode d'évaluation des lois et règlements susceptibles d'entrer dans la catégorie des actes dérogeant aux dispositions de la Charte dans des limites acceptables pour une société libre et démocratique.

Les conditions d'acceptabilité pour qu'une loi ou un règlement puisse être classé à l'intérieur de cette catégorie s'énoncent présentement comme suit:

> Pour établir qu'une restriction est raisonnable et que sa justification peut se démontrer dans le cadre d'une société libre et démocratique, il faut satisfaire à <u>deux critères</u>. En premier lieu, <u>l'objectif</u> que visent à servir les mesures qui apportent une restriction à un droit ou à un droit garanti par la Charte, doit être <u>suffisamment important</u> pour justifier la suppression d'un droit ou d'une liberté garantie par la Constitution. La norme doit être <u>sévère</u> afin que les objectifs peu importants ou contraires aux principes qui constituent l'essence même d'une société libre et démocratique ne bénéficient pas de la protection de l'article premier [...]. En deuxième lieu, dès qu'il est reconnu qu'un objectif est suffisamment important, la partie qui invoque l'article premier doit alors démontrer que <u>les moyens choisis sont raisonnables</u> et que leur justification peut se démontrer [...]. Premièrement les mesures adoptées ne doivent être <u>ni arbitraires, ni inéquitables, ni fondées sur des considérations irrationnelles</u>. Bref elles doivent <u>avoir un lien rationnel avec l'objectif en question</u>. Deuxièmement [...] le moyen choisi doit être de nature à <u>porter le moins possible atteinte au droit</u> ou à la liberté en question. Troisièmement, il doit y avoir <u>proportionnalité</u> entre les <u>effets</u> des mesures restreignant un droit et <u>l'objectif</u> reconnu comme suffisamment important[43].

De la lecture même des divers critères et conditions imposés par ce test, deux remarques se dégagent aisément:

— Le test est, dans l'ensemble, plutôt sévère pour le pouvoir politique; ce qui accroît d'autant le volant de manœuvre du pouvoir judiciaire. Un exemple pour illustrer cet argument. On peut se demander quelle différence sépare désormais une limite «nécessaire» d'un «objectif... suffisamment important» que la Cour évalue en appliquant, en outre, une «norme sévère». Et cela, malgré le mot bien moins contraignant pour le pouvoir politique qui est utilisé dans la Charte, à savoir «raisonnable». Ce qui renforce, c'est le moins qu'on puisse dire, la thèse du vaste pouvoir interprétatif, pour ne pas dire créatif, des juges dans le système actuel[44].

— Le test, quoi qu'on fasse et quoi qu'il dise, ne réussit pas à objectiviser les diverses étapes de son cheminement. Le risque était d'ailleurs prévisible tant la difficulté était grande. Résultat, le test reste, pour sa plus large part, un examen soumis à l'évaluation, à l'interprétation et au jugement personnel des magistrats saisis du dossier. Et cela, même si le test atténue quelque peu, il est vrai, la très vaste marge de manœuvre dont auraient disposé les juges sans la mise en place de cette balise.

Il convient de noter par ailleurs, et ce n'est pas là le moindre des changements, qu'à travers l'article premier, la Charte abolit, à toutes fins pratiques, la présomption de validité constitutionnelle qui était la règle jusqu'à son avènement. En effet, c'est à l'État dorénavant — une fois que la preuve a été apportée par le demandeur qu'une loi atteint à un des droits protégés par la Charte — de prouver que cette atteinte constitue une limite raisonnable se justifiant dans le cadre d'une société libre et démocratique. Ce renversement de fardeau de preuve n'a évidemment pas pour effet de permettre au pouvoir politique de franchir aisément les obstacles dressés devant lui par l'action conjuguée de l'article 1 et de la jurisprudence afférente de la Cour suprême.

Les mesures politiques à la disposition du législateur

Théoriquement, les pouvoirs exécutif et législatif disposent, afin de récupérer le leadership en matière de politiques publiques, ou à tout le moins de circonscrire à l'intérieur de limites plus étroites le pouvoir judiciaire, de trois principaux moyens. Toutefois, la mise en œuvre de ces mesures, pour des raisons politiques ici aussi, s'avère des plus problématiques.

L'adoption, par le législateur, d'une nouvelle législation

À la suite d'un jugement défavorable aux orientations gouvernementales, les pouvoirs publics peuvent toujours présenter à la Chambre et faire adopter une nouvelle législation contournant la lettre et quelquefois même l'esprit des juges.

C'est ce qu'a fait le gouvernement fédéral en matière d'immigration — notamment en ce qui concerne l'arrivée au Canada de demandeurs d'asile politique — à la suite du célèbre arrêt *Singh c. Ministre de l'Emploi et de l'Immigration*[45]. On se souvient que dans cette cause la Cour suprême du Canada a accueilli le pourvoi des appelants — en l'occurrence des Sikhs revendiquant le statut de réfugié défini au paragraphe 2(1) de la *Loi sur l'immigration de 1976* — car elle jugeait que «la procédure de reconnaissance du statut de réfugié établie dans la *Loi sur l'immigration de 1976* [était] incompatible avec les exigences de justice fondamentale énoncées à l'article 7» de la Charte. En réaction à cette décision qui a effectivement entraîné d'importants problèmes administratifs pour le ministère concerné, le gouvernement a fait adopter une nouvelle législation moins favorable que la précédente aux demandeurs du statut de réfugié au Canada[46].

On notera toutefois que de telles pratiques restent d'usage exceptionnel tant sont grands et lourds de conséquences les gestes posés en ce sens par les gouvernements.

L'adoption par les législateurs d'amendements à la Charte

Théoriquement là encore, les gouvernements et leurs parlements peuvent toujours envisager d'apporter des amendements à la Charte. Cependant, la Charte étant enchâssée dans la Constitution — contrairement à la Déclaration canadienne des droits adoptée en 1960 qui pouvait être modifiée par une loi ordinaire du Parlement canadien — il s'ensuit que tout amendement à la Charte doit respecter la procédure lourde et exigeante prévue à la formule d'amendement constitutionnel.

Cette formule d'amendement, notamment l'article 38(1) de la *Loi constitutionnelle de 1982*, se lit comme suit:

> La Constitution du Canada peut être modifiée par proclamation du gouverneur général sous le grand sceau du Canada, autorisé <u>à la fois</u>:
>
> a) par des résolutions du Sénat <u>et</u> de la Chambre des communes;
>
> b) par des résolutions des assemblées législatives <u>d'au moins deux tiers des provinces</u> dont la population confondue représente, selon le recensement général le plus récent à l'époque, <u>au moins cinquante pour cent de la population de toutes les provinces</u>.» (souligné par nous).

En pratique par conséquent, les possibilités pour les gouvernements de faire amender la Charte, surtout si le but visé est de récupérer des pouvoirs octroyés à la fonction judiciaire en 1982, apparaissent, et c'est peu dire, fort minces. Là encore, on le voit, la distance qui sépare les possibilités juridico-théoriques de la réalité politique est particulièrement grande. Il en sera de même fort probablement en ce qui concerne la troisième voie théoriquement empruntable par le législateur canadien, celle des «résolutions interprétatives».

L'adoption par le législateur canadien de «résolutions interprétatives»

Nous avons vu qu'un des grands facteurs par lesquels les tribunaux se sont vus dotés de pouvoirs accrus depuis l'avènement de la Charte, repose sur le caractère philosophique, abstrait et souvent ambigu de nombre de termes utilisés dans la Loi suprême du pays. Cette réalité, conjuguée à l'absence de quelque définition que ce soit relative au vocabulaire utilisé, permet par conséquent aux juges de donner un caractère extensif ou restrictif aux divers droits et libertés contenus dans la Charte. Elle autorise notamment le pouvoir judiciaire, selon sa propre interprétation des mots et ses perceptions personnelles concernant le niveau de développement socio-culturel atteint par la société canadienne, à insuffler plus ou moins de contenu aux droits et libertés énoncés, sans autre précision, dans la Charte.

Une des mesures auxquelles le parlement canadien pourrait recourir serait par conséquent d'adopter, après discussion avec les représentants des diverses provinces du pays, des «résolutions interprétatives» par lesquelles le législateur fédéral verrait à donner un contenu plus précis à certains concepts vagues et flous et à orienter ainsi, à l'intérieur de balises plus visibles, la conduite des tribunaux[47]. De cette façon en effet, les juges n'auraient plus besoin de rechercher la volonté du législateur, et celle-ci leur étant clairement communiquée ils n'auraient plus la possibilité de se transformer, en catimini, en créateurs de lois.

Mais, outre qu'il ne s'agit pas là d'une méthode coutumière en droit canadien, le fait que cette nouvelle technique de communication législatif-judiciaire pourrait être perçue comme une ingérence du pouvoir politique au sein du pouvoir judiciaire et être considérée comme une atteinte à l'indépendance de ce dernier, il y a tout à parier que ce n'est pas demain que l'on verra la première «résolution interprétative» s'envoler de la Chambre des communes vers l'édifice de la Cour suprême du Canada.

Force est donc de conclure, en ce qui concerne les facteurs favorisant le pouvoir politique, qu'ils sont, quasiment tous, beaucoup plus théoriques que pratiques. La confiance que nourrit la population vis-à-vis du système judiciaire, la méfiance qu'elle entretient au contraire vis-à-vis des élus du suffrage universel, le besoin que ressentent très fortement ces derniers de rehausser constamment leur image auprès d'une opinion publique sceptique, et le rôle considérable que joue dans notre société la presse en tant qu'instrument modelant l'opinion de la population, tout cela concourt à rendre à peu près inutilisables les instruments d'orientation du pouvoir judiciaire que détiennent encore, théoriquement tout au moins, les représentants du peuple[48].

CONCLUSION

Alors, depuis l'avènement de la Charte des droits et libertés au sein de la Constitution canadienne en 1982, le système politique canadien est-il toujours le même? Le rapport de forces entre les divers pouvoirs — exécutif, législatif, judiciaire — s'est-il quelque peu modifié? La démocratie, définie comme le gouvernement du peuple par la majorité du peuple, est-elle toujours le régime dans lequel vivent les canadiens dix ans après le rapatriement de la Constitution du Canada? Ou bien, au fil de ces dernières années, le régime a-t-il sensiblement glissé pour se transmuer en une forme nouvelle de relations de pouvoirs — un gouvernement par les juges — que l'on pourrait appeler: la juriscratie?

À ces questions la présente étude croit être en mesure d'apporter quelques éléments de réponse.

Tout d'abord, constatons que la Charte a, sans trop que l'on s'en aperçoive, modifié sensiblement la nature même de notre démocratie. Par la défense des droits individuels et notamment du droit des minorités qu'elle contribue grandement à assurer, la Charte fait en sorte que notre démocratie ne peut plus être ce qu'elle était jusqu'à aujourd'hui: une forme de dictature et de tyrannie de la majorité sur la minorité[49]. Depuis 1982, la démocratie canadienne, en reconnaissant nettement le droit à la différence, est devenue un système au sein duquel la minorité n'est plus tenue de se soumettre scrupuleusement et à tout prix aux décisions de la majorité. Elle se définit, au contraire, comme un modèle veillant à assurer la reconnaissance, par la majorité, des droits de la minorité. Et rien que cela, en soi, constitue déjà tout un changement au sein d'une société qui se veut davantage du type pluraliste, mosaïque et multiculturel que de type «melting pot».

Ensuite, notons que la Charte a engendré un nouveau forum — les cours de justice — devant lequel viennent s'affronter aux gouvernements d'importants groupes d'intérêts. Ainsi en fut-il notamment en matière de paix (*Operation Dismantle*), d'avortement (libre-choix: *Morgentaler*; Pro-vie: *Borowski*[50]) et de langue (*Quebec Association Protestant School Board et Ford*). Ce nouveau point d'entrée dans le processus décisionnel, en venant s'ajouter aux traditionnelles pressions effectuées auprès des partis politiques et des hauts fonctionnaires, n'est pas sans contribuer à l'approfondissement des débats et au renforcement de la démocratie. Toutefois, comme rien n'est malheureusement parfait, il se pourrait également que la Charte ait pour effet d'inciter le législateur à abdiquer une part notable de ses responsabilités et à s'en remettre aux «arbitres» judiciaires chaque fois qu'il aura entre les mains des dossiers brûlants sur lesquels l'opinion publique canadienne sera très nettement divisée.

Enfin, remarquons que la Charte a nettement contribué à renforcer le contrôle du pouvoir judiciaire sur l'action politique. Une Loi suprême permettant aux juges de contrôler la constitutionnalité des lois en rapport avec un large éventail de droits et de libertés dont la définition était laissée à la libre appréciation des juges ne pouvait faire autrement que remettre entre les mains de l'autorité judiciaire un ensemble de pouvoirs sensiblement plus important que celui dont ils disposaient avant l'avènement de la Charte.

Face à ces nouveaux défis qu'ils n'avaient pas requis, les juges avaient à naviguer entre deux séries d'écueils: 1) donner une interprétation restrictive aux divers concepts abstraits qui constituent la trame même de la Charte et en conséquence la vider de son contenu potentiel, avec le risque correspondant d'affaiblir la Charte et de décevoir les attentes que son adoption avait suscitées; 2) donner une interprétation trop extensive à la Charte avec, pour conséquence de ce renforcement indu des droits et libertés, le risque d'entraver l'action gouvernementale, voire même d'usurper la responsabilité des législateurs démocratiquement élus[51].

Près de dix ans après l'entrée en vigueur de la Charte on peut dire que les tribunaux ont réussi à maintenir la barre au centre et à se glisser, avec une relative aisance, entre les deux séries d'écueils qui obstruaient en partie leur route.

Tout en optant pour l'interprétation libérale, large et généreuse que l'on sait, les tribunaux ont en effet usé plutôt sagement de leurs pouvoirs[52]. Leur action est le fruit d'un activisme réel conjugué toutefois avec une certaine retenue judiciaire. Nous emploierions volontiers, afin de résumer cette action, les termes d'activisme modéré[53]. Quelles preuves sont susceptibles d'étayer un tel jugement?

En premier lieu, nous devons noter que la Cour suprême n'a pas hésité très longtemps pour renverser une bonne partie de sa jurisprudence antérieure chaque fois que l'occasion lui en a été fournie[54]. En remettant en cause le principe de la souveraineté parlementaire chère à Dicey, la Charte a en effet invité les juges à faire preuve de beaucoup moins de déférence judiciaire vis-à-vis du législatif que la Cour ne pouvait en nourrir sous l'empire d'une loi fut-elle de type quasi-constitutionnel. Avec pour conséquence que la Cour suprême a, à moult reprises, pris la décision de censurer l'action du législateur en déclarant inopérantes certaines dispositions pourtant votées par le Parlement fédéral ou une législature provinciale.

En second lieu, les tribunaux ont dressé devant le gouvernement des obstacles sévères, mais d'une hauteur qui n'est point cependant infranchissable, en ce qui concerne la clause limitative (article 1). Nombreuses, en effet, sont les décisions de justice qui acceptent de voir dans la violation de la Charte par le législateur, une violation raisonnable, surtout en ce qui concerne les protections offertes par les droits juridiques. La Cour tente ainsi de maintenir, suivant ses propres normes, un délicat équilibre entre les partisans du «due process» et les tenants du «crime control[55]».

Un survol rapide de l'action judiciaire de ces quelque dix dernières années au-dessus de «charterland[56]» nous amène donc à conclure en une certaine érosion du pouvoir gouvernemental et législatif depuis l'avènement de la Charte canadienne des droits et libertés. Le concept de souveraineté parlementaire a depuis 1982 cédé la place à une autre forme de souveraineté: la souveraineté constitutionnelle[57]. Celle-ci, contrairement à la précédente, s'exerce maintenant en faisant appel à la collaboration de trois acteurs: l'exécutif, le législatif et le judiciaire. Il s'agit là d'une forme nouvelle de triumvirat au sein duquel la troisième branche du gouvernement, — le pouvoir judiciaire — en tant que censeur suprême du pouvoir politique, est loin de jouer le rôle le moins important des trois.

Ce rééquilibrage des pouvoirs au sein de nos institutions politiques a fait des juges les nouveaux partenaires du pouvoir politique. Mais parce que le pouvoir politique reste partagé, et d'une certaine manière même, plus partagé que jamais, parce que la Charte ne couvre pas un champ d'action illimité, parce que le pouvoir confié aux juges a été exercé par eux avec sagesse et un grand sens des responsabilités, parce que pour l'essentiel jusqu'à présent les tribunaux ont davantage sanctionné l'application des lois par les autorités administratives que les lois elles-mêmes, et également parce que certaines clauses qui existent dans notre Constitution ne se trouvent pas dans le Bill of Rights des États-Unis (clause dérogatoire, clause limitative[58]) il serait certainement, actuellement en tout cas, exagéré d'appliquer à notre système les termes de «gouvernement des juges» ou de juriscratie que l'on a si souvent utilisé pour qualifier le régime politique de nos voisins du Sud.

Reste toutefois aux pouvoirs publics à permettre que, malgré les coûts inhérents du fonctionnement du système judiciaire[59], tous les citoyens disposent, dans les meilleurs délais, d'un égal droit d'accès aux cours de justice. Sans cela, la réforme du système politique canadien et l'avènement d'une Charte des droits et libertés se seront sûrement faits au profit des magistrats, mais certainement pas à l'avantage des citoyens et des citoyennes de ce pays[60].

NOTES

1. *Loi de 1982 sur le Canada*, Annexe B, 1982, (R.U.), c. 11.
2. Pierre Mackay, *«La Charte canadienne des droits et libertés de 1982 ou le déclin de l'empire britannique»*, in *Le droit dans tous ses états*, Montréal, Wilson et Lafleur, 1987, p. 13-34, p. 16.
3. À cette question, certains auteurs tels T.G. ISON, *«The Sovereignty of the Judiciary»*, *Les Cahiers de droit*, vol. 27, n° 3, septembre 1986, p. 503-541, répond positivement: «The sovereignty of Parliament, once perceived as the essence of democracy, is now replaced by the sovereignty of the judiciary, and the right to vote is now a right to vote only for the membership of subordinate institutions», p. 524.
4. L'expression est de T.G. ISON, *«The Sovereignty of the Judiciary»*, *op. cit.*, p. 503-541.
5. F. CHEVRETTE et H. MARX, *Droit constitutionnel*, Montréal, PUM, 1982, 1728 p.; G.-A. BEAUDOIN, *Le partage des pouvoirs*, Ottawa, Éd. de l'Université d'Ottawa, 3ᵉ éd., 1983; P. HOGG, *Constitutional Law of Canada*, 2ᵉ éd., 1985; G. RÉMILLARD, *Le fédéralisme canadien; La loi constitutionnelle de 1867*, Tome I, 1983; *Le rapatriement de la constitution*, Tome II, 1985; Montréal, Éd. Québec/Amérique; H. BRUN et G. TREMBLAY, *Droit constitutionnel*, Cowansville, Éd. Yvon Blais, 2ᵉ éd., 1990, 1232 p.
6. Peter H. RUSSELL, *«The Effects of a Charter of Rights on the Policy-Making Role of Canadian Courts»*, *Administration publique du Canada*, vol. 25, n° 1, printemps 1982, p. 1-33.
7. [1979] 1 RCS 311. Lire à ce sujet Peter H. RUSSELL, *«The Effects of a Charter of Rights on the Policy-Making Role of Canadian Courts»*, *op. cit.*, p. 8 et ss.
8. F.L. MORTON, *«The Political Impact of the Canadian Charter of Rights and Freedoms»*, *Revue canadienne de science politique*, mars 1987, p. 31-55, p. 31. Voir aussi F.L. MORTON et Leslie A. PAL, *«The Impact of the Charter of Rights on Public Administration»*, *Administration publique du Canada*, vol. 28, n° 2, été 1985, p. 221-243 (222).
9. Cette nouvelle dimension, marquée en fait par une nette montée du pouvoir judiciaire au Canada, est soulignée par la plupart des auteurs. André Morel, *«La recherche d'un équilibre entre les pouvoirs législatif et judiciaire. Essai de psychologie judiciaire»*, in *La limitation des droits de l'homme en droit constitutionnel comparé*, Montréal, Éd. Yvon Blais, 1986, p. 129:

    «Personne ne dispute (sic) la question de savoir si la Charte a porté atteinte à la souveraineté parlementaire, c'est là une évidence reconnue dès le départ.»

    Jusqu'à maintenant, écrivait le juge en chef Deschênes, les tribunaux canadiens ne se posaient pas en juges de la sagesse de la législation: ils respectaient le pouvoir ultime du Parlement dans ce domaine et reconnaissaient que le renversement aux urnes constituait le seul remède à un abus parlementaire. Mais la Charte a modifié radicalement les règles du jeu. (*Quebec Association of Protestant School Board c. P.G. du Québec*, [1982] C.S. 673, 685). (Souligné par nous).

10. [1985] 1 RCS 441. Lire à ce sujet: Asher NEUDORFER, «*Cabinet Decisions and Judicial Review*», *Administrative Law Journal*, vol. 1, n° 2, 1985, p. 30-33: «... the court has established the crucial principle that cabinet actions are subject to challenge under the Charter», p. 33.

11. [1980] 2 RCS 735.

12. A. PETTER, «*The Politics of the Charter*», *Supreme Court Law Review*, 8 (1986), p. 473-505: «The Charter enumerates certain rights and freedoms, albeit in vague and general terms [...] it is the judiciary that ultimately will determine the nature of charter rights and consequently their impact upon society», p. 479-480.

13. La liberté d'association ne comprend pas le droit de négocier collectivement ni de faire grève: Re *Public Service Employee Relations Act*, [1987] 1 RCS 313. Elle ne comprend pas non plus le droit de faire du piquetage: *Dolphin Delivery Ltd v. Retail, Wholesale and Department Store Union, Local 580* [1986] 2 RCS 573.

14. Le terme «chacun» inclut les personnes morales et il faut l'interpréter comme tel lorsque les droits revendiqués sont applicables aux personnes morales. Voir notamment à ce sujet: Patrice GARANT, «*Droits fondamentaux et justice fondamentale*», *in* G.-A. BEAUDOIN et E. RATUSHNY, *Charte canadienne des droits et libertés*, Montréal, Wilson et Lafleur, 1989, p. 384; et *Southam Inc. c. Hunter*, [1984] 2 RCS 145.

15. Le concept de «liberté» que l'on retrouve à l'article 7 n'embrasse pas les droits à caractère économique tels le droit d'être engagé dans l'armée, de pratiquer une profession, de commercer ou de faire des affaires, d'offrir des services professionnels, etc. De la même façon, les termes «sécurité de sa personne» n'incluent pas les droits économiques en général, ni le droit de propriété en particulier. Voir à ce sujet Patrice GARANT, «*Droits fondamentaux et justice fondamentale*», *op. cit.*, p. 396-399. Voir également: *The Queen in Right of New Brunswick c. Fisherman's Wharfs Ltd*, (1982) 44 N.B.R. (ed) 201 (C.A. N.-B.).

16. L'expression «principes de justice fondamentale» de l'article 7 s'est vu au contraire conférer par la Cour suprême une portée très extensive. Voir à ce sujet Patrice GARANT, «*Droits fondamentaux et justice fondamentale, op. cit.*, p. 383 et 439, ainsi que Re *Section 94(2) of the B.C. Motor Vehicle Act*, [1985] 2 RCS 486.

17. Sur le rôle des juges découlant de leur pouvoir d'interprétation de la Charte voir notamment W.R. LEDERMAN, «*The Power of the Judges and the New Canadian Charter of Rights and Freedoms*», *U.B.C. Law Review*, special charter edition, 1982, p. 1-10, p. 8: «... in the event of institutional conflict between parliaments and courts regarding definition and interpretation, the courts will have the last word».

18. Peter RUSSELL, «*Canada's Charter of Rights and Freedoms: A Political Report*», *Public Law*, Automne 1988, p. 385-401, p. 385.
19. Peter RUSSELL, *Ibid.*, p. 394.
20. Art. 318-320 Code criminel.
21. *R. c. Keegstra*, Cour suprême, jugement n° 21118, 13 décembre 1990.
22. Dans l'arrêt Re *Fraser et la Commission des relations de travail dans la Fonction publique*, [1985] 2 RCS 455, p. 463 la Cour a déclaré que «toutes les valeurs importantes doivent être restreintes et évaluées en fonction d'autres valeurs importantes et souvent concurrentes».
23. Voir à ce sujet: Peter H. RUSSELL, «*The Effect of a Charter of Rights on the Policy-making Role of Canadian Courts*», *op. cit.*, p. 1-33; B.L. STRAYER, «*Life under the Canadian Charter: Adjusting the Balance Between Legislatures and Courts*», *op. cit.*, p. 368-369: «[The Charter] has had an important inspirational value and a homogenising effect in identifying and enforcing a commonality of values which most canadians share».
24. *Singh et al. c. Minister of Employment and Immigration Board*, [1985] 1 SCR 177. Souligné par nous.
25. Voir également *Edwards c. A.G. for Canada*, [1930] A.C. 124, 136. Souligné par nous.
26. cf. *infra.*, section 2.2.2.
27. W.R. LEDERMAN, «*Droits et libertés constitutionnels*», in G.-A. BEAUDOIN et E. RATUSHNY, *Charte canadienne des droits et libertés, op. cit.*, p. 146-147: «... la Charte ne pénètre pas tous les éléments à l'intérieur de l'ensemble du système juridique. Là encore, la Charte ne s'applique que de façon fragmentaire et très sélective»; lire aussi du même auteur, même ouvrage, les pages 185-186.
28. L'article 7 relatif notamment au droit à la sécurité de la personne n'inclut pas les droits économiques tels que le droit de propriété. Il se limite au bien-être physique de la personne (Henri Brun, *Charte des droits de la personne*, 1989, 7-67, p. 102). Il s'agit d'ailleurs là d'une sévère critique adressée à la Charte par certains «political-science court-watchers» tels que Terence G. ISON, «*The Sovereignty of the Judiciary*», *op. cit.*, p. 503-541 et Andrew PETTER, «*The Politics of the Charter*», Supreme Court Law Review, 8 (1986), p. 473-505.
29. [1986] 2 RCS 573.
30. Pour une critique de cette décision voir: T.G. ISON, «*The Sovereignty of the Judiciary*», *op. cit.*, p. 519. Pour cet auteur, en effet, c'est moins «the public servant, "the departmental despot"» qui devrait être dans le collimateur des juges, que les entreprises privées car «to a large extent, power lies in the hands of those who control a few multinational conglomerate oligopolies».
31. De telles clauses ont été contestées avec des succès divers devant les tribunaux jusqu'à ce que la Cour suprême, dans l'arrêt *Ford*, juge valide la pratique utilisée par le gouvernement du Québec, confirmant en cela l'opinion émise en 1985 par la Cour supérieure du Québec dans l'affaire *Alliance des professeurs de Montréal c. P.G. Québec* [1985] CS 1272 et infirmant le

jugement rendu par la cour d'Appel du Québec la même année (1985, RDJ 439 C.A.)

32. Selon l'expression de F.L. MORTON, *«The Political Impact of the Canadian Charter of Rights and Freedoms»*, op. cit., p. 55.

33. Selon l'expression de Peter H. RUSSELL, *«Canada's Charter of Rights and Freedoms: A Political Report*, op. cit., p. 389.

34. [1985] R.D.J. 439 (C.A.); [1985] C.A. 376.

35. Cette façon de procéder a été déclarée valide par la Cour suprême dans l'arrêt *Ford* [1988] 2 RCS 712.

36. Claude MORIN, *Lendemains piégés: du référendum à la «nuit des longs couteaux»*, Montréal, Boréal Express, 1988, 395 p.

37. Statutes of Saskatchewan, 1984-85-86, c-111, *The SGEU Dispute Settlement Act.*

38. Cf. la *Loi modifiant la Charte de la langue française*, 22 décembre 1988, prise en réaction à l'arrêt *Ford* de la Cour suprême du Canada déclarant inopérantes, car adoptées en violation de l'art. 2b de la Charte (liberté d'expression), certaines dispositions de la Charte de la langue française relatives à la langue d'affichage et à la publicité commerciale (Art. 69, 205 à 208).

39. Sur l'article 1 lire notamment: Martin D. LOW, *«The Canadian Charter of Rights and Freedoms and the Role of the Courts: An Initial Survey»*, UBC Law Review, n° 18, 1984, p. 69-94; William R. LEDERMAN, *«Droits et libertés constitutionnels et conflits de valeurs: l'interprétation de la Charte et l'article premier»*, in G.-A. BEAUDOIN et E. RATUSHNY, *Charte canadienne des droits et libertés*, op. cit., p. 143-186.

40. Une telle clause, avec des variations sur un même thème, se retrouve également dans plusieurs grands textes internationaux afférents aux droits fondamentaux de la personne, notamment la *Déclaration universelle des droits de l'homme* (1948), la *Convention de sauvegarde des droits de l'homme et des libertés fondamentales* (1950), et le *Pacte international relatif aux droits civils et politiques* (1966). Cependant, par son caractère de grande généralité elle pourrait bien constituer une disposition exceptionnelle et isolée au sein de la Communauté internationale. La clause correspondant de la Convention européenne par exemple est beaucoup plus limitative et réclame, pour jouer, des conditions très spéciales. Qu'on en juge! Article 15(1) «En cas de guerre ou en cas d'autre danger public menaçant la vie de la nation, toute Haute Partie Contractante peut prendre des mesures dérogeant aux obligations prévues par la présente convention, dans la stricte mesure où la situation l'exige et à la condition que ces mesures ne soient pas en contradiction avec les autres obligations découlant du droit international» (souligné par nous). Lire également dans la même veine: André MOREL, *«La recherche d'un équilibre entre les pouvoirs législatifs et judiciaire. Essai de psychologie judiciaire»* in La limitation des droits de l'homme en droit constitutionnel comparé, op. cit., p. 115-135 et du même auteur *«La clause limitative de l'article 1 de la Charte canadienne des droits et libertés:*

une assurance contre le gouvernement des juges», The Canadian Bar
Review, vol. 61, 1983, p. 81-100, p. 85.

41. [1985] 1 RCS 295.

42. [1986] 1 RCS 103.

43. R. *c. Oakes* [1986] 1 RCS 103, 138-139.

44. Ce pouvoir d'interprétation des juges est tellement puissant que malgré le
libellé de l'article 1 — ou à cause du libellé de cet article — un mouvement
«se dessine en jurisprudence [...] qui tend à soustraire éventuellement
certains droits à l'emprise de la clause limitative soit parce que les
dispositions qui les consacrent sont exceptionnellement précises et détaillées,
soit parce qu'elles comportent dans leur formulation, leurs propres
limitations. Mais là ne s'arrête pas la tendance à rétrécir le champ
d'application de la clause limitative. Il est en effet maintenant établi qu'il est
certaines lois qui, bien qu'elles affectent des droits ou libertés garantis, ne
sont pas assujettis à la clause limitative». Pour plus de détails voir: André
MOREL, *«La recherche d'un équilibre entre les pouvoirs législatif et
judiciaire. Essai de psychologie judiciaire»*, op. cit., p. 123 et ss.

45. [1985] 1 RCS 177.

46. Cf. à ce sujet les Bills C-55 et C-84 présentés en 1987-1988 au Parlement
canadien par le gouvernement conservateur fédéral.

47. Relativement à la question des «résolutions interprétatives» voir Ian
GREENE, *The Charter of Rights*, op. cit., p. 224-226.

48. Notons au passage que les parlements canadiens pourraient toujours, dans
leur domaine de compétence respectif, adopter des lois élargissant, mais pas
réduisant, le champ réservé aux droits et libertés protégés par la Charte.

49. Ian GREENE, *The Charter of Rights*, op. cit., p. 74 «... one of the purposes
of the Charter's guarantee of freedom of religion is to protect "religious
minorities" from the threat of "the tyranny of the majority".»

50. *Borowski and P.G. du Canada*, (1984) 4 DLR 112 (BR Sask.); [1987] 4
WWR 385 (C.A. Sask.);; [1989] 1 RCS 342.

51. André MOREL, *«La recherche d'un équilibre entre les pouvoirs législatif et
judiciaire. Essai de psychologie judiciaire»*, op. cit., p. 121.

52. Pour un bilan d'ensemble de l'action «politique» des tribunaux en relation
avec la Charte, lire: B.L. STRAYER, *«Life under the Canadian Charter:
Adjusting the Balance Between Legislatives and Courts»*, Public Law, 1988,
p. 347-369; F.L. MORTON, *«The Political Impact of the Canadian Charter
of Rights and Freedoms»*, op. cit., p. 36-39; Peter H. RUSSELL, *«Canada's
Charter of Rights and Freedoms: A Political Report»*, op. cit., p. 388-401.

53. B.L. STRAYER, *«Life under the Canadian Charter: Adjusting the Balance
between Legislatives and Courts»*, op. cit., p. 366 et 369: emploie
l'expression «strong signs of growing judicial activism».

54. F.L. MORTON, *«The Political Impact of the Canadian Charter of Rights
and Freedoms»*, op. cit., p. 36. Après avoir démontré qu'en moins de quatre
ans d'existence (1982-1986) la Cour suprême «has already nullifed portions
of six statutes, compared to just one such instance of judicial revision under
the Bill of Rights (Déclaration canadienne des droits)», F.L. Morton conclut:

«This rejection of pre-Charter precedents indicates that the Supreme Court has interpreted the Charter as giving it a new and more activist mandate».

55. Pour de plus amples informations relativement aux concepts de «crime control» et de «due process» lire notamment: F.L. MORTON, *«The Political Impact of the Canadian Charter of Rights and Freedoms»*, *op. cit.*, p. 37 et ss.

56. Selon l'expression de Peter H. RUSSEL, *«The First Three Years in Charterland»*, Administration publique du Canada, vol. 28, 1985, p. 367.

57. Sur le concept de «Constitutional supremacy» voir F.L. MORTON, *«The Political Impact of the Canadian Charter of Rights and Freedoms»*, *op. cit.*, p. 53.

58. Charles D. GONTHIER, *«L'attitude du tribunal»*, *op. cit.*, p. 125-144, p. 142.

59. Concernant le coût de ces litiges qui se chiffre souvent en plusieurs centaines de milliers de dollars, lire: Ian GREENE, *«The Charter of Rights»*, op. cit., p. 62-63; et Andrew PETTER, *«The Politics of the Charter»*, *op. cit.*, p. 481-486.

60. En 1990 le ministère de la Justice du Québec a mandaté un comité présidé par l'ex-doyen de la Faculté de droit de l'Université McGill, Me R.A. Macdonald, afin d'étudier les difficultés que soulève, notamment dans les classes moyennes, l'accès à la justice. Un rapport en est résulté: *«Jalons pour une plus grande accessibilité à la justice»*, septembre 1991.

L'esprit de 1982

Guy Laforest

La philosophie politique du début de la modernité est mise à contribution en ces pages pour cerner l'objectif fondamental de la révision constitutionnelle de 1982. D'après Guy Laforest, l'esprit de 1982 est profondément anti-québécois. L'adoption d'un document constitutionnel sans le consentement des autorités gouvernementales et législatives, sans celui du peuple du Québec, est déplorable en elle-même. Mais il y a pire encore. L'auteur pense que les législateurs de 1982, Pierre Elliott Trudeau au premier rang d'entre eux, ont cherché à imposer au Québec la souveraineté de la nation canadienne et la suprématie des institutions relevant du gouvernement central. S'il y a un mal canadien, pour reprendre l'expression de Christian Dufour, il est à chercher dans cet esprit de 1982. L'échec de l'accord du lac Meech a éveillé la conscience des Québécois quant à la véritable signification de ce qui s'était passé il y a une décennie. L'esprit de 1982? Rien de moins que celui d'une attaque en règle contre la dimension collective de l'identité des Québécois. Guy Laforest est professeur adjoint au département de science politique de l'Université Laval.

8

L'esprit de 1982

Guy Laforest

Le 17 avril 1992, dix longues années se seront écoulées depuis l'entrée en vigueur de la *Loi constitutionnelle de 1982*, qui complétait le cheminement du Canada vers l'indépendance politique. Son autonomie pleine et entière dans le système international, le Canada l'a obtenue à un coût particulièrement élevé pour le Québec. C'est en effet ce dernier qui a fait les frais de l'opération du rapatriement de la constitution, qui a été exclu des dernières séances de négociation parachevant cette entreprise, qui vit depuis bientôt une décennie, c'est mon hypothèse, dans les mailles d'une constitution dénuée de toute légitimité sur son territoire et incompatible dans son principe même avec un projet de protection et de promotion d'une identité distincte au Québec. L'esprit de 1982 me semble être celui d'une attaque consciente, lucide, contre l'idée selon laquelle les Québécois forment une nation, un peuple, une communauté politique autonome en terre d'Amérique.

Je voudrais analyser en ces pages l'esprit de 1982 dans la perspective de la philosophie politique du début de la modernité, celle qui a donné naissance aux idées démocratiques et libérales qui président au fonctionnement de nos institutions. J'essaierai de démontrer que les doctrines élaborées par ces piliers de la pensée politique que sont Hobbes, Leibniz, Locke et Rousseau ne se ramènent pas à de simples monuments vers lesquels la philosophie politique et l'histoire des idées se tourneraient par souci antiquaire. Ces doctrines nous aident à comprendre notre monde, à mieux délibérer pour trouver des solutions aux dilemmes politiques qui sont les nôtres depuis l'échec de l'accord du lac Meech en juin 1990.

Que doit faire le Québec dans la foulée du sabrage de cette entente? À l'automne 1990, nos dirigeants politiques ont voulu procurer à notre société des instruments pour mieux réfléchir à cette question. Ils ont mis sur pied une commission parlementaire élargie pour étudier l'avenir politique et constitutionnel du Québec. Parallèlement à l'emploi de certaines analyses et démarches empruntées à la philosophie politique du début de la modernité, je me pencherai dans ce texte sur le rapport de la Commission Bélanger-Campeau et sur les avis des spécialistes invités à répondre aux huit questions posées par la Commission en octobre 1990. Il m'apparaît important de souligner que l'esprit de 1982, tel que j'en dessinerai les contours en ces pages, fut au cœur des préoccupations des experts consultés par la Commission, et qu'il trouve par ailleurs une place de choix dans son rapport. Avant d'aller plus loin, je voudrais laisser à la méditation des lecteurs deux extraits tirés de textes du professeur Léon Dion, qui font très bien comprendre l'orientation de mon analyse. Je reviendrai sur ces citations dans la conclusion de ce chapitre:

> La légitimité de l'État canadien a été niée ou remise en question par plusieurs depuis le début des années 1960 et, de façon de plus en plus marquée, avec l'ascension du Parti québécois, sa prise de pouvoir en 1976 et le référendum de 1980. L'échec référendaire de même que l'incapacité de susciter une opposition parvenant à empêcher le rapatriement de la Constitution sans l'accord du Québec ont, pour le moment du moins, réduit à une quasi-impuissance ceux qui contestent la légitimité de l'État canadien[1].

> Le Québec doit enfin obtenir un droit de veto absolu sur tout amendement à la Constitution canadienne. Il résulte de ces exigences du Québec une conséquence que je n'avais pas perçue jusqu'ici. En définitive, c'est l'ensemble de la révision constitutionnelle de 1982 que je récuse. Le Canada anglais accorde une très grande importance à la Charte des droits que la révision promulgue. Elle lui convient. Nous ne devrions pas proposer de l'amender sur divers points mais plutôt la récuser en entier. Nous avons notre propre Charte des droits depuis des années. Elle nous convient. Nous devrions renforcer sa valeur légale. Toute personne et tout groupe feraient de la sorte appel à une seule Charte des droits. Ils ne s'en porteraient que mieux[2].

LE PRISME DE LA PHILOSOPHIE POLITIQUE, DE HOBBES À ROUSSEAU

À l'heure où ces lignes sont écrites, des fédérations artificielles sont en train de se désintégrer en U.R.S.S. et en Yougoslavie. Les peuples baltes, ceux de Croatie et de Slovénie, ont recouvré leur liberté politique ou s'apprêtent à le faire. Nombreux sont les observateurs qui récusent toute comparaison entre l'oppression vécue par ces peuples et la situation canado-québécoise. Le premier ministre du Canada, monsieur Brian Mulroney, vient de rappeler que les pays baltes furent annexés de force à l'U.R.S.S. tandis que les provinces canadiennes, dont le Québec, ont librement consenti à leur intégration au régime fédéral de 1867. Après avoir passé plusieurs années à lutter pour le rapatriement du Québec au sein de la famille constitutionnelle canadienne dans l'honneur et l'enthousiasme, monsieur Mulroney sait fort bien que c'est la réforme constitutionnelle de 1982 qui représente le véritable empêchement à la légitimité des institutions canadiennes au Québec, autorisant par le fait même la comparaison entre notre régime fédéral et ceux de la Yougoslavie et de l'U.R.S.S.

On pourrait chicaner monsieur Mulroney et lui rappeler que la constitution de 1867, pas plus que celle de 1982, ne satisfaisait aux exigences contemporaines de la théorie politique démocratique et libérale, inspirée pour une bonne part de la philosophie de Jean-Jacques Rousseau. Selon ce dernier le consentement actif des peuples, obtenu en faisant appel à l'autonomie rationnelle et à la participation de tous les citoyens, était nécessaire pour parer un régime politique du voile de la légitimité. Rien de tout cela ne s'est produit en 1867. Au Canada comme au Québec, la culture politique de l'époque devait davantage à l'esprit d'Edmund Burke qu'à celui de Jean-Jacques Rousseau. Les citoyens et les peuples du Canada-Uni, du Nouveau-Brunswick et de la Nouvelle-Écosse ne furent pas directement consultés, par voie électorale ou par référendum, quant à leur éventuelle adhésion à un régime fédéral. Le pacte de 1867 fut concocté par des gens qui avaient été élus au suffrage censitaire et qui ne possédaient pas de mandat explicite pour transformer le statut constitutionnel de leur communauté politique. Les fondateurs du régime de 1867 pouvaient à tout le moins se targuer d'être en accord avec la culture politique élitiste de leur temps. Les auteurs de la réforme de 1982 ne peuvent en dire autant.

À première vue, il ne semble pas y avoir d'incompatibilité entre la réforme constitutionnelle de 1982 et le principe de la souveraineté populaire. Alan Cairns, un des plus grands spécialistes de l'évolution constitutionnelle canadienne en science politique, va jusqu'à voir dans la réforme de 1982 un «people's package», un véritable triomphe pour plusieurs catégories de citoyens. L'inclusion d'une Charte des droits et libertés dans la loi fondamentale du pays, selon cet expert, a affaibli la tradition d'un fédéralisme exécutif dominé par les gouvernements et rendu la constitution aux citoyens. La Charte des droits a renforcé la position des individus dans leurs rapports avec les différentes administrations, et elle a eu une portée symbolique très importante. Elle a octroyé un important capital de reconnaissance sociale aux femmes, aux peuples autochtones, aux minorités de langues officielles, aux groupes multiculturels, aux handicapés et aux minorités visibles[3].

Dans le débat sur l'accord du lac Meech qui a eu lieu au Canada entre

1987 et 1990, plusieurs analystes ont fait remarquer que la population canadienne avait été exclue des pourparlers menant à la signature de cette entente par le premier ministre fédéral et ses homologues provinciaux[4]. Le contraste eût été frappant entre cette exclusion et les vastes consultations publiques menées entre 1980 et 1982 par le gouvernement fédéral. On pouvait donc accoler l'étiquette «constitution des citoyens» à la réforme de 1982 à un double titre: non seulement les citoyens avaient-ils hérité de toute une panoplie de droits, mais de surcroît ils avaient eu une voix appropriée au chapitre antérieurement à l'adoption de la réforme par les législateurs. Selon cette logique, la réforme de 1982 a d'abord permis l'exercice de la souveraineté populaire avant d'en renforcer le principe dans nos lois et nos mœurs politico-constitutionnelles. Selon moi, cette belle logique supporte bien mal un examen le moindrement sérieux de ses fondements. L'opération de 1982 était à des lieues de ce que Rousseau et la théorie démocratique entendent par souveraineté populaire. J'en veux d'abord pour preuve les travaux d'Alan Cairns lui-même, qui dévoilent la stratégie de manipulation de la population échafaudée par le gouvernement fédéral de Pierre Elliott Trudeau:

> Governments energetically tried to get the people on their side, the better to prove their democratic responsiveness. After the Quebec referendum the federal government brilliantly employed a "people versus powers" antithesis to contrast what it sought — a Charter of Rights for the people — with the jurisdictional goals of provincial governments, which were portrayed as selfish aggrandizement. In the subsequent unilateralism stage Ottawa deliberately strengthened the Charter to mobilize public opinion on its side after it became clear that the dissenting provincial governments could not be won over by a weak Charter[5].

Selon Cairns, les consultations publiques de 1980-1981 ont donc été savamment orchestrées à l'échelle gouvernementale. Par ailleurs, il ne suffit pas d'octroyer aux individus des droits pour se réclamer de la souveraineté populaire. Il faut aussi leur demander franchement ce qu'ils en pensent. Or, la réforme constitutionnelle n'a jamais été explicitement ratifiée par les électorats canadiens et québécois. On aurait pu faire cela par voie référendaire, dans le plus bel esprit de la démocratie directe. À défaut de cela il eût été possible, en accord avec nos mœurs parlementaires et représentatives, de faire de la constitution l'enjeu majeur d'une campagne électorale. Le gouvernement de monsieur Trudeau s'est bien gardé de faire quoi que ce soit en ce sens. Au moment où la souveraineté populaire s'affirme un peu partout dans le monde, il faut constater que la constitution canadienne souffre d'un manque de légitimité à cet égard. Cette remarque vaut partout au pays, mais elle s'applique avec encore plus de force au Québec. Pour considérer cela de plus près, je ferai appel aux travaux de John Locke.

Comme celle de Rousseau, la philosophie politique de Locke stipule que le consentement du peuple est toujours nécessaire pour asseoir la légitimité de l'autorité politique. Contrairement à Rousseau toutefois, le penseur anglais croyait aux mérites de la démocratie de représentation. Il était tout à fait disposé à faire confiance aux élus du peuple. En matière de révision constitutionnelle, il fallait selon lui respecter certaines règles précises pour que cette confiance fût sauvegardée. Le consentement du peuple était encore plus nécessaire lorsque les représentants, les fiduciaires de la souveraineté populaire, avaient l'intention d'apporter des changements fondamentaux à la nature même du pacte social. Car transformer une constitution, cela équivaut à altérer le pacte social, à déplacer les piliers sur lesquels s'échafaude la vie d'une communauté politique. Les citoyens ne peuvent rester à l'écart d'une telle opération. C'est pourtant ce qui s'est passé au Canada, et de façon encore plus marquée au Québec, entre 1980 et 1982.

Les changements constitutionnels les plus significatifs pour Locke sont ceux qui affectent la nature ou l'étendue du pouvoir législatif. Car le pouvoir législatif, c'est rien de moins que l'âme d'une société, l'organe le plus vital pour son devenir[6]. S'en prendre au pouvoir législatif, c'est toucher une société dans ce qu'elle a de plus essentiel. Or le Québec, comme tout le monde le sait, vit dans un régime fédéral. Le peuple québécois délègue une partie de son pouvoir législatif à l'Assemblée nationale et une autre au Parlement canadien. Le partage des pouvoirs entre les deux ordres de gouvernement est celui qui prévaut grosso modo depuis 1867. On ne répètera jamais assez souvent que la *Loi constitutionnelle* de 1982 et la Charte des droits et libertés ont changé les règles du jeu sans le consentement du Québec. La division des pouvoirs entre l'Assemblée nationale et le Parlement fédéral s'en est trouvée considérablement modifiée. Même les experts du fédéralisme au Canada anglais, comme le regretté Donald Smiley, reconnaissent que les pouvoirs du Québec ont été diminués[7]. Selon Locke, la confiance reliant les gouvernés aux gouvernants est brisée lorsque de telles actions sont menées sans le consentement formel du peuple.

La brèche dans la confiance reliant les citoyens québécois à leurs représentants à Ottawa devient un véritable gouffre lorsque l'on se penche plus attentivement sur les changements qui ont été apportés aux compétences législatives de l'Assemblée nationale. Depuis 1982, il est tout à fait possible d'apporter d'autres modifications à la constitution sans l'accord du Québec. L'enchâssement d'une Charte des droits interprétée par des juges, de la Cour supérieure à la Cour suprême, nommés unilatéralement par le gouvernement fédéral, a corrodé les pouvoirs du Québec en matière d'administration de la justice. Par le biais de l'article 23 de la Charte, les prérogatives de l'Assemblée nationale dans le domaine de la langue d'éducation ont été réduites. Cet article représente une dimension tout à fait fondamentale de la Charte et du projet de rapatriement de Pierre Elliott Trudeau. La clause nonobstant (article 33) ne peut d'aucune manière réduire la portée de son application au Québec. Tout lecteur de Locke sait qu'il se passe quelque chose de terrible lorsque les pouvoirs législatifs du Québec en matière de langue et d'éducation sont visés de plein fouet. Toucher à cette dimension particulièrement fragile compte tenu de notre situation en Amérique, c'est vouloir s'en prendre à «certaines choses qui sont de la dernière conséquence pour le peuple[8]».

C'est pourtant ce que recherchait la réforme mise en branle à l'époque. Tel était «l'esprit de 1982». Une réforme constitutionnelle effectuant une modification d'une telle ampleur des pouvoirs législatifs du Québec, sans le consentement explicite du peuple, était et demeure profondément illégitime. Les Canadiens imbus des principes de la démocratie libérale devraient en avoir tout simplement honte. Dans l'optique de Locke, une dissolution pure et simple du gouvernement qui en porte la responsabilité en découle immédiatement. D'une certaine manière depuis le 17 avril 1982, il n'y a plus de gouvernement fédéral digne de ce nom sur le territoire de la province de Québec. La Nouvelle-France a été conquise par l'Angleterre en 1760, par la voie des armes. Le Canada a fait subir le même sort au Québec en 1982, par l'entremise d'une vision étroite du droit et de la justice. Les formes de la légalité furent peut-être respectées, mais au mépris des exigences de la légitimité. Pour réfléchir aux conséquences politiques de ces conquêtes, écoutons Locke une fois de plus:

> Donc un conquérant, même dans une juste guerre, n'a en vertu de ses conquêtes, aucun droit de domination sur ceux qui se sont joints à lui, et ont été les compagnons de ses combats, de ses victoires, ni sur les gens d'un pays subjugué qui ne sont pas opposés à lui, ni sur la postérité de ceux mêmes qui se sont opposés à lui et lui ont fait actuellement la guerre. Ils doivent tous être exempts de toute sorte de sujétion, au regard de ce conquérant; et si leur gouvernement précédent est dissous, ils sont en droit, et doivent avoir la liberté d'en former et d'en ériger un autre, comme ils jugeront à propos[9].

Parce que la Nouvelle-France avait été conquise en 1760, c'est au Québec plus qu'ailleurs que s'imposait l'exigence du consentement populaire explicite pour que les institutions politiques respectent les principes de la philosophie libérale de John Locke. Depuis lors, aucun régime constitutionnel n'a satisfait à une telle exigence dans l'histoire du Canada. La réforme de 1982 a remarquablement empiré la situation en s'en prenant au Québec dans ce qu'il avait de plus cher, son autonomie dans le domaine de l'éducation et de la langue. L'esprit qui a présidé à la réforme de 1982, c'est donc selon moi celui d'une conquête du peuple québécois par le biais d'une réduction considérable des pouvoirs de l'Assemblée nationale. Si beaucoup de personnes et diverses organisations politiques ont donné leur assentiment à une telle opération, nul n'en est davantage responsable que le premier ministre fédéral d'alors, monsieur Pierre Elliott Trudeau. Les interventions publiques de ce dernier dans le débat sur l'accord du lac Meech nous aident à comprendre le sens de ses actions.

Pour Pierre Elliott Trudeau, les Québécois ne constituent pas un peuple, une nation, une communauté politique autonome. S'il est prêt à accepter le principe de l'existence d'une société distincte au Québec, monsieur Trudeau ne lui accorde qu'une signification purement cosmétique. Une telle reconnaissance, comme Christian Dufour l'a démontré dans ses analyses, ne doit pas se traduire par de véritables effets sur le fonctionnement du fédéralisme canadien et sur le partage des pouvoirs[10]. L'esprit de 1982, pour monsieur Trudeau, c'était celui de l'unification des citoyens de toutes les provinces en une grande nation canadienne nourrie par la promotion de valeurs communes à travers la Charte des droits et libertés. Je trouve les déclarations de monsieur Trudeau à ce sujet — entre 1987 et 1990, il faut bien s'entendre — d'une extraordinaire limpidité.

Il s'opposa à l'entente Meech parce qu'il y voyait l'affaiblissement du rêve d'un «Canada unique, bilingue et multiculturel..., un Canada où tous seraient sur un pied d'égalité et où la citoyenneté reposerait enfin sur un ensemble de valeurs communes[11].» La réforme de 1982 visait à promouvoir le développement d'un esprit national canadien: «il doit y avoir vis-à-vis son pays, sa nation, son peuple, une loyauté plus grande que la somme des loyautés vis-à-vis les provinces[12]». Tout citoyen du Québec devrait relire minutieusement ce passage dans le contexte de crise où nous nous trouvons en 1991-1992. Pour monsieur Trudeau les Québécois habitent la province de Québec, alors que le Canada représente non seulement leur pays mais aussi leur nation, alors que le seul peuple dont il s'agit c'est le peuple canadien. Selon cette logique, il serait normal que monsieur Trudeau restât insensible à mes remarques précédentes sur l'illégitimité de la réforme de 1982, fondées sur la théorie politique de Locke. Pour que mon analyse soit correcte, il faut d'abord qu'il y ait un peuple, une communauté politique en bonne et due forme au Québec, pour que la réduction du pouvoir législatif délégué par ce peuple à ses représentants à l'Assemblée nationale recèle toute l'importance que j'ai évoquée. Ce problème ne se pose pas pour monsieur Trudeau, pour deux raisons: d'une part, il ne semble pas y avoir de peuple pour lui au Québec; par ailleurs, comme j'en ferai bientôt l'hypothèse, il avait renoncé à certains des paramètres fondamentaux du fédéralisme.

Le Pierre Elliott Trudeau qui s'est vaillamment battu pour faire entériner la réforme de 1982 doit être comparé à la figure du législateur dans *Le contrat social* de Jean-Jacques Rousseau. Dans le langage même de Trudeau, la démarche de 1982 visait à «constitutionnaliser les Canadiens[13]». Que faut-il voir derrière une telle entreprise? J'y devine ce que Clarkson et McCall appellent l'obsession magnifique de Trudeau, que je voudrais comparer à l'ambition grandiose du législateur de Rousseau. Selon ce dernier, le législateur qui veut fonder une nation, qui entreprend de constituer un peuple, doit se sentir capable de changer la nature humaine, de transformer les individus dans leur être même[14]. Je crois que Trudeau ambitionnait de faire une telle chose en 1981-1982. La Charte des droits et libertés visait à modifier l'identité et la culture politique des citoyens de toutes les provinces canadiennes. Trudeau a voulu être le Lycurgue ou le Solon du Canada.

La tâche du législateur est colossale chez Rousseau. Car pour fonder une nation, il faut avoir la force de s'en prendre à certaines dimensions de leur identité auxquelles des citoyens ne renonceront pas facilement. Il ne faut pas craindre d'avoir à affaiblir la structure des êtres humains. Au fond, c'est cela aussi le véritable esprit de 1982. Pour fonder sa grande nation canadienne, Trudeau s'en est pris à la dimension collective de l'identité des Québécois. La réforme de 1982, et notamment la Charte des droits et libertés, avaient pour objectif fondamental l'affaiblissement du sentiment d'appartenance nationale et communautaire des Québécois. Clarkson et McCall écrivent qu'en 1981-1982 les vainqueurs ont été Trudeau et sa vision fédéraliste[15]. Ils n'ont que partiellement raison. Les vrais vainqueurs ont été Trudeau et sa vision nationaliste du Canada.

Le fédéralisme se fonde sur une reconnaissance en la nécessité du partage de la souveraineté. Des sociétés civiles et des États s'allient entre eux sans renoncer à leur autonomie. Ces sociétés se doteront de gouvernements qui viendront se partager cette souveraineté multiple. Pour croire au fédéralisme, en accord avec la pensée du philosophe allemand Leibniz, il faut reconnaître que la divisibilité de la souveraineté ne met pas en péril la stabilité d'un régime politique[16]. Le gouvernement de la fédération canadienne — le gouvernement national, à supposer que l'on puisse employer cette expression — est formé par le regroupement de l'État central et des gouvernements de toutes les provinces. Comme Jean-Charles Bonenfant le rappelait il y a plus de vingt-cinq ans, en reprenant une formule de la Commission Tremblay, le véritable fédéralisme est un «régime d'association entre États dans lequel l'exercice de la puissance étatique se partage entre deux ordres de gouvernement, coordonnés mais non subordonnés entre eux, chacun jouissant du pouvoir suprême dans la sphère d'activité que lui assigne la constitution[17]».

Le fédéralisme a occupé une place importante dans la vie et la pensée politiques de Pierre Elliott Trudeau. Sauf qu'un examen de ses actions et de ses écrits dans les années quatre-vingt m'amène à voir en lui un souverainiste bien plus qu'un fédéraliste. Au soir de sa carrière, monsieur Trudeau rêvait d'établir une fois pour toutes la souveraineté de la nation canadienne et celle du gouvernement fédéral. Dans l'aventure du lac Meech, il se demanda souvent «comment peut-on rendre un pays plus fort en affaiblissant le seul gouvernement capable d'exprimer le point de vue de tous les Canadiens[18]?» Nul mieux que le ministre québécois Claude Ryan n'a compris cette dimension de la pensée de Pierre Trudeau, nul ne devrait deviner aussi bien que monsieur Ryan les dangers que cette pensée fait courir au Québec:

> M. Trudeau a fait fortune au plan politique en se posant en adversaire du nationalisme. Mais en réalité, ce qui l'horripilait, c'était le nationalisme québécois... Tout au long de sa carrière politique, M. Trudeau a été habité, voire hanté, par le souci de défendre et d'affirmer la prépondérance du pouvoir fédéral. Vers la fin de son mandat, il appelait de plus en plus ce gouvernement «le gouvernement national». Il n'y avait de valeurs nationales importantes à ses yeux que les valeurs identifiées au gouvernement fédéral[19].

Dans l'univers de la théorie politique, l'esprit de 1982 est à des lieues du libéralisme de Locke et du fédéralisme de Leibniz. Je vois plutôt dans cette réforme et dans la pensée de monsieur Trudeau la marque du philosophe absolutiste anglais du dix-septième siècle, Thomas Hobbes. Trudeau et Hobbes se rejoignent autour de l'obsession de la souveraineté. Selon le penseur anglais, l'autorité souveraine devait être omnipuissante et régner sans partage. Penser que la souveraineté pouvait être partagée, cela relevait pour lui du domaine de la sédition. Hobbes n'en connaissait pas de plus pernicieuse pour l'État[20]. Diviser le pouvoir étatique, cela correspondait à le menacer de dissolution. En définitive, toute souveraineté digne de ce nom est indivisible.

Trudeau n'est jamais devenu un absolutiste à la Hobbes. Pourtant, il y avait quelque chose de profondément hobbésien dans sa lutte pour imposer aux institutions politiques canadiennes la souveraineté de sa vision fondée sur l'ambition de créer une grande nation homogène à partir d'un gouvernement «national» fort. S'il s'opposa avec tant de virulence à l'accord du lac Meech, c'est que cette entente redonnait une certaine place dans l'ordre constitutionnel et symbolique canadien à la vision dualiste de gens comme André Laurendeau, Claude Ryan et Arthur Tremblay, qui se sont définis à la fois comme des nationalistes québécois et des fédéralistes. Selon Trudeau, il y a quelque chose de séditieux dans cette vision. Elle débouche nécessairement sur la division, sur l'affaiblissement du Canada. Que se serait-il passé si l'accord du lac Meech avait été entériné?

> Le Canada sera désormais gouverné par deux constitutions, l'une qui sera interprétée à l'avantage du Canada et l'autre qui sera interprétée de façon à préserver et promouvoir la société distincte du Québec, deux constitutions, deux chartes, deux systèmes de valeur et peut-être même deux Canada, ou plutôt, un Canada et quelque chose d'autre[21].

L'esprit du fédéralisme canadien, celui de 1867, me semble avoir été différent de cette quête éperdue de souveraineté, de cette tentative pour imposer la suprématie d'une vision. Faire l'éloge de l'esprit de 1867, c'est faire celui de l'ambiguïté, du caractère productif des malentendus qui sont objectivés dans des textes restés vagues par nécessité. Il n'aurait pas été possible de réconcilier autrement les aspirations centrifuges du Bas-Canada, les ambitions unitaires de John A. MacDonald, ou encore les désirs de George Brown qui voyait dans la nouvelle fédération rien de moins que les germes de l'extinction du Canada français!

L'ambiguïté sans laquelle la fédération canadienne n'aurait jamais vu le jour a été abandonnée en 1982. L'esprit de 1982 est celui d'une constitution claire et franche, où il n'y a de place que pour les obsessions nationalistes et souverainistes de monsieur Trudeau. Le Québec a eu besoin de la saga du lac Meech pour en comprendre tous les tenants et aboutissants. La Commission Bélanger-Campeau vient de dresser le bilan québécois de la réforme de 1982.

LA RÉFORME DE 1982 À LA LUMIÈRE DES TRAVAUX DE LA COMMISSION BÉLANGER-CAMPEAU

Les Québécois, pour une bonne part d'entre eux, auront pris presque dix ans pour comprendre le véritable sens du projet constitutionnel de Pierre Elliott Trudeau. La saga de l'accord du lac Meech aura largement contribué à éveiller leur conscience collective à cet égard. Au moment où le Québec s'apprête à commémorer le bicentenaire de sa tradition parlementaire, il est heureux que l'Assemblée nationale, par l'entremise d'une Commission élargie sur notre avenir politique et constitutionnel, ait également servi de théâtre à cet effort de réflexion. Le choix de l'Assemblée nationale comme lieu privilégié de cette réflexion s'imposait d'autant plus que les pouvoirs législatifs du Québec avaient été la cible immédiate de la réforme de 1982. Avant de considérer le rapport de la Commission Bélanger-Campeau, je voudrais rappeler que nombre d'experts sont venus défiler devant la Commission pour y faire des analyses de l'échec de l'entente Meech et de notre situation politique assez proches de mon interprétation quant à l'esprit de 1982.

Je commencerai par rappeler que les principaux experts anglophones qui ont répondu à l'invitation de la Commission ont fourni une interprétation des événements assez semblable à celle de leurs collègues francophones. Thomas Courchene a d'abord affirmé qu'un projet d'accord reconnaissant le Québec à titre de société distincte, avait été rejeté par les partisans d'un document qui représente désormais le caractère distinctif du Canada anglais, à savoir la Charte des droits et libertés. Gordon Robertson a ensuite souligné que l'on ne pouvait s'attendre à ce que le Québec appose sa signature aux documents constitutionnels de 1982. Il insista sur l'existence d'un vide immense dans une loi fondamentale canadienne ne procurant aucune garantie de protection à la population francophone du Québec en Amérique du Nord. Cela lui apparaissait d'autant plus inacceptable que la Charte ne se contente pas d'enchâsser des droits individuels. Elle entérine aussi le principe des droits collectifs pour les peuples autochtones et pour les minorités de langues officielles. Toutefois, selon Robertson, «la Charte ne reconnaît pas que la collectivité canadienne-française du Québec, qui forme une société distincte et organisée à l'intérieur du Canada, puisse légitimement revendiquer la reconnaissance de ce statut, de même que certains moyens de protéger les valeurs qu'elle juge fondamentales et dont l'intégrité est menacée du fait que ce peuple de six millions de francophones constitue une petite minorité dans l'ensemble de l'Amérique du Nord[22]».

Le mémoire de monsieur Robertson aide les Québécois à voir que l'esprit de 1982 n'est pas celui d'un libéralisme pur et dur, intransigeant quant à la valeur absolue des droits individuels, répugnant par principe à reconnaître l'existence de droits collectifs. Cet esprit est d'abord et avant tout celui du nationalisme canadien, répugnant à ce que les Québécois, les francophones comme les autres, aient des droits collectifs différents de ceux des autres citoyens Canadiens. Rappelons-nous le credo de Trudeau: l'épanouissement d'un esprit national canadien repose sur l'existence de valeurs communes, homogènes. Dans son mémoire à la Commission Bélanger-Campeau, Charles Taylor a écrit que le 23 juin 1990, lorsque l'accord du lac Meech fut définitivement enterré, la constitution de 1867 était morte moralement au Québec. L'échec de Meech rendait tout simplement caduque l'ancienne constitution chez nous. J'apporterais la nuance suivante à l'affirmation de monsieur Taylor. Nombre de Québécois n'ont réalisé que le 23 juin 1990 que l'esprit de la constitution fédérale de 1867 avait été proprement enterré par la réforme mise de l'avant par Pierre Trudeau et ses associés en 1982. J'apporte donc mon appui à l'interprétation mise de l'avant par Pierre Fortin:

> «La souveraineté n'est pas soudainement devenue en elle-même plus attrayante pour eux. Ce sont plutôt les termes de l'alternative qui ont changé. Nos concitoyens se sont simplement rendu compte depuis un an qu'on veut leur imposer une constitution qui refuse au Québec les moyens même les plus modestes de protéger son environnement culturel. La Charte canadienne ne donne pas cette assurance et, dans la situation présente, c'est elle qui doit prédominer.

> La signification du rejet de Meech a au moins le mérite d'être claire: aux yeux de deux Canadiens sur trois à l'extérieur du Québec, la protection et la promotion de la société française d'ici ne sont conciliables ni avec l'esprit ni avec la lettre de la Charte canadienne des droits et libertés. Dans une telle optique, cette société originale et fragile en Amérique anglophone n'a légitimité que comme collection de personnes dont les droits individuels sont protégés par la charte, sans plus[23].»

La saga du lac Meech a fait ressortir ce qu'il y avait de vraiment terrible, de profondément inacceptable, dans l'esprit de 1982: le désir de briser l'épine dorsale de la collectivité québécoise au bénéfice d'une vision de la nation canadienne. Plusieurs experts ont réitéré devant la Commission Bélanger-Campeau que les Québécois se perçoivent comme une nation et une communauté politique originale, que leur milieu de vie était celui d'une société globale spécifique; or ces experts, après avoir signalé l'existence d'une logique de nivellement et d'homogénéisation dans les institutions associées à la réforme de 1982, ont conclu qu'il allait être extrêmement difficile de faire accepter la spécificité du Québec dans la constitution canadienne[24].

S'il vaut la peine de s'arrêter à ces divers avis d'experts, c'est qu'ils ont exercé d'après moi une grande influence sur le rapport final de la Commission Bélanger-Campeau. Dans son rapport, la Commission va jusqu'à parler d'une impasse fondée sur le choc des visions, des aspirations et des identités nationales entre le Québec et le Canada[25]. Les signataires du rapport, les Bouchard, Bourassa, Parizeau et Ryan, partagent la même lecture des événements de 1982:

> La Loi de 1982 a ainsi introduit dans l'ordre politique et constitutionnel du régime fédéral certaines modifications fondamentales qui ont réduit les compétences et affecté les intérêts essentiels du Québec, sans que son Assemblée nationale y consente et malgré son opposition. Cette Loi de 1982 a reflété avant toute chose les préoccupations et priorités nationales du gouvernement fédéral et celles des provinces autres que le Québec. Loin de réviser la Loi constitutionnelle de 1867, la Loi de 1982 renferme une nouvelle définition constitutionnelle du Canada qui a modifié l'esprit de 1867 et le compromis alors établi. Si, sur le plan strictement juridique, la Loi de 1982 est toujours applicable au Québec, elle est dépourvue de légitimité politique faute d'avoir jamais reçu la pleine et libre adhésion du Québec[26].

Au moment où j'écris ces lignes, en septembre 1991, le gouvernement fédéral s'apprête à dévoiler de nouvelles initiatives en matière constitutionnelle. Ce projet sera étudié partout au Canada avant d'être reformulé en offre globale le printemps prochain. Le rapport de la Commission Bélanger-Campeau et la Loi 150 qui en a découlé ont imposé un échéancier très strict à ces pourparlers. Si les offres de renouvellement du fédéralisme sont jugées insatisfaisantes, il y aura un référendum sur la souveraineté au Québec au plus tard à la fin d'octobre 1992. Osons une prédiction: le gouvernement Bourassa ne pourra pas contourner le référendum sur la souveraineté, car le gouvernement fédéral, prisonnier de l'esprit de 1982 et des obsessions de Pierre Elliott Trudeau, n'ira pas plus loin que le rafistolage et le replatrâge dans ses propositions.

CONCLUSION

On a mis beaucoup de temps au Québec avant de vraiment comprendre ce qui s'était passé en 1982. Pendant plusieurs années, Léon Dion avait raison de le rappeler, ceux qui niaient la légitimité de l'État canadien furent en quelque sorte condamnés à la quasi-impuissance. Au lendemain du référendum de 1980, après vingt ans de secousses multiples, les Québécois paraissaient assoiffés de paix politico-constitutionnelle. Alors que tout le Canada était en pleine récession économique, les Québécois n'ont en effet pas pris la rue pour protester contre la *Loi constitutionnelle* de 1982. Sauf que cette passivité populaire ne procure pas nécessairement de la légitimité à toute l'affaire. Les événements récents en U.R.S.S. et en Yougoslavie nous ont fourni de nombreux exemples de situations où des peuples plient un certain temps l'échine avant de se rebeller contre des régimes et des lois injustes.

Il y a bien sûr plusieurs degrés dans l'oppression et dans l'injustice. Le Québec n'est pas la Lituanie ou la Croatie. On aurait toutefois tort de croire que, dans les rapports entre les peuples, l'injustice ne soit possible que dans les régimes totalitaires et que par la voie des armes. L'esprit de 1982 se ramène à celui d'une constitution illégitime mais aussi injuste car elle demande aux Québécois de renoncer à leur identité nationale, d'être des Canadiens vivant au Québec et rien d'autre. Un véritable partenariat entre le Québec et le Canada ne saurait être construit sur de telles bases. Pour faire comprendre cela aux Canadiens, je crois que les Québécois n'auront pas d'autre choix que de voter majoritairement en faveur de la souveraineté. Le plus tôt sera le mieux.

NOTES

1. Léon Dion, «Nos institutions: considérations liminaires», dans Vincent Lemieux, (dir.), *Les institutions québécoises, leur rôle, leur avenir*, Québec, Les Presses de l'Université Laval, 1990, p. 19.
2. Léon Dion, «Pour sortir de l'impasse constitutionnelle», dans *Les avis des spécialistes invités à répondre aux huit questions posées par la Commission*, Document de travail (numéro 4) de la Commission sur l'avenir politique et constitutionnel du Québec, Québec, Éditeur officiel du Québec, 1991, p. 274.
3. Alan Cairns, *Disruptions: Constitutional Struggles, from the Charter to Meech Lake*, Toronto, McClelland & Stewart, 1991, p. 166.
4. *Ibid.*, p. 251.
5. *Ibid.*, p. 83.
6. John Locke, *Traité du gouvernement civil*, Paris, Flammarion, 1984, paragraphe 134, p. 279.
7. Donald Smiley, «A Dangerous Deed: the Constitution Act, 1982», dans Keith Banting et Richard Simeon, *And No One Cheered: Federalism, Democracy & the Constitution Act*, Toronto, Methuen, 1983, p. 78.
8. Locke, *op.cit.*, paragraphe 209, p. 339.
9. *Ibid.*, paragraphe 185, p. 323-324.
10. Christian Dufour, *Le défi québécois*, Montréal, L'Hexagone, 1989, p. 158.
11. Pierre Elliott Trudeau, «Comme gâchis total, il serait difficile d'imaginer mieux», dans Donald Johnston et Pierre Elliott Trudeau, *Lac Meech Trudeau parle*, textes réunis et présentés par Donald Johnston, Montréal, Hurtubise HMH, 1989, p. 20-21.
12. Pierre Elliott Trudeau, «Il doit y avoir un sens d'appartenance», dans Johnston et Trudeau, *op.cit.*, p. 35.
13. Pierre Elliott Trudeau, «Nous, le peuple du Canada», dans Johnston et Trudeau, *op.cit.*, p. 104-105.

14. Jean-Jacques Rousseau, *Du contrat social*, Paris, Flammarion, 1968, Livre II, chapitre 6, p. 72.

15. Stephen Clarkson et Christina McCall, *Trudeau. L'Homme, l'utopie, l'histoire*, Montréal, Boréal, 1990, p. 351.

16. Voir C.J. Friedrich, «Philosophical Reflections of Leibniz on Law, Politics and the State», dans Harry G. Frankfurt, (dir.), *Leibniz, A Collection of Critical Essays*, Notre-Dame et Londres, University of Notre Dame Press, 1976, p. 62.

17. Jean-Charles Bonenfant, «L'Esprit de 1867», *Revue d'histoire de l'Amérique française*, XVII (1), 1963, p. 27-28.

18. Pierre Elliott Trudeau, «Nous, le peuple du Canada», dans Johnston et Trudeau, *op.cit.*, p. 104.

19. Claude Ryan, «L'accord du lac Meech permettra au Québec de faire des gains importants et incontestables», dans Gilles Lesage (dir.), *Le Québec et le lac Meech, un dossier du Devoir*, Montréal, Guérin Littérature, 1987, p. 350-351.

20. Thomas Hobbes, *Le citoyen ou les fondements de la politique*, Paris, Flammarion, 1982, Livre II, chapitre 12, p. 220.

21. Pierre Elliott Trudeau, «Nous, le peuple du Canada», dans Johnston et Trudeau, *op. cit.*, p. 109.

22. *Les avis des spécialistes invités à répondre aux huit questions posées par la Commission*, Document de travail (numéro 4) de la Commission sur l'avenir politique et constitutionnel du Québec, Québec, Éditeur officiel du Québec, 1991, p. 918. Les propos de Thomas Courchene sont rapportés aux pages 209-210, ceux de Charles Taylor à la page 967.

23. *Ibid.*, p. 341 et 348.

24. Voir notamment les mémoires de Louis Bernard (p.65-66), Simon Langlois (p.576), Luc Bureau (p.170), Patrice Garant (p.415-416) et Nicole Duplé (p.323), toujours dans le document de travail (numéro 4) de la Commission sur l'avenir politique et constitutionnel du Québec.

25. *L'avenir politique et constitutionnel du Québec*, Rapport de la Commission sur l'avenir politique et constitutionnel du Québec, Québec, Éditeur officiel du Québec, 1991, p. 43-44.

26. *Ibid.*, p. 34.

Le «dés»accord du Lac Meech et la construction de l'imaginaire symbolique des Québécois

Max Nemni

Max Nemni trouve une part d'irrationnel dans le processus actuel de désintégration du Canada. Il décompose dans ce chapitre les mythes et les symboles constitutifs du nationalisme québécois, qui sont devenus autant d'instruments idéologiques dans la saga du lac Meech. Après une analyse du contexte politique entre 1982 et 1986 l'auteur montre comment, grâce à une construction idéologique, l'accord du lac Meech a été perçu comme la fin de l'humiliation du Québec. Il soutient aussi que les demandes du Québec en 1986-1987 n'étaient pas aussi «traditionnelles» qu'elles le semblaient à première vue, qu'elles ont beaucoup varié avec le temps. L'épisode du lac Meech, selon Max Nemni, c'est l'esprit du tout ou rien et la logique de la manipulation. L'auteur conclut en rappelant qu'en 1987 les experts québécois étaient peu favorables à l'entente du lac Meech, alors que la population canadienne-anglaise y était plutôt favorable. Max Nemmi est professeur titulaire au département de science politique de l'Université Laval.

9

Le «dés»accord du Lac Meech et la construction de l'imaginaire symbolique des Québécois[1]

Max Nemni

Le Canada, c'est-à-dire l'espace géo-politique actuel incluant le Québec, risque de disparaître, ou de ne devenir qu'une coquille vide. Ce serait triste et surprenant car, dans l'ordre actuel des choses, le monde entier perçoit le Canada comme l'un des pays les plus riches, les moins violents, et les plus démocratiques. Ironiquement, c'est au moment où un peu partout de nouveaux et puissants liens se tissent entre nations que les Canadiens s'apprêtent à détruire ce que beaucoup d'autres leur envient. Ce qui étonne tout particulièrement c'est la fragilité de l'échafaudage rationnel sur lequel ce processus d'auto-destruction s'érige. Peu de raisons solides sont invoquées pour justifier les risques que les citoyens canadiens semblent prêts à prendre.

Dans son mémoire présenté en décembre 1990 à la Commission sur l'avenir politique et constitutionnel du Québec, mieux connue sous le nom de Commission Bélanger-Campeau, Vincent Lemieux suggère une explication. La situation vécue actuellement au Canada tient, dit-il,

> à une espèce de socio-drame en deux actes... Alors qu'en 1980 une majorité de Québécois ont dit non au parti qui leur proposait de rompre avec le Canada; en 1990, ce Canada a dit non au parti qui proposait pourtant que le Québec ne rompe pas avec le Canada... Il ne faut pas sous-estimer la puissance symbolique de ce geste d'ingratitude[2].

Suivant cette recommandation, notre analyse attribue une importance fondamentale à la dimension symbolique entourant tout ce processus. Elle explorera l'univers de l'imaginaire collectif qui sera effectivement traité en «socio-drame». Et afin d'identifier quelques points de repères dans ce vaste univers, nous commencerons par situer le problème dans son contexte.

L'épanouissement de six millions de personnes de culture française dans un océan anglophone se place, évidemment, au cœur de la réalité existentielle canadienne. Comme le disait Léon Dion, ardent défenseur du français:

Nous savons que le vrai danger de mort pour le français au Québec même ne vient pas des anglophones québécois, ni du Canada anglais mais d'abord et avant tout du continent nord-américain[3].

Reconnaître que la préservation du fait français exige une lutte acharnée et sans fin consiste à admettre une simple évidence. Mais on peut également voir dans cette grande fragilité du fait français un instrument idéologique potentiellement très puissant.

D'ailleurs, déjà en 1967, Gérard Bergeron, dans *Le Canada français après deux siècles de patience*, dépeignait le contexte canadien en termes de coexistence de «deux précarités»: d'une part l'union des Canadiens français avec le reste du Canada et, d'autre part, la coexistence du Canada et des Etats-Unis. Cette double fragilité était, disait-il, fortement accentuée par la permanence du fait «séparatiste» au Québec. Plus récemment, dans son mémoire à la Commission Bélanger-Campeau, Gérard Bergeron rappela à nouveau que «le Québec a toujours eu une vocation naturelle à l'indépendance[4]».

C'est dans cette perspective que sera abordée ici l'analyse du «dés»accord du lac Meech. Événement qui, à nos yeux, constitue un exemple frappant de l'exacerbation de cette «vocation» et de son utilisation à des fins politiques par le biais de la construction de mythes et de symboles.

Parmi ces symboles, celui de la nation occupe une place de choix. Rappelons que Platon avait déjà vu dans la nation un construit imaginaire de l'État. Il accordait, en effet, aux philosophes-rois la responsabilité d'utiliser l'appel au patriotisme, le «noble mensonge», pour rallier les citoyens autour de leurs dirigeants.

Plus près de nous, c'est ce qu'affirment aussi bien André Bélanger quand il écrit: «ultimately the nation is a political product[5]», que Jacques Zylberberg quand il écrit:

Les «nations», les «sociétés civiles» et autres concepts holistiques, flous et polysémiques sont trop souvent considérés comme des entités concrètes, alors qu'il s'agit de référents idéologiques de mobilisation[6].

C'est donc sous l'angle de la construction de référents idéologiques de mobilisation que nous scruterons l'épisode de Meech. Notamment, la puissance idéologique des perspectives «holistes[7]» sera mise en relief. Mais avant de nous lancer dans ce lac houleux, nous essaierons de mettre en relief quelques éléments importants de la construction de la nation au Canada.

LA CONSTRUCTION DE LA NATION AU CANADA

On l'a assez souligné, la difficulté de construire un esprit national constitue un trait distinctif du Canada. Tout aussi caractéristique est l'identification des Canadiens français — Québécois francophones dans le vocabulaire d'aujourd'hui — à une collectivité. On sait également que si l'Acte d'Amérique du Nord britannique a vu le jour en 1867, c'est parce que tant les francophones que les anglophones y voyaient un moyen de se détacher les uns des autres: l'acte de fondation du Canada était autant un acte de séparation qu'un acte d'union[8]. La dualité canadienne, depuis ses origines, repose d'une part sur un groupe dont la corde nationaliste vibre fortement et fréquemment et, d'autre part, sur le reste du Canada qui, tant bien que mal, tente de se construire un esprit national.

Mais si le nationalisme franco-canadien (à partir de maintenant «québécois») a toujours pesé lourd dans l'histoire du Canada, il n'a pas toujours pris les mêmes formes ni eu les mêmes effets. Par exemple, à ses débuts, le nationalisme au Québec était surtout fondé sur la langue, la religion, les valeurs traditionnelles, et le rejet du «matérialisme». Le nationalisme d'aujourd'hui accorde peu de place à la religion et il accepte les valeurs modernes et démocratiques. Quant aux valeurs dites «matérielles», les Québécois ne se distinguent guère des autres Canadiens dans leur engouement pour le monde des affaires. Il serait cependant hâtif de conclure que le seul trait distinctif durable du nationalisme québécois soit la langue. Comme le dit si bien Fernand Dumont, spécialiste de la culture québécoise:

> Depuis le XIXᵉ siècle, il n'y a pas que deux langues, le français et l'anglais, au Québec; y existent deux sociétés... La langue n'est qu'un des facteurs d'un affrontement où elle joue le rôle de symbole[9].

Au delà de la langue, d'autres «facteurs d'affrontement», qui d'un point de vue idéologique jouent un rôle clé, méritent notre attention. L'ouvrage de Louis Balthazar, *Bilan du nationalisme québécois*[10], nous aidera à les identifier.

Le trait évident du nationalisme québécois est, bien sûr, le sentiment d'appartenance à une collectivité réellement «distincte», distincte non seulement par certains traits qu'elle possède, mais distincte également par ce qui la sépare des «autres». Français et catholiques, conquis par des Anglais et des protestants, les Canadiens français ont toujours été sur la défensive. Pour protéger, au début leur religion, mais toujours leur langue, leur culture, leurs lois, leurs traditions, et surtout leur «spécificité», ils ont vite développé une attitude défensive. Comme le dit Balthazar:

Conscients d'être eux-mêmes minoritaires [les Canadiens français] s'étaient habitués à voir tout ce qui venait de l'extérieur (ou à peu près) comme une menace à leur intégrité nationale[11].

Récemment, un francophone québécois a bien exprimé ces sentiments dans une lettre à l'éditeur de la *Gazette*. Parlant de lui et de la collectivité dans un même souffle, il affirmait:

> We are a conquered people,... Inside each of us is someone who is afraid, afraid of losing his language and his culture, afraid of becoming a folkloric icon, afraid of oblivion[12].

Le souvenir de la conquête, comme l'ont confirmé tant de spécialistes, constitue, indéniablement, un aspect fondamental du nationalisme québécois. Dans son avis du 13 mai 1987 à la Commission des institutions du gouvernement québécois, Fernand Dumont, se référant à la «conquête», exprimait le même sentiment: «peuple colonisé et minoritaire, nous n'avons pas cessé de nous inquiéter de cette référence[13].» De cette inquiétude, tout autant que de la fragilité du français en Amérique, émergent souvent à la fois le sentiment de menaces confrontant la «dignité» de la collectivité et la crainte de toute forme «d'humiliation».

Il importe cependant de souligner que le souvenir de la conquête est bien plus un construit idéologique que la conséquence manifeste de l'événement historique lui-même. Comme le note Louis Balthazar, il s'agit même d'un construit bien récent:

> Plus tard, au 20e siècle,... la Conquête deviendra une sorte de péché originel, le traumatisme par excellence. Encore aujourd'hui, on peut dire que les Québécois sont toujours conscients d'être un peuple conquis. La blessure n'est pas guérie[14].

Les mots «plus tard, au 20e siècle» ainsi que la forme future du verbe «devenir» méritent d'être soulignés. La blessure ne date pas de la conquête mais plutôt de la mise en place dans l'imaginaire collectif des Québécois du «souvenir» de l'événement. La construction de ce souvenir s'est d'ailleurs manifestée bien concrètement lorsque, il y a quelques années, le gouvernement du Parti québécois remplaça le slogan bien fédéraliste «La belle province» par la devise très nationaliste «Je me souviens» sur les plaques d'immatriculation des véhicules motorisés. Un «souvenir vague d'un tort commis contre «nous» par les «autres» s'inscrivait ainsi dans la vie quotidienne des Québécois.

Rien ne favorise davantage le sentiment du «nous» que celui d'un «autre», présent et menaçant. C'est ainsi que naît l'image d'une entité concrète qu'on appelle le «Canada-anglais», ayant une volonté qui lui serait propre et les moyens de l'exprimer.

Cette vision holiste et dualiste des rapports sociaux peut avoir des effets pratiques déterminants. C'est ce qui permit, par exemple, à Robert Bourassa après l'échec de Meech de déclarer que le Québec ne négocierait plus qu'en tête à tête avec un seul interlocuteur. Bourassa savait très bien que les provinces pèsent lourd dans la fédération canadienne et qu'elles n'accepteraient jamais de laisser le gouvernement Mulroney parler pour elles. Ce geste ne peut s'expliquer que par son aspect symbolique et stratégique. Le premier ministre, qui venait d'essuyer un échec, visait à rallier les Québécois, à canaliser leur impatience et à définir la cible de leurs affrontements. Donner un visage à l'autre permet de se définir soi-même et, du même coup, permet de tracer les frontières qui définissent les camps en lutte.

Trois traits demeurent donc très puissants dans l'imaginaire collectif des Québécois francophones: le sentiment d'un «nous» bien défini, le souvenir de «l'humiliation» de la conquête et, enfin, la vision holiste et dualiste des forces sociales en présence au Canada: le Québec et le «Canada anglais». Ces trois traits de l'imaginaire symbolique des Québécois constituent une source puissante, et facilement regénérée, de symboles idéologiques favorisant la mobilisation politique. C'est à cette source que s'alimentait le «lac Meech». Mais, pour mieux le voir, nous situerons d'abord le contexte en amont.

LE CONTEXTE AVANT MEECH

Un climat inhabituel prévalait au Québec avant Meech. Pour quelques années, à peu près entre 1982 et 1986, le nationalisme ne semblait plus peser lourd dans l'imaginaire québécois. Il semblait mort, ou tout au moins profondément assoupi. C'est cette accalmie qui poussa Louis Balthazar à se pencher sur la question:

> La période présente, alors que les grandes clameurs nationalistes se sont tues, paraît être, plus qu'aucune autre, propice à la réflexion sur un phénomène qui a occupé une si grande place dans notre vie collective, pour le meilleur et pour le pire[15].

D'ailleurs, les mouvements et les partis politiques qui inscrivaient encore sur leurs bannières la lutte contre «l'oppression nationale», tel par exemple Le Mouvement Socialiste, avaient du mal à survivre. Les étudiants des universités et collèges n'en parlaient presque plus. Ils étaient bien plus intéressés à s'initier à l'art de «l'entrepreneurship» et aux mécanismes de la bourse qu'à changer le monde, ou à libérer le Québec du joug de «l'oppresseur». Le radicalisme des jeunes semblait évanoui, et nombreux furent les chercheurs, dont Jean Crête et Raymond Hudon, qui se penchèrent sur les problèmes des générations et du militantisme des jeunes[16].

Ainsi, Louis Balthazar, éminent spécialiste du nationalisme dans l'histoire du Québec, s'interdisait toute prédiction trop affirmative quant à son réveil éventuel. Avec beaucoup de précaution il se contentait de dire que «la résurgence du nationalisme au Québec est toujours possible[17]».

Toute une série d'événements avaient, en effet, contribué alors à la «déconstruction» du nationalisme. Rappelons brièvement les grandes lignes de ce processus.

Avant Meech, 1980 représente certainement l'apex de la fièvre nationaliste des quelques dernières décennies puisque c'est au référendum sur la «souveraineté-association» que s'est jouée la «question nationale». La victoire du «non» marque alors le premier de trois grands moments du processus de déconstruction du nationalisme.

Le rapatriement de la constitution, en 1982, en représente le deuxième. En effet, pour la première fois de son histoire, le Canada se donnait la possibilité de devenir un pays «normal» pouvant enfin amender sa constitution sans demander l'autorisation à sa métropole. De plus, par l'adoption d'une Charte des droits de la personne, le Canada se donnait un nouvel instrument de construction d'un esprit national. D'ailleurs, si l'on se fie aux sondages ainsi qu'à l'appui massif des députés francophones d'Ottawa, partout au Canada, y compris au Québec, le rapatriement de la constitution ainsi que la Charte des droits étaient dans l'ensemble bien accueillis.

Cependant, un voile se dessinait déjà à l'horizon. Le Parti québécois, alors au pouvoir, avait refusé de donner son appui au rapatriement de la constitution. Le 5 novembre 1981, un accord étant survenu entre tous les autres participants, le Québec se trouva ainsi isolé. C'est à ce moment, baptisé bien plus tard la «nuit des longs couteaux», que fut semée la graine du renouveau du nationalisme, graine qui germa avec une force inattendue quelques années plus tard.

En 1985 survint le troisième moment du déclin du nationalisme québécois. En effet, le 2 décembre 1985 le P.Q. subit une défaite électorale cinglante aux mains du Parti libéral dirigé par Bourassa. Dans un climat marqué par le désenchantement envers les grands projets de société, les libéraux de Bourassa se présentèrent comme des réconciliateurs, tendirent la main aux anglophones et leur promirent d'amoindrir les effets de la loi 101. L'esprit de conciliation prenait le pas sur les grands projets de société et sur la promotion d'un Québec indépendant.

Mais la chancelante flamme nationaliste commençait déjà à se ranimer. D'abord, comme il a été noté plus haut, par l'isolement du

Québec en 1982 mais, aussi, et surtout, par l'élection du gouvernement conservateur de Mulroney en 1984 et l'alliance de ce parti avec des forces souverainistes. En effet, l'appui du Québec étant absolument essentiel à la victoire des conservateurs, ils n'hésitèrent pas à s'allier à ceux qui, jusqu'à tout récemment, luttaient pour la sécession du Québec. Le Parti conservateur commença alors à exploiter le désenchantement de l'électorat québécois face au Parti libéral fédéral qui n'était plus dirigé par Trudeau. C'est là qu'on commença à attiser l'étincelle nationaliste qui brillait encore dans le brasier.

L'ère Trudeau, qui visait à l'épanouissement du français et de l'anglais à travers le pays, était terminée. À sa place pointait à l'horizon une nouvelle forme de fédéralisme. Une restructuration significative de la division des pouvoirs entre les deux niveaux de gouvernement semblait à l'ordre du jour. La présence de «souverainistes» aux points névralgiques du gouvernement conservateur a eu, forcément, une influence déterminante sur la politique «nationale» du parti. Ainsi, l'isolement du Québec en 1982 offrait au Parti conservateur, et à ses partisans souverainistes, une carte en or qu'ils allaient s'empresser de jouer au moment de Meech.

Il est important de souligner que Meech n'a pas été le seul instrument de construction de mythes et de symboles des années 80. La loi 178 sur l'affichage bilingue, adoptée en décembre 1988, explique au moins autant le réveil du nationalisme québécois et son pendant à travers tout le Canada: la lassitude vis-à-vis de la «question du Québec». En revenant sur sa promesse d'assouplir la loi 101, le gouvernement Bourassa provoqua une crise entre les francophones et les anglophones québécois. Née au sein même du cabinet, avec la démission de plusieurs ministres anglophones, cette crise s'étala à l'ensemble du Québec et du Canada. Sur la scène québécoise, une fois de plus, deux camps s'affrontaient.

D'un côté étaient rassemblés ceux qui se sentaient dépourvus de leurs droits, et notamment de leur liberté d'expression, en vertu de la Charte. D'un autre côté se trouvaient ceux qui voulaient protéger l'épanouissement de la collectivité française. Profondément blessés d'avoir à «cacher l'anglais», les anglo-québécois se sentaient abandonnés par le seul parti auquel ils pouvaient s'identifier. Conséquemment, la place qu'ils avaient brièvement partagée avec les francophones sur la scène politique québécoise s'était évaporée.

Les francophones, par contre, avaient trouvé dans cet événement un moyen d'alimenter l'élan nationaliste. «Ne touchez pas à la loi 101» devint un cri de ralliement très efficace qui permit, comme aux bons vieux jours de la montée du P.Q., l'organisation de grandes manifestations populaires. Les fleurdelisés réapparurent un peu partout y compris sur la tour du Mont-Royal. On commençait ainsi à réquisitionner les symboles nationalistes d'une nouvelle ronde d'affrontements.

C'est dans ce contexte que Meech vit le jour.

MEECH ET LA FIN DE «L'HUMILIATION» DU QUÉBEC:

> Above all, we must never forget that in 1982, Quebec was left alone, isolated and humiliated[18].

Cette image, utilisée par le gouvernement Mulroney tout au long de l'épisode Meech, mais avec une intensité croissante à l'approche de juin 1990, moment ultime où l'accord devait entrer en vigueur, illustre bien la dimension idéologique de tout le processus. Il fallait, disait-on, ramener le Québec dans le giron constitutionnel canadien «dans l'honneur et l'enthousiasme». Ce slogan à double message laissait entendre, d'une part, que le Québec avait été volontairement exclu de quelque chose d'important et, d'autre part, que l'honneur du Québec était en jeu. C'est sur cette toile de fond qu'on tissa toute une série de symboles mettant en relief la profondeur de «l'humiliation» du Québec ainsi que la nécessité pour le reste du Canada de faire amende honorable à son exclusion.

Cette idée de l'exclusion du Québec, symbole clé de tout le processus, était fondée sur deux éléments, eux-mêmes fortement teintés de symbolisme: premièrement, la promesse solennelle, mais, disait-on, vite oubliée, de Trudeau lors de la campagne référendaire de 1980 et, deuxièmement, l'isolement du Québec lors des négociations des dernières heures durant la «nuit des longs couteaux» en novembre 1981. Conformément à la logique idéologique, l'effet mobilisateur de ces deux symboles était d'autant plus efficace que ceux-ci partaient de faits empiriques réels quoique reconstruits pour les besoins de la cause. En effet, comme le dit si bien Baechler, l'idéologie ne construit pas ses messages en partant de zéro mais «se cantonne dans le parasitage des propositions non idéologiques[19].» Au lieu de miser sur un mensonge inventé de toutes pièces, le discours idéologique part d'un fait réel mais le reconstruit, le «parasite», en fonction des besoins immédiats de la cause. Pour mieux cerner le contenu idéologique de la démarche de Mulroney, il faut donc revenir aux faits eux-mêmes avant leur «parasitage».

Dans une entrevue accordée à *La Presse* le 15 juin 1988, le sénateur Lowell Murray, porte-parole du gouvernement dans le dossier constitutionnel, présentait l'acte d'accusation contre l'ex-premier ministre Trudeau:

La promesse solennelle faite aux Québécois pendant le référendum, que le fédéralisme serait renouvelé et que la Constitution serait modifiée afin de tenir compte du caractère distinct et des aspirations du Québec, n'avait malheureusement pas été tenue.

Accusation que reprit Mulroney très fréquemment et qu'il consacra officiellement dans son intervention aux Communes en octobre 1988. Et pour cause: il savait bien que plus les conservateurs noircissaient l'image de leurs adversaires, plus ils pouvaient construire leur image de «réconciliateurs[20]». Cette opération était d'autant plus réalisable que l'idée d'une promesse non-respectée de Trudeau imprégnait fortement le monde des média québécois. En effet, le vent nationaliste aidant, l'ex-premier ministre du Canada, qui tout du long de sa vie politique avait gagné l'appui massif des québécois mais non la sympathie des média, devenait maintenant une proie de choix. Il incarnait une conception vieillie d'un fédéralisme hyper-centralisé visant à «mettre le Québec à sa place». Les preuves ultimes qu'on invoquait à cet égard étaient la fameuse «promesse trahie» et l'isolement du Québec en cette fatidique «nuit des longs couteaux».

Si l'on ne se laissait pas aveugler par la dimension idéologique, on devrait être ahuri que Trudeau ait fait la promesse solennelle qu'on lui attribue. En effet, on sait qu'il a toujours lutté contre tout «statut spécial» et toute autre forme de dualisme au Canada. Pour lui la promotion du Québec, et du fait français, passaient par le bilinguisme et l'ouverture du Canada plutôt que par la reconnaissance de particularismes provinciaux. Voilà qu'on lui reprochait maintenant de n'avoir pas tenu la promesse de tenir compte du caractère «distinct» du Québec[21]. Pour le croire, il faut n'avoir lu aucun de ses écrits ni écouté aucun de ses discours, ou être dupe du discours idéologique. En fait, toute cette construction symbolique repose sur un très bref passage d'un discours prononcé à l'aréna Paul Sauvé, en pleine campagne référendaire. Voici cette «promesse»:

Je m'adresse solennellement aux autres Canadiens des autres provinces: nous mettons notre tête en jeu, nous du Québec, quand nous disons aux Québécois de voter non. Nous vous disons que nous n'acceptons pas qu'un non soit interprété par vous comme une indication que tout va très bien puis que tout peut rester comme c'était avant. Nous voulons des changements[22].

Comme on le voit, seuls sont promis «des changements». Tout ce que Trudeau affirmait explicitement était qu'un «non» ne voulait pas dire que «tout pouvait rester comme avant». Un «non» serait donc interprété comme un rejet de la «souveraineté-association» et non comme un appui au statu quo. Il est difficile de penser à une promesse plus anodine: tout au plus pourrait-on reprocher au premier ministre de n'avoir pas promis grand-chose! Ce discours dans un aréna, abusivement présenté comme une sorte d'énoncé de politique, ne faisait aucune allusion au caractère «distinct» ni aux aspirations du Québec, comme l'a prétendu Lowell Murray. De plus, le premier ministre s'adressait «aux autres Canadiens des autres provinces» et disait que «nous [Québécois] voulons des changements.» À qui s'adressait donc la promesse? Aux Québécois ou aux autres Canadiens?

Comme on le sait, le discours idéologique, représentation symbolique d'une certaine vision des faits, se construit et se reconstruit en fonction des forces en présence et des nécessités politiques de l'heure. Lorsque, au cours de l'épisode Meech, l'équipe Mulroney se référa à la «promesse» de Trudeau, cette invention s'inscrivait également dans l'imaginaire collectif des Québécois grâce à Claude Morin, négociateur en chef du gouvernement péquiste en novembre 1981, et à son livre au titre évocateur: *Lendemains piégés: du référendum à la nuit des longs couteaux*[23].

Nous reviendrons à ce dernier symbole. Contentons-nous, ici, de noter comment l'idéologie a pris le dessus en dénaturant les paroles de Trudeau. À propos de ces «promesses», l'échange entre Marcel Adam de *La Presse*, Claude Morin et le premier ministre est instructif. Sommé par Trudeau de lui montrer qu'il n'avait pas tenu parole, Adam ne trouva rien d'autre à dire que:

> J'entre ici dans l'ordre des intentions et je sais que c'est un peu odieux. Cependant, en choisissant d'être vague, M. Trudeau laissait le soin aux gens d'interpréter le sens de son engagement à ses risques et périls[24].

Il fallait, effectivement avoir recours à un procès d'intentions pour faire dire à quelques phrases anodines d'un politicien en pleine campagne référendaire ce que l'on veut leur faire dire. Là réside, justement, une des sources de la force du discours idéologique. Une fois mis sur scène, les symboles construits se confondent avec la réalité empirique et deviennent des pseudo-faits. Marcel Adam, devant réagir à la mise en demeure que lui adressait le premier ministre, a été forcé de reconnaître qu'il entrait dans «l'ordre des intentions». On peut se demander combien plus fort aurait été le mythe de la «promesse trahie» si cette interprétation n'avait pas été relevée et critiquée par Trudeau. Quoi qu'il en soit, le sénateur Murray et le premier ministre Mulroney n'hésitaient jamais à affirmer que Trudeau n'avait pas tenu ses «promesses». C'est ainsi qu'un des fondements de «l'humiliation» du Québec était posé: un des «siens» l'avait trompé.

Mais là n'est pas la seule cause de «l'humiliation» du Québec. En effet, «la nuit des longs couteaux», deuxième axe de la reconstruction récente du nationalisme québécois, est perçue comme une autre machination visant à isoler le Québec pour «le mettre à sa place». Là encore la construction du mythe part d'un substrat factuel. Retraçons donc, brièvement, la séquence des événements menant à cette nuit fatidique du 4 au 5 novembre 1981 afin de faire la part du mythe et de la réalité.

Jusqu'au matin du 4 novembre les négociations préalables au rapatriement de la constitution étaient dans l'impasse. Un bloc de huit provinces, au cœur desquelles se trouvait le Québec, formait un front commun qui semblait inébranlable dans son opposition au projet fédéral. Pour dénouer l'impasse, le gouvernement fédéral proposa un projet de référendum comme condition préalable à l'insertion, dans une constitution rapatriée, d'une charte des droits et libertés et d'une formule d'amendement. La délégation québécoise fut à ce point emballée par ce projet qu'elle abandonna sur le champ ses alliés. Il est difficile d'expliquer ce revirement total de la part de René Lévesque et de ses conseillers. D'un point de vue stratégique, le P.Q. pensait peut-être ainsi gagner du temps, ce qui lui aurait permis d'emporter le référendum. Telle était, en tout cas, la vision de Claude Charron qui affirmait:

> C'est la solution idéale pour nous. Nous repoussons la menace de deux ans et nous sommes sûrs de notre victoire au référendum[25].

Mais dans le contexte qui nous intéresse ici, les raisons qui expliquent l'abandon de ses alliés par le Québec importent moins que l'enthousiasme avec lequel il le fit. René Lévesque lui-même trouvait la proposition très intéressante et conforme «aux principes démocratiques» car, disait-il:

> Ca nous paraît une façon respectable et extraordinairement intéressante de sortir de cet imbroglio[26].

Lévesque n'était pas tout seul à trouver cette proposition «extraordinaire». Comme le rapportait alors Michel Vastel:

> À ce moment là, la délégation québécoise jubilait et, au risque de déplaire à ses partenaires du Front Commun, n'hésitait pas un instant à monter dans le train proposé par Ottawa[27].

Dans la reconstruction actuelle de «la nuit des longs couteaux», l'abandon spectaculaire de ses alliés par la délégation québécoise ainsi que l'euphorie du matin du 4 novembre sont soit complètement oubliés, soit vaguement évoqués, et en passant. Il est vrai que l'enthousiasme de la délégation québécoise ne dura que quelques heures. En fin de journée le ton avait complètement changé; rien n'allait plus et René Lévesque déclarait que, vue de près, la proposition n'était plus la même. Mais au lieu d'expliquer les deux revirements de la délégation québécoise, survenus coup sur coup en une demi-journée, René Lévesque s'est contenté d'affirmer que «c'est devenu tout à coup du vrai chinois[28].»

Ces revirements discréditaient le Québec aux yeux mêmes des experts Québécois. Toujours selon un reportage de Vastel, lui-même nettement pro-péquiste:

> Un haut fonctionnaire québécois devant qui on s'étonnait qu'il ne tente pas une dernière tentative de tenir les provinces ensemble, répondait désabusé «nous n'avons plus aucune crédibilité après ce qui s'est passé ce matin[29].

Cependant, ces revirements, presque totalement oubliés durant l'épisode Meech, eurent à l'époque des effets profonds et immédiats sur le cours des négociations. Le front des huit, qui avait fait ses preuves jusque là, s'écroula comme un château de cartes. L'alliance entre le Québec et les sept provinces s'était détériorée à un tel point que, comme le disait si bien *Le Devoir*, «en fin de journée le torchon brûlait entre Lévesque et ses anciens alliés.» Les représentants du Québec étaient mal pris et ne savaient plus quoi dire aux journalistes qui les interrogeaient avant leur départ pour leur hôtel à Hull. René Lévesque, habituellement si loquace mais cette fois à court de paroles, se contenta de dire: «La nuit porte conseil.»

Dans la nuit du 4 au 5 novembre 1981, les sept provinces abandonnées par le Québec se réunirent à Ottawa dans la chambre d'hôtel d'Alan Blakeney, premier ministre de la Saskatchewan. La réunion prit fin à 3h30 du matin et, à partir d'une proposition de Terre-Neuve, un accord fut conclu entre les sept provinces et Ottawa.

Dès le matin, apprenant ce qui s'était passé, René Lévesque accusa les sept provinces:

> I went to breakfast, and discovered that the seven had got together to tear up the agreement signed by everybody[30].

Les faits étaient ainsi complètement renversés. Selon Lévesque c'étaient les sept provinces qui avaient brisé l'accord qui les liait au Québec.

Voilà, en résumé, le déroulement de ce qui aboutit à la fameuse «nuit des longs couteaux». Une analyse non-idéologique de ces événements ne peut ignorer le fait que la délégation du Québec avait, pour le moins, contribué à son propre isolement. Mais les faits que nous venons de rappeler ne figurent pas généralement dans les écrits sur la question. En omettant les séquences, pourtant cruciales, de la journée du 4 novembre, et, en mettant en exergue l'accord intervenu la nuit du 4 au 5 entre les autres participants, on construit une image frappante de l'isolement et de l'exclusion du Québec.

La reconstruction de ces événements centrée sur l'image de l'abandon du Québec par les sept ne tarda pas à prendre forme. *Le Devoir*, reprenant l'interprétation de Lévesque, affirmait: «Il a suffi d'une nuit pour qu'une incroyable machination entre le gouvernement fédéral et les neuf provinces anglophones accule le Québec à l'isolement[31].» Alors qu'on parlait plus tôt du «torchon [qui] brûlait entre Lévesque et ses alliés», on parle dorénavant du Québec «acculé» à l'isolement par les neuf provinces anglophones. Le Québec, dans cette reconstruction symbolique, devient une fois de plus victime du «Canada anglais».

En mettant ainsi en relief la «machination» ourdie contre le Québec, une évaluation critique, voire neutre, de la stratégie de la délégation québécoise se voit du coup écartée. La possibilité d'une erreur stratégique, sinon d'un manque d'éthique, de la part de la délégation du Québec ne devient même plus envisageable. Le Québec a été bafoué: il faut se rallier. Le «noble mensonge» permet à la délégation du Québec de s'en tirer à bon compte.

C'est ainsi qu'autour de l'isolement très réel de la délégation du Québec germa le symbole de la «machination», image qui fut remplacée plus tard par le symbole encore plus puissant de «la nuit des longs couteaux». Ce symbole, tristement célèbre dans l'histoire, renvoie, comme on le sait sans doute, à l'assassinat, sous les ordres de Hitler, de certains de ses fidèles acolytes qui le dérangeaient[32]. La «nuit des longs couteaux» représente un des symboles les plus puissants et les plus odieux de l'histoire récente. Son utilisation dans le contexte canadien est-elle totalement innocente? Il est permis d'en douter.

On voit comment, dans ce contexte survolté, il devient possible de présenter Meech comme un acte réparateur des offenses faites au Québec. De plus, à cette image saisissante de l'isolement du Québec s'entremêlait un autre symbole qui lui donnait plus d'ampleur et de crédibilité: le Québec n'avait jamais été aussi raisonnable et modéré dans ses demandes. C'est à l'exploration de cette deuxième image que nous consacrerons la prochaine section.

Meech et les demandes «traditionnelles» du Québec:

De 1987 à 1990, l'équipe Mulroney construisait fébrilement l'image d'un Québec extraordinairement conciliant. Le Québec, disait-on, n'avait mis sur la table que cinq conditions, toutes très modérées et parfaitement conformes à ses «revendications traditionnelles», et qui ne modifiaient en rien la nature du fédéralisme canadien. À cette carotte, on ajoutait le bâton du tout ou rien. Meech était la «dernière chance» que le Québec accordait au Canada. On construisait ainsi l'image d'un Québec las de constamment revenir bredouille de ses négociations avec le reste du Canada. Le Parti libéral au pouvoir, franchement fédéraliste, était fermement décidé à régler, une fois pour toutes, la question des rapports du Québec avec le reste du Canada. Tout au long de l'épisode de Meech on a ainsi mis l'accent sur le fait que jamais auparavant le Québec n'avait été aussi conciliant. Le reste du Canada avait donc une chance en or de corriger «l'outrage» fait au Québec par son exclusion.

Mais, le Parti libéral ne voulait surtout pas donner l'impression d'un Québec prêt à ramper pour se faire accepter. Pas du tout! On avait cette fois, certes, affaire à un Québec sage et raisonnable, mais aussi fort et tout à fait prêt à se prendre en main si le Canada le rejetait encore une fois. L'image était donc celle d'un Québec gouverné par un parti qui, bien que vraiment fédéraliste, ne ferait aucune concession quant aux demandes «traditionnelles», légitimes, mais jamais satisfaites du Québec. C'est dans cet esprit qu'on présenta cette ronde de négociations comme «the Quebec round[33]».

Selon le discours du temps, il ne s'agissait pas de régler toutes les questions constitutionnelles du Canada mais, beaucoup plus modestement, de répondre simplement aux demandes du Québec. Par le biais de Meech l'éternelle question de l'imaginaire symbolique canadien — «What does Quebec want?» — avait enfin une réponse claire. Ce que le Québec voulait, c'était les cinq demandes du Parti libéral. Le Canada les lui donnerait en ratifiant l'accord de Meech.

C'est ainsi que, selon l'idéologie de l'heure, Meech représentait le moyen de répondre, le plus raisonnablement possible, aux demandes «traditionnelles» du Québec. Et, comme pour toute construction idéologique, on assistait à un processus de «parasitage» de situations empiriques réelles.

Au-delà d'une constatation très générale, peut-on affirmer que les demandes «traditionnelles» du Québec n'ont jamais été satisfaites? Peut-on même identifier ces demandes avec quelque précision?

Que le Québec constitue une société distincte est une évidence historique incontournable. Que les Québécois aient lutté depuis toujours pour protéger leur autonomie et leur spécificité, constitue une autre évidence. Dans ce sens, l'on peut effectivement parler de demandes «traditionnelles» du Québec. Mais cette formulation ne fait que renvoyer d'une façon imprécise à tout ce que les Québécois ont fait à travers l'histoire pour protéger leur spécificité.

Dans un ouvrage récent, mais antérieur à Meech, Daniel Latouche, nationaliste convaincu, analyse l'évolution des demandes du Québec des dernières décennies. Il tire trois leçons qui vont à l'encontre des perceptions habituelles. Premièrement, la notion même de «demandes» est récente. Nous dirions qu'il s'agit d'un construit symbolique. Deuxièmement, et ceci n'est pas étonnant, les demandes du Québec n'ont pas cessé de se transformer au fil du temps. Troisièmement, et là il y a matière à surprise, la plupart des demandes du Québec ont été «traditionnellement» satisfaites. En effet, citant en exemple les demandes du gouvernement Lesage, Latouche écrit:

> These were the first demands to come from Quebec; and the word demand itself was not used. At most, this was an agenda for future discussion. One cannot resist pointing out that, more than twenty years later, the majority of these demands have been granted[34].

C'est Latouche et non un fédéraliste qui a écrit ces lignes.

D'ailleurs, Jacques Parizeau, chef actuel du Parti québécois, admettait volontiers, en 1967, l'influence déterminante du Québec dans l'établissement des politiques fédérales. Selon lui:

> Chaque pas qui a été accompli dans le sens de transferts inconditionnels de revenus en faveur des provinces l'a été pour apaiser le Québec....

> Le Québec a profité de chaque imperfection, de chaque vice, de chaque travers des programmes conjoints pour dénigrer la formule....

> Pour une raison ou pour une autre, le Québec a trouvé un appui inattendu en plusieurs occasions et, en temps de crise, cet appui s'est révélé inestimable[35].

Malgré sa perspective, évidemment anti-fédéraliste, Parizeau reconnaît que le Québec n'a pas été «laissé pour compte».

Il ne faut pas être surpris que les demandes du Québec aient évolué, puisque le Québec, comme toute autre société, n'est pas figé dans le temps avec des besoins et donc des «demandes» invariables et éternellement insatisfaites. De même, il ne faut nullement s'étonner du fait que la formulation des «demandes» ait varié en fonction des besoins politiques de l'heure. À titre d'exemple, considérons brièvement les raisons invoquées par le Parti québécois pour rejeter l'accord de rapatriement de 1981.

Selon un reportage de *La Presse* du 6 novembre 1981, les éléments de l'entente jugés inacceptables par le gouvernement Lévesque, étaient:

1) les pénalités accompagnant le retrait de programmes à frais partagés, 2) la liberté de circulation et d'établissement à travers le Canada et 3) le droit à l'instruction dans la langue de la minorité[36].

Mais, une semaine plus tard, René Lévesque changeait de cap. Le vendredi 13, il présentait une motion à l'Assemblée nationale[37] énonçant les conditions que la nouvelle constitution du Canada devait remplir pour obtenir l'assentiment du Québec. Les trois conditions énoncées, qui ressemblaient peu à celles du 6 novembre, portaient sur: 1) la reconnaissance «que le Québec forme à l'intérieur de l'ensemble fédéral canadien une société distincte», 2) le mode d'amendement de la constitution et, notamment la récupération d'un droit de veto, 3) la nécessité de limiter la Charte des droits aux «droits démocratiques» et, plus généralement, de préserver les pouvoirs de l'Assemblée nationale.

On voit déjà que les «demandes traditionnelles» du Québec peuvent varier en l'espace d'une semaine. Cependant, hors-contexte ce revirement paraît tout à fait incompréhensible.

On se souvient peut-être que le 13 avril 1981, le Parti québécois s'était fait réélire en mettant en veilleuse sa politique souverainiste. Le P.Q. vivait mal l'échec référendaire et le rapatriement de la constitution alors que l'opinion publique semblait favorable tant au rapatriement de la constitution qu'à la Charte des droits qui l'accompagnait[38]. Le P.Q. n'ayant plus le vent dans les voiles, commençait à être miné par des dissensions internes autour de sa raison d'être fondamentale: l'option souverainiste. Lors du mémorable huitième congrès du parti tenu en décembre 1981, ces dissensions profondes entre Lévesque et les congressistes ont failli, d'ailleurs, aboutir à la démission du chef.

C'est dans ce contexte que fut conçue la motion du 13 novembre 1981. Le Parti québécois avait politiquement besoin de projeter l'image de défenseur des «intérêts supérieurs du Québec». Pour s'assurer donc de l'appui des libéraux à l'Assemblée nationale il eut recours à la notion de «société distincte.» Or cette notion, qui était au cœur même de la politique constitutionnelle du Parti libéral, était contraire à ses propres principes. Pour les besoins politiques de l'heure, le Parti québécois était donc prêt à accepter la perspective très fédéraliste d'un Québec bien ancré dans «l'ensemble fédéral canadien».

Ainsi, les divisions au sein du parti et son image déclinante à la suite de ses deux échecs vis-à-vis d'Ottawa expliquent, au moins en partie, la «re»formulation des «demandes» du Québec. Pendant l'épisode Meech, et après Meech, cette motion quasi-unanime du 13 novembre, résultant de concessions fondamentales d'un parti essayant de redorer son blason, fut souvent présentée comme le symbole de la volonté indivisible du Québec.

Nous ne voulons pas évaluer le bien-fondé du rejet de l'accord, ni mettre en exergue les louvoiements d'un parti politique, mais plutôt souligner la nature éminemment variable des «demandes traditionnelles» du Québec. À ce sujet, il faudrait noter également les différences importantes entre les deux séries de raisons invoquées par le Québec en 1981 et les cinq conditions mises de l'avant à Meech par le Parti libéral. On retrouve, bien sûr, la référence à la «société distincte» que le Parti Québécois avait «empruntée» aux libéraux. Mais à part cela, on ne retrouve explicitement que deux des anciennes conditions: l'une concernant les programmes à frais partagés, l'autre la reconnaissance d'un droit de veto. Par contre, une raison «inacceptable» en 1981, concernant la liberté de circulation et d'établissement, est aujourd'hui complètement caduque puisque le Québec, sous Bourassa, a fortement appuyé le principe du libre échange, contrairement à la position de plusieurs, dans le reste du Canada. Il semble donc bien hasardeux de tenter de définir avec précision les demandes «traditionnelles» du Québec puisque celles-ci changent, bien naturellement, selon les époques et les circonstances.

L'image d'un Québec négociant éternellement une même série de demandes, éternellement rejetées, est donc, au sens de Baechler, un construit idéologique. On a vu que selon les circonstances, ce symbole peut prendre plus ou moins de poids dans l'imaginaire collectif des Québécois francophones. Durant l'épisode de Meech, cette image prit la forme d'un Québec raisonnable et conciliant. Il faut noter, toutefois, que cette nouvelle image s'adressait surtout à l'univers anglophone. Du côté québécois francophone, tant Bourassa que Rémillard, le ministre responsable du dossier, présentaient une toute autre image de l'accord. Là, sans rejeter celle du Québec conciliant, ils la mettaient en arrière-plan pour privilégier deux autres facteurs. D'abord, la victoire: l'accord de Meech constituait un succès majeur pour le Québec. Nous avons déjà cité Bourassa qui affirmait, le 23 juin 1987, que le Québec «remporte l'une des plus grandes victoires politiques de son histoire.» Ensuite, un nouveau rapport de force: loin de représenter la réponse aux demandes du Québec, l'accord ne constituait que le prélude d'une nouvelle dynamique des rapports de force au sein du Canada. Gil Rémillard soulignait, en effet, les luttes à venir:

> L'Accord du 3 juin consacre la permanence d'un processus de révision constitutionnelle. Cet Accord, en effet, ne liquide pas tous les besoins du Québec... Les questions que le Québec voudra voir aborder lors de la deuxième ronde de discussions constitutionnelles seront évidemment inspirées par nos revendications traditionnelles[39].

Ainsi, il n'était pas question d'abandonner l'image de la lutte pour les «revendications traditionnelles» du Québec, dont Meech représentait la satisfaction ultime, mais plutôt de présenter l'accord comme une première étape d'une série de «Quebec Rounds».

Quelle est donc la «vraie» image du Québec? Celle du Québec éminemment «raisonnable» présentée par l'équipe Mulroney, et véhiculée surtout dans les milieux anglophones, ou celle du Québec combatif, ne lâchant jamais prise dans sa lutte implacable contre Ottawa? Comme il s'agit d'un discours idéologique, les critères pertinents ne sont pas ceux de «vérité», mais plutôt ceux d'efficacité politique.

À cet égard, le rapport du comité Allaire, mis sur pied par le gouvernement Bourassa en février 90, soit quatre mois avant l'échec de Meech, ajoute un éclairage important sur la dimension idéologique de tout le processus. En effet, les «demandes» de ce rapport se conformaient tout à fait au moule «traditionnel»: elles ne ressemblaient en rien à toutes les demandes antérieures! En fait, elles étaient non seulement nettement plus radicales que tout ce qui avait été demandé par le Québec mais, aux yeux de nombreux interprètes avertis, elles étaient tout simplement farfelues. Lise Bissonnette, par exemple, dans une critique cinglante du rapport, traité de «jeu politique», affirmait que «le premier ministre a engagé la crédibilité du Québec[40]». Pareillement, Yvan Allaire, ancien président de la commission politique du Parti libéral du Québec et professeur à l'UQAM, (à ne pas confondre avec l'auteur du rapport), estimait que le Parti libéral jouait un jeu dangereux et condamnable:

> Le PLQ aura de durs comptes à rendre aux citoyens du Québec si... ce parti se faisait le colporteur des trois ou quatre clichés fanés qui tiennent lieu de raisonnement par ces temps-ci... le Québec pourrait payer cher pour les errances [de ce] parti[41].

D'un point de vue stratégique le rapport Allaire, officiellement mis sur pied pour préparer la réponse du Québec en cas de succès ou d'échec de Meech, s'avérait sans doute un bon moyen de pression sur les provinces qui n'avaient pas encore signé l'accord. À l'image d'un Québec «éminemment raisonnable» venait se greffer celle d'un Québec prêt, au besoin, à construire son avenir tout seul. On ne négligeait ainsi aucun atout et on renforçait le message qu'aucune concession n'était possible.

Mais le rapport Allaire, par ses excès, s'explique idéologiquement en tant qu'instrument de mobilisation collective par le biais de la construction du nationalisme. Le Québec, qui par l'échec de Meech s'est fait dire une fois de plus «non» à ses demandes légitimes, rejette dignement cette nouvelle «humiliation» et dit lui-même non à ceux qui disent non.

D'un point de vue idéologique, l'honneur est ainsi sauf, et le Parti libéral garde les mains propres. D'un point de vue politique, le Parti libéral ne se fait pas damer le pion par le Parti québécois et se donne du temps pour reconstituer ses forces et redéfinir ses objectifs. Entre-temps le nationalisme continue à se construire.

Deux images puissantes s'entrecroisaient donc dans la construction symbolique de Meech: d'une part celle d'un Québec doublement humilié, d'abord, par la promesse oubliée de Trudeau, ensuite, par son exclusion de la constitution canadienne lors de la nuit des longs couteaux; d'autre part, celle d'un Québec digne et fort présentant ses revendications «traditionnelles» d'une manière très modérée. Mais ce Québec très raisonnable bien que deux fois humilié en deux ans se voit rejeté par «les autres» une troisième fois. Voilà donc «l'outrage» construit par la manipulation de l'imaginaire québécois tout du long de l'épisode Meech.

À cette idéologie, déjà très puissante, venait s'ajouter une stratégie pour l'adoption de l'accord parfaitement apte à intensifier ces symboles. Avant de conclure, il convient donc d'explorer une dernière dimension de cet épisode.

MEECH ET L'ESPRIT DU «TOUT OU RIEN»:

Sans constitution propre jusqu'en 1982, le Canada présente un cas unique au monde. Son histoire est en effet remplie de tentatives, toujours avortées ou semi-avortées, pour modifier et rapatrier l'Acte de l'Amérique du Nord britannique qui tenait lieu de constitution.

Et voilà que dans les années 80, à deux reprises, l'inimaginable se réalise. D'abord, en 1982, pour la première fois de son histoire, le Canada se dote d'une vraie constitution. Une constitution, il est vrai, un peu gauche avec un préambule déclamant l'allégeance à la monarchie, un peu trop rigide avec sa formule d'amendement, un peu boîteuse avec sa clause limitant la portée de la Charte des droits, mais tout de même une constitution, en bonne et due forme. Ce tournant historique crucial est l'œuvre du gouvernement Trudeau.

Mais, voilà qu'un deuxième miracle semble prendre forme. Sans tambours ni trompettes, et en quelques jours d'avril et de juin 1987, les dix premiers ministres provinciaux et le premier ministre du Canada parvenaient unanimement à un nouvel accord constitutionnel.

L'accord du lac Meech prit tout le monde par surprise. L'incroyable était arrivé. Le 4 juin 1987, *Le Devoir* annonçait:

le Canada dit OUI au Québec.

Sous ce titre, on lisait qu'après de longues négociations, ardues mais, soulignait-on, «sans drames», le Premier ministre fédéral était enfin arrivé à «amener le Canada anglais à tenir la promesse que Pierre Trudeau avait faite aux Québécois à la veille du référendum de mai 1980.»

Pour reprendre l'expression de Vincent Lemieux, le «socio-drame» que nous avons analysé semblait se dénouer. Le «Canada anglais» allait enfin tenir ses promesses.

L'heure était à «l'honneur et à l'enthousiasme». Comme le rapportait *Le Devoir*, «Robert Bourassa manifestement ému... [a affirmé que] le Québec peut être fier ce matin.» David Peterson, faisant allusion à la fameuse «promesse trahie», accueillit le Québec au sein du Canada en clamant en français: «Une promesse faite en 1980 devient une promesse tenue en 1987... Bienvenue au Canada, Monsieur Bourassa.» Bill Vander Zalm voulant rendre à César ce qui lui revenait, s'empressa de «rendre hommage au leadership, à la compréhension, à l'incroyable patience de Brian Mulroney.» De son côté, Mulroney, dans le meilleur esprit de réconciliation s'enquéra auprès de Bourassa: «J'espère qu'on pourra dire que vous avez signé cet accord dans l'honneur et l'enthousiasme.»

Cette dernière image, qui représente bien fidèlement le symbolisme entourant cet événement, était celle du redressement d'un tort. La blessure de 1982 pouvait enfin se cicatriser. Le «Canada anglais» faisait amende honorable et donnait au Québec ce qui lui était dû.

Indépendamment de son contenu, l'existence même de l'accord constitue un événement historique exceptionnel qui s'explique en partie par le symbolisme puissant mis en branle. Mais, il s'explique également par l'utilisation d'une stratégie d'adoption qui s'harmonisait admirablement avec ce symbolisme et qui fut révélée à la fin de l'épisode.

Dans une interview accordée le 12 juin 1990 au quotidien *The Globe & Mail*, quelques jours avant la date limite de signature de l'entente de Meech, le premier ministre dévoilait avec triomphalisme un aspect clé de la stratégie que son équipe avait adoptée. Mulroney, pensant alors avoir gagné la partie, ne pouvait se retenir de pavoiser[42]. La stratégie avait été conçue, disait-il, en comptant à rebours à partir de la date cible de manière à ne pas perdre le contrôle du processus de ratification. Il n'était pas question de mettre ouvertement tous les aspects de la question sur la table, ni d'analyser sagement les éléments du problème et, encore moins, de tenir compte de quelque façon de la volonté des citoyens.

Cette interview dévoile l'aspect manipulateur de toute la procédure, aspect abondamment critiqué par de nombreux observateurs, y compris Claude Morin. En 1987, ce dernier trouvait déjà qu'il «serait inconcevable que l'acceptation de ces textes se fasse à la vapeur[43]».

Pourtant, la manipulation exprime bien l'esprit de Meech. Les tractations politiques qui ont mené à l'accord se sont faites dans le secret, entre les onze chefs de gouvernements. L'entente, ainsi conclue, ne pouvait subir aucune modification. L'accord ne pouvait donc être manié que comme un texte sacré, dans un respect quasi-religieux.

Pour faire accepter cette entente inaltérable, il fallait, selon les paroles maintenant célèbres du Premier ministre, «roll the dice» aussi tard que possible, de façon à intensifier au maximum les pressions sur tous les participants. L'esprit du secret, l'esprit du texte sacré, l'infernale logique de l'unanimité, l'exclusion de toute forme de participation autre que purement symbolique, tels étaient les éléments clés de la stratégie procédurale de Meech. Il fallait que l'accord soit approuvé tel quel, sans changement. On se plaçait ainsi dans une logique du «tout ou rien».

Cette stratégie a failli réussir. Mulroney était même parvenu à surmonter un écueil qui semblait alors insurmontable. En effet, les onze premiers ministres signataires de l'accord avaient, dans leur élan, oublié la démocratie. Ils avaient oublié que l'histoire n'est pas figée et que des élections pouvaient survenir dans le délai de trois ans prévu pour la ratification de l'accord.

Cet oubli s'avéra fatal. En effet, de juin 1987 à juin 1990, le Manitoba, le Nouveau Brunswick et Terre Neuve changèrent de gouvernement et, de ce fait, trois des participants furent éliminés du sprint final vers la ratification. Les nouvelles équipes ne se sentaient nullement liées par les promesses de leurs prédécesseurs et, comme avec le temps l'accord de Meech devenait de moins en moins populaire, elles étaient peu portées à le ratifier. Dans ces conditions, ce qu'il faut expliquer, c'est qu'en dépit de la fragilité de cette nouvelle situation, la tactique de Mulroney ait failli réussir.

C'est là que l'on constate le pouvoir énorme de la stratégie du «tout ou rien». Plus approchait l'heure fatidique de la ratification, plus s'intensifiaient les pressions. Parallèlement, moins on accordait de temps de réflexion aux participants, plus se renforçaient les pressions. On ne pouvait modifier une virgule de l'accord, on ne pouvait prolonger d'une minute la date de ratification. C'était «tout ou rien». Ou un Canada fort, moderne et enfin uni, ou la chute dans l'abîme.

Le poids de l'alternative reposait sur les épaules des trois petites provinces récalcitrantes. Pire encore, la destruction du Canada risquait d'être l'œuvre d'une seule de ces provinces si les deux autres emboîtaient le pas. C'était fort... mais pas assez.

Nous résisterons ici à la tentation d'expliquer l'échec et d'en évaluer les conséquences puisque ce travail ne vise qu'à analyser l'imaginaire symbolique construit autour de Meech. Dans cette perpective, il reste un dernier pas à franchir: l'exploration du symbolisme découlant de l'échec final.

QUI A DIT «NON» AU QUÉBEC?

Comme on le sait, la non-ratification de l'accord de Meech est traitée au Québec comme un nouveau rejet par le reste du Canada. Claude Masson, dans l'éditorial de *La Presse* de la Saint-Jean 1990, au lendemain de la date fatidique du 23 juin, écrivait:

> Après avoir dit OUI au Canada, c'est le Canada anglais qui dit NON au Québec.

Dans ce même journal paraissait la lettre de Robert Bourassa annonçant aux Québécois l'échec de Meech, et annonçant que dorénavant les négociations se feraient à deux:

> cette volonté de réintégrer la famille canadienne s'est donc faite dans la modération... cette modération se trouvait à être un test pour la volonté du Canada anglais de comprendre le Québec....
>
> C'est la position de mon gouvernement de négocier dorénavant à deux et non à onze.

On découvre ainsi, après coup, que Meech avait été un «test» que le Québec avait imposé au Canada anglais et auquel ce dernier avait échoué. Par sa vision dualiste et holiste du Canada, Bourassa justifiait sa décision de ne négocier dorénavant qu'à deux. Même si le «Canada anglais» faisait semblant de ne pas exister, on finirait bien par lui prouver le contraire[44].

Le «socio-drame» reprenait donc de plus belle. Mais le nœud du drame demeure: qui, au juste, avait dit «oui», et qui avait dit «non»?

Pour faire la part de la réalité et celle de l'imaginaire, retraçons quelques faits. *Le Devoir*[45] a regroupé dans un dossier les mémoires que divers «experts», groupes et associations ont présentés entre avril et juin 1987 au gouvernement Bourassa. D'un point de vue purement quantitatif le tableau qui s'en dégage devrait étonner ceux qui affirment que c'est le Canada anglais qui a rejeté le Québec. En effet, sur 33 «experts» québécois qui se sont prononcés, *6* seulement (18%) étaient *pour* la ratification de l'accord, contre *23* (70%) qui étaient *contre*. Quatre (12%) exprimaient des réserves importantes. La réaction des «associations et groupes» donne une image analogue. Des seize groupes qui s'étaient prononcés *13* (81%) étaient *contre* l'accord alors que *3* (19%) seulement étaient *pour*. Notons que parmi les trois *pour* figurait «Alliance Québec»: ainsi le seul groupe anglophone du Québec à s'exprimer avait dit «oui» à Meech. Les deux autres favorables à l'accord étaient les chambres de commerce de Montréal et de Québec.

Par contre, parmi ceux qui rejetaient l'accord, souvent avec grande virulence, on trouve les trois grandes centrales syndicales, CSN, FTQ, CEQ, l'Alliance des professeurs de Montréal, tous les partis et groupes nationalistes, l'Union des écrivains, l'Union des artistes, l'Union des producteurs agricoles et même le NPD-Québec. Les oppositions, bien entendu, ne se fondaient pas sur les mêmes raisons et ne s'exprimaient pas de la même façon. Mais, au moins d'un point de vue quantitatif, force est bien de conclure que la très grande majorité des experts, des associations et des groupes de Québécois francophones qui avaient présenté des mémoires avait dit «non» à l'accord du lac Meech. Ce rejet massif des «experts» et des divers groupes est d'autant plus étonnant que les média avaient généralement endossé Meech.

On retrouvait cette ambivalence chez certains «experts» qui disaient «non» mais qui, émerveillés par la «défaite d'Ottawa», voyaient en Meech un pas très important vers de plus grandes concessions. C'est ainsi, par exemple, que Daniel Latouche écrivait:

> Contre toute attente, Ottawa a cédé sur toute la ligne et, une fois le signal donné, les autres provinces n'ont eu d'autre choix... que d'emboîter le pas... Peut-on espérer que le premier ministre, qui a prouvé tout ce qu'il avait à prouver, s'en tiendra à sa stratégie initiale, celle d'utiliser les discussions du lac Meech comme un préliminaire[46].

Cette position de Latouche reflète le climat qui régnait alors. On a tendance aujourd'hui à voir dans l'échec de Meech la renaissance de la fièvre nationaliste québécoise. Or, c'est le processus de Meech lui-même qui a éveillé ces sentiments. Plus le temps avançait et moins Meech, en lui-même, semblait satisfaisant. Rejeté par la plupart des «experts», groupes et associations, c'est plus pour des raisons stratégiques qu'il était toléré. Certains avaient succombé à la logique du «tout ou rien», d'autres, notamment l'équipe libérale, y voyaient un atout dans les négociations à venir. Pour d'autres, enfin, il ne pouvait servir que d'instrument pour l'accession à l'indépendance. Tous, cependant, y voyaient un acte réparateur dû au Québec.

Ce nationalisme réveillé se manifestait en partie, comme on l'a vu, par un fort sentiment anti-Meech bien illustré par les mémoires, mais il se manifestait aussi par des sentiments pro-souverainistes bien marqués. Par exemple, dans un sondage CROP publié dans *La Presse* du 26 mars 1990, 56% des Québécois interrogés se déclaraient favorables à la souveraineté. Dans les nombreux colloques dans les milieux universitaires et autres, dans les prises de position des journaux étudiants, et dans les divers écrits de l'époque[47], la perspective dominante était surtout pro-souverainiste et anti-Meech.

Le Québec ne disait pas «oui» au Canada. En tout cas pas le Québec des «experts» et des associations francophones. Mais que disaient les anglophones du Québec et du reste du Canada?

Généralement la presse anglophone du Québec, ainsi que l'association des anglophones québécois, Alliance Québec, étaient favorables à Meech. Ainsi, l'éditorial de la *Gazette* du 2 mai 1987, débordait d'enthousiasme: «The agreement on a renewed deal for Quebec within Confederation is a massive achievement.»

Avec, peut-être, un peu moins d'enthousiasme, la presse anglophone, à travers le Canada, du *Vancouver Sun* au *Mail-Star*, de Halifax, à l'exception notoire du *Toronto Star*, manifestait aussi son accord. Le Canada anglais disait plutôt «oui» que «non».

En fait, la presse anglophone disait «oui» même à la clause sur la société distincte. L'éditorial de la *Gazette*, par exemple, après avoir couvert d'éloges Bourassa et Mulroney pour avoir réussi ce coup de maître, relevait ce qu'il appelait «some marvellous points», dont: «For the first time, Quebec's distinct identity is formally acknowledged...»

Sur base donc des écrits de l'époque, on devrait conclure que les anglophones ne rejetaient pas l'accord de Meech. Loin de là.

Mais dans l'univers symbolique, les faits prennent un tout autre éclairage. C'est le Québec qui tente en vain de se faire accepter par le Canada anglais alors que ce dernier persiste à le rejeter. Un texte paru dans le journal étudiant de l'Université Laval, illustre bien ce renversement.

> Les [Canadiens anglais] perçoivent [l'accord] comme un caprice de plus de la part d'une minorité... d'un autre côté le Québec qui avait fait d'incroyables concessions... se sent rejeté par le Canada-anglais[48].

Relevons, au passage, le «Canada-anglais» écrit avec un trait-d'union, soulignant peut-être inconsciemment la vision holiste de cette entité. Notons également que l'auteur ignore que selon l'avis de «l'expert» cité plus haut «Ottawa a cédé sur toute la ligne».

Ainsi, indépendamment des faits, tout le long de cet épisode, se consolide le mythe que les anglophones ne comprennent jamais le Québec. On trouve une illustration encore plus frappante de ce mythe dans le rapport présenté par le Mouvement estrien pour le français à la Commission Bélanger Campeau. On y lit:

> Nous voilà traqués, emprisonnés, comme pris en otage par le pouvoir anglophone... Il est malheureux que nos compatriotes anglophones au Québec n'aient pas compris notre situation[49]...

Si les auteurs de ce mémoire avaient lu le quotidien anglophone du Québec, ils auraient, peut-être, changé d'opinion. Peut-être, mais sans aucune certitude, car la construction de l'univers symbolique dépasse celui des faits et de la raison. Bourassa lui-même a d'ailleurs contribué à la construction du mythe en faisant de Meech un test imposé au Canada anglais par le Québec, test que le Canada anglais avait, prétendait-il, lamentablement échoué. Ce faisant, le premier ministre oubliait l'appui d'une grande partie de la presse anglophone. Mais il oubliait, surtout, que les onze signataires originels de l'entente n'avaient jamais cessé de manifester leur solidarité avec le Québec. Le taux de réussite ayant été de 100%, il aurait dû conclure, au contraire, que ceux qui avaient subi le «test» avaient maintenu leur allégeance contre vents et marées.

Mais le discours holiste et dualiste ne se prête pas aux nuances. L'accord du lac Meech ayant été présenté tout au long comme un dialogue entre le «Québec» et le «Canada anglais», il fallait bien attribuer l'échec à l'un des deux. Et on ne pouvait manifestement pas l'attribuer au Québec, puisque ses demandes avaient été si «raisonnables.»

C'est cette logique de la construction de l'univers symbolique, peu perméable aux faits, qui fait oublier notamment que celui qui a dit «Non» à Meech, ce n'est pas le «Canada anglais» mais plutôt le député Cri Elijah Harper. Avec, certes, de très bonnes raisons, c'est lui qui a provoqué la crise constitutionnelle en empêchant pendant plusieurs semaines la législature manitobaine d'adopter l'accord. D'ailleurs, dans un article de *La Presse* du 23 juin 1990, intitulé «Je vous entends parler de liberté», Francine Pelletier, reconnaissait et admirait le geste de Elijah Harper:

> Plutôt que critiquer les Amérindiens, nous devrions les remercier. Pour la leçon de dignité qu'ils nous donnent, d'abord... Mais surtout, parce qu'ils constituent un dénouement sans amertune à une histoire qui n'en finit plus. Et parce qu'ils pointent le doigt vers l'avenir.

Francine Pelletier exprimait alors un sentiment partagé par de nombreux Québécois francophones, ainsi d'ailleurs que par de nombreux Canadiens. Malheureusement, le geste d'Elijah Harper, qui avait alors fait un bruit retentissant, et qui aurait pu effectivement constituer «un dénouement sans amertume» à cette histoire qui n'en finissait pas, a vite été relégué aux oubliettes.

Ainsi, une fois de plus, c'est dans la logique du «nous» contre «les autres» que se «re»construit «l'après-Meech», dans un nouvel acte d'un «socio-drame» qui n'en finit toujours pas.

NOTES

1. Une communication sur le thème de cet article a été présentée, en mars 1991 dans le cadre du Cercle de réflexion politique et sociale du Département de science politique de l'Université Laval. Une deuxième communication a été présentée en avril 1991, à New York, dans le cadre du quarante cinquième congrès du New York State Political Science Association. Je tiens à remercier tous mes collègues et étudiants qui ont participé à ces rencontres. Leurs commentaires et critiques m'ont été très utiles. Je tiens, surtout, à remercier Monique pour son aide et son appui réellement incommensurables.

2. Mémoires publié dans la revue *L'analyste*, n° 33, printemps 1991.

3. *Le Devoir*, 8 mai 1987.

4. *Le Devoir*, mardi 5 février 1991.

5. C'est dans son discours, en tant que président de la Société canadienne de science politique prononcé en juin 1990, qu'apparaît cette remarque qui, de prime abord, semble anodine. Elle constitue, cependant, une critique fondamentale de la conception dominante en science politique, surtout au Québec, du rapport entre l'État et la nation. Soulignant le caractère symbolique de la nation, Bélanger, dit: «Very few people become aware that utlimately the nation is a political product, because the official discourse, on the contrary, emphazies the legitimating function of the nation. The state is officially said to be the by-product of the nation, whereas the nation is in relality more often than not the by-product of the state.» Discours paru sous le titre «Political Science Die Frau ohne Schatten, or the Challenges of Liberalism and Nationalism», dans *Canadian Journal of Political Science*, XXIII:4, December 1990.

6. Recension de Patrick Michel, «La société retrouvée», dans *Revue canadienne de science politique*, volume XXII, n° 2, juin 1990, p. 399.

7. Nous entendons par «holisme», néologisme spécialisé qui ne se trouve pas dans le dictionnaire, la transformation d'entités collectives en un sujet capable de manifester sa volonté d'une manière non-ambiguë. Le holisme exprime donc un double réductionnisme. Il recèle d'une part une dimension anthropomorphique, accordant des attributs humains à des entités sociales complexes, et, d'autre part, ramène la pluralité à la singularité.

8. Les débats, souvent acrimonieux, concernant la nature fondamentale de l'acte d'union en tant que «pacte ou loi», selon la terminologie de Arès, n'ont pas cessé depuis 1867. Mais, à notre connaissance, aucune étude sérieuse ne remet en cause le fait que cette loi, ou ce pacte, arrangeait tant le «Bas Canada» que le «Haut Canada». Chaque composante de l'ancienne entité y voyait un plus grand degré d'autonomie.

9. *La société québécoise après 30 ans de changements*, Québec, Institut de recherche sur la culture, 1990, p. 18.

10. Louis Balthazar, *Bilan du nationalisme au Québec*, Montréal, Éditions de l'Hexagone, 1986.

11. *Ibid.*, p. 156.
12. *The Gazette*, 23 avril 1991.
13. On peut trouver cet avis dans le dossier du *Devoir*, *Le Québec et le lac Meech*, Montréal, Guérin littérature, 1987, p. 137.
14. *Op. cit.*, Balthazar, p. 144.
15. *Ibid.*, p. 13.
16. À titre d'exemple, notons ici l'ouvrage dirigé par Jean Crête, conjointement avec Pierre Favre intitulé *Générations et politique*, et publié aux Presses de l'Université Laval. Notons également l'ouvrage de Raymond Hudon et Bernard Fournier, *L'intérêt des jeunes pour la politique: une question de mesure?* Enquêtes auprès de jeunes de 16 à 24 ans.
17. *Op. cit.*, Balthazar, p. 17. 240.
18. Discours de Brian Mulroney du 2 juin 1989. Cité par Andrew Cohen dans *The Financial Post*, 14 décembre 1990.
    Cohen rappelle qu'on ne retrouve aucune dénonciation de «l'humiliation» du Québec dans l'autobiographie de Mulroney, intitulée *Where I Stand*, parue en 1983, un an près le rapatriement.
19. Jean Baechler, *Qu'est-ce que l'idéologie?* Paris, Gallimard, 1976. Pour Baechler un système idéologique peut atteindre un très haut niveau de cohérence et de rigueur. Ce qui le caractérise c'est d'abord sa finalité, toujours d'ordre politique, et, ensuite, le fait qu'il n'ait pas d'objet qui lui soit propre. S'appropriant des propositions non-idéologiques, l'idéologie suit «pas à pas l'ouverture de l'éventail des conflits et [propose] des solutions.» p. 182.
20. Hansard, 21 octobre 1988.
21. *Le fédéralisme et la société canadienne française*, paru en 1967 aux éditions HMH, donne une idée on ne peut plus claire de sa position à cet égard. À titre d'exemple, il affirme dans l'introduction:
    «Tous les "statuts particuliers"... posent en somme le problème logique suivant: comment concevoir une constitution qui donnerait au Québec plus de pouvoirs qu'aux autres provinces mais qui ne réduirait en rien l'influence des Québécois sur Ottawa? Question[s] sans réponse[s], et destinée[s] à le rester. Car y réfléchir, c'est se rendre compte qu'il faut avoir le courage et la lucidité de choisir.»
22. Passage du discours tel que cité par Marcel Adam dans sa réplique à Trudeau, lors d'une polémique sur la portée de ces promesses, dans *La Presse* du 11 mars 1989. Les échanges entre Adam, Morin et Trudeau sont reproduits dans *Lac Meech: Trudeau parle*, Hurtubise HMH, 1989.
23. Claude Morin, *Lendemains piégés: du référendum à la nuit des longs couteaux*, Boréal, 1988.
24. *La Presse*, 11 mars 1989, et *ibid.*, *Trudeau parle*, p. 131. C'est aussi par un procès d'intention que Claude Morin critique Trudeau. Dans sa lettre du 28 mars 1989 dans La Presse, il écrit ironiquement: «par un de ses raccourcis typiques, l'ancien premier ministre semblait raisonner comme si un Non aurait signifié l'adhésion automatique du Québec à son conception nouvelle

du Canada...» Négligeant le caractère anodin de la «promesse», oubliant le fait exceptionnel que pour la première fois dans l'histoire du Canada neuf provinces sur dix avaient manifesté leur accord au rapatriement en 1981, Morin, de but en plan, poursuit «pourquoi au Non aurait-il magiquement conféré, à lui, le pouvoir d'en faire à sa tête...?»
L'image d'un Trudeau entêté forçant les Québécois à se soumettre à ses diktats était bien utile, et systématiquement exploitée, durant Meech.

25. *Le Devoir*, 5 novembre 1981.

26. *Le Devoir*, 5 novembre 1981.

27. *Le Devoir*, 5 novembre 1981.

28. *Ibid.*

29. *Ibid.*, 6 novembre 1981.

30. *The Gazette*, 6 novembre 1981.

31. Reportage de Michel Vastel du 6 novembre 1981.

32. Voir, par exemple, parmi les ouvrages de Léon Poliakov: *Le mythe aryen: essai sur les sources du racisme et des nationalismes*, Calmann-Lévy, 1971, et *Bréviaire de la haine: le IIIe Reich et les juifs*, Bruxelles, éditions complexes, nouvelle édition de 1986. Voir aussi de Max Gallo, *La nuit des longs couteaux*, Paris, Laffont, 1970.

33. Dire que l'accord du lac Meech ne faisait que répondre aux demandes du Québec relève de l'imaginaire symbolique. Que l'on soit pour ou contre cet accord, il est impossible de ne pas reconnaître qu'il aurait eu des conséquences profondes sur tout le Canada. Rares sont les analystes sérieux qui n'ont pas relevé, au minimum, les effets potentiels suivants: 1) accroissement du pouvoir judiciaire, 2) accroissement du pouvoir exécutif par rapport au pouvoir législatif, 3) institutionnalisation d'un mécanisme lourd d'administration des questions constitutionnelles, 4) immobilisme constitutionnel rendant presque impossible toute réforme (y compris la création de nouvelles provinces, ou la réforme du Sénat).
Par ailleurs, cet accord était tellement rempli d'ambiguïtés, qu'il était difficile, pour presque tous les observateurs avertis, d'en prévoir les conséquences. À titre d'exemple, rappelons que Léon Dion, qui, dans une première réaction (*Le Devoir*, 8 mai 1987) était tout à fait prêt à endosser l'accord, se déclara, quelques jours plus tard après «mûre réflexion», incapable de maintenir son appui à moins que la notion de «société distincte» ne soit convenablement précisée. Ce fut sa position jusqu'au bout.

34. Daniel Latouche. *Canada and Quebec, Past and Future: An Essay*. Toronto: University of Toronto Press, 1986, p. 21. Cet ouvrage fait partie des recherches commanditées par la Commission royale sur l'union économique du Canada.

35. Annexe III, rédigée par Jacques Parizeau, dans René Lévesque, *Option Québec*, Les éditions de l'Homme. Édition de 1988 préparée par André Bernard.

36. Selon le reportage de *La Presse* du 6 novembre 1981.

37. On retrouve le texte de cette motion dans *Option Québec*, édition de 1988 d'André Bernard, p. 85.

38. On ne peut «démontrer» catégoriquement la volonté populaire dans un sens ou dans l'autre. Néanmoins certains faits peuvent illustrer une tendance. Le *Globe and Mail* du 5 mai 1982, rapporte que, selon Sorecom, la plupart des Québécois «croient que le Premier ministre René Lévesque aurait dû signer» l'accord. Dans *La Presse* du 19 juin un sondage révélait qu'au début de mai, 49% des Québécois pensaient que la nouvelle constitution était une bonne chose, contre 16% qui pensaient le contraire.
D'ailleurs, au retour de la délégation du Québec, la réaction populaire à l'égard du P.Q. était plutôt négative. Le 12 novembre 1981 *The Gazette* rapportait que 52% des Québécois étaient en faveur de la reprise des négociations avec Ottawa. De même, la réaction de Ryan était fortement critique. Selon *Le Devoir* du 11 novembre: «C. Ryan a demandé hier au gouvernement québécois de reprendre le chemin de la négociation puisque la marge de désaccord ne justifie pas les propos apocalyptiques tenus le lundi par le Premier ministre.» C'est dans ce même reportage que Ryan accusait Lévesque de tenter «de faire oublier qu'il a vendu son droit d'aînesse en renonçant le 16 avril au droit de veto qui était indispensable au Québec. Et ce, en retour d'une compensation financière ou d'un plat de lentilles.»

39. Dans *L'adhésion du Québec à l'Accord du Lac Meech,* Montréal, Éditions Thémis, 1988, p. 206.

40. Dans son éditorial du 2 février 1991, Lise Bissonnette, directrice du *Devoir*, mettait en relief la dimension manipulatrice de ce rapport. À ses yeux les ambiguïtés ainsi que l'irréalisme, et généralement la mauvaise qualité du rapport, ne pouvaient s'expliquer que de deux façons: soit que Bourassa voulait réellement mener le Québec à l'indépendance, hypothèse, d'après elle, très peu probable, ne fut-ce que parce que «si tel est le cas le délai qu'il suggère n'a aucun sens», soit, qu'il faisait preuve d'opportunisme politique: «la [thèse] la plus vraisemblable compte tenu du personnage, est qu'il a voulu gagner du temps... M. Bourassa a toujours eu tendance à remmettre les décisions difficiles à la toute dernière heure...» Ceci conduisait Lise Bissonnette à affirmer «si tel est le jeu de M. Bourassa, c'est le pire qu'on puisse imaginer. Car... le Premier ministre a engagé la crédibilité du Québec.»
Dans *Le Devoir* du même jour, Daniel Latouche affirmait que «le rapport du Comité Allaire démontre une incompréhension majeure des enjeux auxquels seront maintenant confrontés toutes les sociétés nationales.»
Pour sa part, Jeffrey Simpson, chroniqueur du *Globe and Mail*, écrivait le 4 février dans *Le Devoir*, «le rapport Allaire, pour un fédéraliste, est une plaisanterie et une insulte.»
Comme, à nos yeux, le rapport Allaire ne visait pas à faire rire, il faut y voir deux choses. D'une part un instrument de négociation, une façon de mettre le couteau à la gorge du «Canada anglais»; et d'autre part, un instrument de contrôle et d'utilisation à des fins politiques des sentiments nationalistes des Québécois.

41. *Le Devoir*, samedi 9 mars 1991.

42. Selon le reportage: «Prime Minister Mulroney says last week's first minister's meeting was déliberately timed to bring the Meech Lake constitutionnal impasse down to 11th hour nagociations... he recalled how he and his advisers had gathered at 24 Sussex Dr. about a month ago to map the federal strategy... «I told them... it's like an election campaign; you count backward [and] that's the day we're going to roll the dice.»

43. *Le Devoir*, 16 mai 1987.

    La procédure de ratification de l'accord était une des cibles préférées des critiques. Ainsi, presque tous les mémoires soumis au «Ontario Select Committee on Constitutional Reform», un des comités mis sur pied pour étudier l'accord — bien que n'ayant pas la possibilité d'en modifier une seule virgule — considéraient cet accord illégitime à cause de la procédure adoptée. Même au Québec, bien que l'accent ait été surtout mis sur «la réparation du tort commis en 1982», et comme en fait foi la citation de Morin, la procédure était souvent critiquée.

    Pour une critique cinglante de cette dimension de Meech voir Alan C. Cairns, un des constitutionnalistes les plus respectés du Canada, «Citizens and their Charter: Democratizing the Process of Constitutionnal Reform», dans Michael D. Behiels, *The Meech Lake Primer*, University of Ottawa Press, 1989; ainsi que son dernier ouvrage: *Disruptions: Constitutionnal Struggles from the Charter to Meech Lake*. Toronto: McClelland and Stewart, 1991.

44. Cette position de Bourassa fut critiquée par de nombreux commentateurs, y compris Léon Dion. Dans son article du 13 décembre 1990 au *Devoir*, ce dernier disait: «la première question qui vient à l'esprit est la suivante: qui négociera au nom du Canada anglais? Certains déclarent que les négociations à onze c'est fini. Mais quel autre cadre de négociations proposent-ils?»

45. *Op. cit., Le Québec et le lac Meech*, Montréal, Guérin littérature, 1987.

46. *Le Devoir*, 12 et 13 mai 1987.

47. L'ouvrage qui a probablement eu le plus de retentissement est celui de Pierre Fournier, *Autopsie du Lac Meech: La souveraineté est-elle inévitable?* V.L.B. éditeur, 1990. Fournier vise à démontrer que cet accord ne représentait pas un compromis acceptable pour le Québec. Celui de Christian Dufour, *Le défi québécois,* l'Hexagone, 1989, qui a aussi fait beaucoup de bruit, voit plutôt l'accord comme un geste minimal envers le Québec. Un autre ouvrage, moins connu, mettant l'accent sur le caractère inéluctable de l'indépendance du Québec, est le livre de Georges Matthews, *L'accord: comment Robert Bourassa fera l'Indépendance*, le Jour, 1990.

48. François Vallée, dans *Impact campus*, 27 mars 1990.

49. *Le Devoir*, 8 décembre 1990.

    Un exemple tout aussi frappant se trouve dans l'attitude de Lucien Bouchard, telle qu'illustrée dans un article du *Devoir* du 18 mai 1991: «Le chef du Bloc québécois veut rétablir le dialogue avec les anglophones». Bouchard y reprend, en l'amplifiant, l'image de la «nuit de longs couteaux». Accusant les anglophones de l'isolement du Québec lors du rapatriement, il affirme: «j'ai trouvé cela odieux. Ça prend rien que les Anglais du Canada pour faire une chose comme cela, c'est absolument dégueulasse.»

Si ce reportage est fiable, on peut prévoir, sans grand risque d'erreur, qu'un dialogue entamé de la sorte ne mènera pas bien loin.

Le rôle des intellectuelles et intellectuels en sciences sociales dans le débat politique actuel

Diane Lamoureux

Les intellectuels sont loin d'être toujours d'accord entre eux. Les textes écrits dans ce livre par Guy Laforest et Max Nemni le démontrent bien. Quel devrait être leur rôle dans la crise que nous traversons? Dans sa réponse à cette interrogation, Diane Lamoureux commence par noter le rôle mineur joué par les intellectuels dans les grands débats de l'heure. Cela tient d'une part à des changements au sein des disciplines que sont les sciences sociales et humaines. Dans les années quatre-vingt, les intellectuels ont évacué l'espace public pour se réfugier dans un certain silence. Plusieurs ont succombé à l'appel de l'expertise. Cette dimension technique a prévalu à la Commission Bélanger-Campeau. D'autres se sont tus après avoir abdiqué leur sens critique. À ce propos, l'auteure réfléchit aux effets politiques de la vogue idéologique marxiste au Québec. En définitive, elle croit que revient aux intellectuels le rôle de susciter un débat public pluraliste, où personne n'aura le monopole de la vérité. Diane Lamoureux est professeure agrégée au département de science politique de l'Université Laval.

10

Le rôle des intellectuelles et intellectuels en sciences sociales dans le débat politique actuel

Diane Lamoureux

> Dire le vrai, telle est la seule responsabilité des intellectuels en tant qu'intellectuels. Sortis de cette voie, ils sont des citoyens, ils sont en politique et défendent leur opinion. C'est leur droit. Mais nous n'avons pas le droit de proclamer que parce que nous sommes des intellectuels nous sommes la conscience de la nation[1].

Historiquement, les sciences sociales ont joué un rôle important dans les questionnements politiques qui ont agité la société québécoise. On n'a qu'à se rappeler l'impact d'un Lionel Groulx ou d'un André Laurendeau dans la formation du nationalisme canadien-français, le rôle de la Faculté des sciences sociales de l'Université Laval dans l'opposition au régime Duplessis, le rôle des diplômées et diplômés en sciences sociales dans les comités de citoyens, dans la modernisation de l'État québécois, dans le renouvellement du syndicalisme — principalement dans le secteur public à la fin des années 60 et au début des années 70 — dans la mise sur pied du Parti québécois et dans la résurgence du nationalisme, pour ne citer que quelques exemples.

Cette implication a pris des formes extrêmement diversifiées qu'on peut cependant regrouper autour des axes suivants. D'abord, la consolidation des universités elles-mêmes et plus particulièrement de leur secteur sciences sociales, ce qui permettait d'assurer la relève en plus de fournir des emplois. Ensuite, des revues, usuellement fortement homogènes d'un point de vue idéologique, qui servent de relais entre l'élaboration théorique et le public en général en plus de permettre de cristalliser les opinions[2]. Finalement, une présence soutenue sur la scène publique, ce qui peut prendre la forme d'une collaboration régulière aux médias[3], principalement écrits, ou des prises de parole sur les grands sujets de l'actualité politique.

Tout ceci implique que c'est, dans une large mesure, à partir d'une extension de leur pratique professionnelle que les intellectuelles et intellectuels choisissent d'intervenir dans le débat public. Or une première question à se poser, c'est la base à partir de laquelle nous intervenons. Je ne pense pas qu'il soit possible d'échapper complètement à la responsabilité sociale des intellectuelles et intellectuels; notre métier en sciences sociales est de réfléchir sur le social, il est donc normal que nous ayons des opinions sur le sujet. Même celui qui a le plus contribué à opérer la distinction entre jugement de fait et jugement de valeur, Max Weber, ouvre la possibilité à une intervention citoyenne des universitaires, tout en précisant le contexte dans laquelle elle doit se dérouler:

> Le professeur qui se sent la vocation de conseiller la jeunesse et qui jouit de sa confiance doit s'acquitter de ce rôle dans le contact personnel d'homme à homme. S'il se sent appelé à participer aux luttes entre les conceptions du monde et les opinions des partis, il lui est loisible de le faire hors de la salle de cours, sur la place publique, c'est-à-dire dans la presse, dans les réunions publiques, dans les associations, bref partout où il le voudra. Il est en effet par trop commode de montrer son courage de partisan en un endroit où les assistants, et peut-être les opposants, sont condamnés au silence[4].

On ne saurait certes confondre l'université allemande du début du siècle avec l'université québécoise contemporaine, mais Weber souligne un phénomène qui est encore d'actualité: l'intervention politique ne peut se faire que dans un contexte où le débat est possible. Pour exercer leur jugement sur les affaires publiques, les intellectuelles et intellectuels ont d'abord et avant tout besoin d'un espace public reposant sur la possibilité de confrontation entre les points de vue et d'examen critique des options.

En partant de ces constats, j'aimerais explorer les pistes suivantes: le rôle relativement congru des intellectuelles et intellectuels dans les débats politiques actuels; le rapport entre ce phénomène et les transformations qui se sont manifestées dans le champ des sciences sociales au cours des dernières décennies; l'oscillation entre un rôle idéologique et un rôle d'expertise. Tout ceci servira à analyser la marge de manœuvre dont nous pouvons disposer si nous estimons qu'il nous revient de maintenir et de participer aux débats sociaux.

Ce type de raisonnement rejoint en partie les voies d'avenir pour la Faculté des sciences sociales de l'Université Laval que traçait Léon Dion lors de son allocution à l'occasion du colloque marquant le 50ᵉ anniversaire de cette Faculté. Celui-ci insistait d'une part sur la nécessité de mettre fin à l'hyperspécialisation qui caractérise les sciences sociales

> ...la Faculté doit se réorienter: elle doit d'abord reprendre la réforme de ses programmes dans deux directions: d'une part, alléger son bacca-

lauréat disciplinaire départemental (...) et d'autre part, être le pivot d'un baccalauréat en sciences humaines qui offrirait le type de formation fondamentale que réclamait le *Rapport de la Commission d'étude sur l'avenir de l'Université Laval* en 1979 et que réclament avec instance les dirigeants sociaux[5].

D'autre part, il préconisait un retour aux sources des membres de la Faculté, estimant que l'une de ses richesses avait été sa capacité de soutien aux débats sociaux. Léon Dion esquissait ainsi ce qu'il estimait être le rôle social des intellectuelles et intellectuels «qui est, en même temps que de contribuer à la compréhension du présent, d'entrouvrir les voies de l'avenir[6]».

Ses membres ensuite, chacun en assumant la responsabilité de sa liberté, doivent raviver leur esprit critique et faire de la Faculté un lieu privilégié, non seulement d'analyse positive et de service, mais aussi d'animation, de discussion, de débats publics, voire de contestation des idées et des conduites reçues qui apparaîtraient anachroniques ou néfastes, de même que de production d'idées nouvelles[7].

Pour cerner ce dont je veux parler, je partirai d'une définition assez générale du terme «intellectuel» pour y faire entrer toutes les personnes qui font profession de penser et qui se préoccupent de la vie de l'esprit[8]. Je suis cependant consciente de l'ambivalence du terme, je préfère m'en remettre aux définitions des dictionnaires les plus usuels pour éviter un long développement sur la notion même.

UN RÔLE MARGINAL

Au cours des années 80, le discours dominant a été celui du silence des intellectuels. Après avoir été fort présents dans les débats publics des années 60 et 70 et prêté leur voix et leur aval à diverses options politiques, les intellectuels, principalement dans le domaine des sciences sociales, profitant de leurs positions dans les institutions universitaires, ont semblé se replier dans leur tour d'ivoire. Cette appréciation a été largement médiatisée avec le film de Denys Arcand, *Le déclin de l'empire américain*, mais elle a également fait l'objet d'un traitement de la part des intellectuels eux-mêmes[9].

Cependant, depuis l'échec de l'accord du Lac Meech, les intellectuels semblent avoir opéré un retour en force dans le champ politique. Les médias sont à l'affût de toute déclaration politique du moindre universitaire et plusieurs d'entre nous ont été appelés à plancher sur les modalités de sortie de crise. Le vœu de Léon Dion de la reprise d'une implication dans la définition de l'avenir collectif de la part des universitaires en sciences sociales semble largement exaucé: dans les tentatives de sauvetage de Meech, les intellectuels canadiens-anglais ne se sont-ils pas largement mobilisés et depuis, le souffle nationaliste ne continue-t-il pas de bruisser chez les spécialistes québécois des sciences sociales?

À cet égard, le colloque sur René Lévesque, qui s'est tenu en mars 1991, est particulièrement révélateur. Aux côtés de politiciens, se retrouvaient des universitaires, dont la plupart soulignaient l'actualité et la pertinence du projet souverainiste. Cependant, cette déclaration d'intention visait plus à clore le débat qu'à l'entrouvrir; la souveraineté y apparaissait comme une fin en soi plutôt que comme un moyen d'entamer la discussion sur les modalités de la vie politique québécoise. Pourtant, l'occasion était bonne pour effectuer un retour critique sur la révolution tranquille et ses suites et poser les nouvelles questions auxquelles est confrontée la société québécoise.

De même la commission Bélanger-Campeau a fourni à plusieurs d'entre nous l'occasion d'identifier des questions politiques qu'il importe de résoudre. Il est à regretter que cela ait si peu transparu dans le rapport final des commissaires: les grandes questions politiques y ont été réduites à des aspects techniques faisant appel à des avis plus fouillés d'experts au lieu de susciter un débat collectif sur les priorités à se donner comme société. Or les «expertises» soumises à cette commission relevaient plus de l'implication citoyenne que de la science proprement dite, ce qui est parfaitement normal dans les circonstances. Ce qui l'est moins, c'est la volonté du pouvoir d'enfermer les intellectuels dans le cercle vicieux de l'expertise ou de l'idéologie.

La question de l'avenir du Québec est trop importante pour être laissée dans les mains de quelques politiciens assistés d'intervenants socio-économiques[10] et aidés par quelques intellectuels qu'ils auront décidé de s'adjoindre. Prendre nos responsabilités dans les circonstances, c'est ouvrir le débat public et faire en sorte que les opinions circulent et surtout puissent se formuler. Peut-être le résultat final nous décevra-t-il, comme plusieurs d'entre nous ont été déçus en mai 80, mais au moins le débat aura-t-il été fait et nous aurons alors pleinement joué notre rôle: faire surgir un sens critique et amener nos concitoyennes et concitoyens à s'interroger sur l'avenir. Dans son plaidoyer devant ses juges, Socrate se comparait à un taon chargé d'aiguillonner la cité en y instillant le doute et «d'examiner ceux qui s'imaginent être sages et ne le sont pas[11]». Notre rôle n'est donc pas de monopoliser la parole, mais plutôt de la soumettre à l'examen public.

C'est ce que rappelait d'ailleurs avec pertinence Habermas dans le contexte de l'unification allemande qu'on peut aisément comparer, en termes d'enjeux soulevés pour le vivre ensemble d'une communauté politique, à la conjoncture politique québécoise et canadienne. S'opposant à une unification rapide sous l'égide du roi *Deutschmark*, celui-ci rappelait fort à propos que

> Une identité nationale qui ne s'appuie pas en premier lieu sur une compréhension de soi républicaine, procédant d'un patriotisme constitutionnel, est en opposition avec les règles universalistes requises pour que des formes de vie coexistant à égalité de droits puissent cohabiter en bonne intelligence[12].

Avant de dégager quelques pistes de réflexion pour l'avenir, je voudrais commencer par disséquer le silence des années 80 qui tranche effectivement avec l'implication très forte des intellectuels en politique depuis les années 50. Au lieu de le déplorer, il me semble plus utile d'essayer de dégager des explications sur ce qui l'a rendu possible et de m'interroger sur le type de parole que devraient aujourd'hui privilégier les intellectuels.

LES TENTATIONS DE L'EXPERTISE

Deux pistes — d'ailleurs assez complémentaires — peuvent être prises si l'on veut comprendre ce silence. D'une part, les difficultés qu'a connues l'institution universitaire au cours de cette période. De l'autre, l'échec des projets dans lesquels les intellectuels québécois avaient fortement investi — quand ils ne les ont pas eux-mêmes suscités — dans les décennies précédentes: le projet indépendantiste qui connaît un recul majeur avec la défaite du référendum en mai 1980, et l'expansion du mouvement syndical et de l'extrême-gauche qui entrent tous deux en crise au début des années 80, avec les coupures dans le secteur public en 1982 et la désarticulation de la gauche m.l. dans le même temps; les prophètes d'hier ont cédé la place aux repentis honteux. Seules les intellectuelles, du fait de la montée féministe jusqu'au milieu des années 80, ont pu échapper partiellement à cette configuration dont il importe de saisir le sens si l'on veut éviter la répétition des mêmes schémas de comportement[13].

Il importe d'emblée de souligner que la fonction intellectuelle s'est, en la quasi-absence de tout mouvement social, de plus en plus réfugiée dans les universités au cours de cette période. C'est pourquoi la crise universitaire a eu tant de répercussions sur les conditions de l'activité intellectuelle[14]. On doit donc chercher dans les mutations au sein des universités certains éléments explicatifs de la soudaine extinction de voix du monde intellectuel.

La crise des universités a pris plusieurs formes qui ont toutes affecté le travail des intellectuels. L'aspect le plus évident — quoique, a posteriori, il n'apparaisse pas comme ayant été le plus pernicieux — en est certainement la baisse du financement. L'éducation faisait bonne figure dans les dépenses de la révolution tranquille et les budgets qui y étaient consacrés ont généralement été à la hausse. Les brusques coupures de 1982 ont eu plusieurs conséquences: arrêt du renouvellement du corps professoral, augmentation de la charge de travail et/ou recours massif à une main-d'œuvre n'ayant pas la possibilité de faire carrière à l'université (les chargées et chargés de cours), coupures dans les services auxiliaires à l'enseignement et à la recherche (bibliothèques, perfectionnement, etc.). L'université se trouvait donc en situation de devoir justifier son existence et son rôle social.

Cela a entraîné des conséquences tant pour les profs que pour la formation universitaire. Pour les profs, l'effet le plus évident a été le repli sur soi professionnel. L'insistance a été mise sur la compétence professionnelle du corps enseignant, compétence attestée par la diplômation et la possibilité de recevoir des subventions de recherche. Le résultat a été fort probant en sciences sociales puisque le rapport sectoriel du Conseil des universités soulignait que «[le] corps professoral est fortement qualifié. Sa participation à la recherche subventionnée est élevée, comme sa production d'articles et d'ouvrages scientifiques[15]».

Ce repli sur soi professionnel allait cependant avoir pour conséquence que la vie intellectuelle s'exerce relativement peu en dehors des universités. Dans leur souci de valoriser l'institution universitaire pour éventuellement améliorer leur situation, les intellectuels de sciences sociales ont un peu perdu de vue le social, l'excellence de l'université devenant sa seule justification. De même, la remise en cause du rôle modernisateur de l'État et le morcellement des enjeux sociaux allaient rendre plus complexes les conditions de visibilité sociale des intellectuels dans les deux modes qu'ils ont jusqu'ici privilégiés, l'idéologie et l'expertise.

Dans le même temps, ce succès professionnel allait être associé à une perte d'attraction des sciences sociales sur les étudiantes et étudiants universitaires. Si, dans les années 60 et 70, des études en sciences sociales pouvaient donner l'impression de participer à la construction de l'avenir, cette fonction a émigré vers d'autres domaines universitaires. Le discours dominant n'est plus celui du social, mais celui de la gestion. Ceci a

des effets, tant sur le recrutement étudiant[16] que la formation universitaire.

La formation a été le domaine négligé des sciences sociales au cours
des dernières années. La massification de la fréquentation universitaire et
l'importance accrue accordée à la recherche n'ont pas été sans réper-
cussion sur la place accordée à l'enseignement. Conséquence la plus évidente, les programmes se sont morcelés et spécialisés, au gré des recherches plutôt que selon une logique propre à l'enseignement. La généralisa-
tion de la formation à la carte[17], l'absence de culture générale, les cloi-
sonnements disciplinaires, tout cela a contribué à transformer les étudiantes et étudiants en sciences sociales en techniciens du social plutôt
qu'en généralistes capables de trouver un sens aux diverses facettes du
social.

Par ailleurs, il y a une dissociation de plus en plus importante entre
l'enseignement et la recherche, ce qui ne contribue pas à assurer une
relève intellectuelle ni à former intellectuellement les étudiantes et étudiants, principalement au premier cycle. En investissant de plus en plus
dans la recherche puisque c'est ce qui est valorisé professionnellement,
avec pour conséquence un désengagement sur le plan de l'enseignement,
l'enseignement de premier cycle est de moins en moins dispensé par le
corps professoral[18]. Ceci a pour effet de désintellectualiser la formation
universitaire de premier cycle puisque l'accent est mis sur la transmission
de connaissances plutôt que sur l'initiation au travail intellectuel.

En même temps, les sciences sociales, qui avaient joué un rôle
déterminant dans la modernisation de l'État au cours de la révolution
tranquille, ont subi les contre-coups de la perte du prestige étatique dans
la société. Alors qu'avant la vague néo-libérale, le discours social dominant au Québec faisait de l'État le pivot du développement et de la
modernisation, à partir du début des années 80, ce rôle est conféré à
l'entreprise privée, ce qui entraîne un glissement du discours du social
vers la gestion. Ne s'agissant plus de comprendre mais de gérer, les
sciences sociales sont devenues un discours de légitimation marginale,
cédant la place aux gestionnaires dans la définition de l'avenir.

Cette marginalisation s'est accompagnée d'une technicisation. La
recherche a de plus en plus été conçue sur le mode de l'application plutôt
que de l'explication. Certes, pour certains la recherche reste encore trop
fondamentale, mais les organismes subventionnaires font tout pour
qu'elle devienne de plus en plus immédiatement utilisable et utilitaire.
Dans ce sens, notre connaissance parcellisée du social et nos moyens
d'investigation de la réalité sociale se sont beaucoup affinés au cours des
dernières années, mais cette connaissance si elle sert, dans certains cas, à

alimenter le pouvoir, contribue peu à introduire un débat social sur l'avenir collectif.

La conséquence d'une telle transformation de la fonction universitaire est que celle-ci a de plus en plus été vécue sur le mode de l'expertise, un phénomène qui a été concrétisé par le rôle particulier que la commission Bélanger-Campeau a conféré aux universitaires: à côté des acteurs sociaux exprimant des intérêts, les universitaires ont été appelés à fournir des avis autorisés à partir de leur «expertise». Ce n'est pas la première fois que le phénomène se produit quoique, dans les commissions précédentes, les intellectuels en sciences sociales aient eu aussi leur mot à dire dans le rapport final, faisant partie des commissaires plutôt que d'en être réduits à un rôle de consultation externe au processus délibératif[19].

L'expertise n'est pas un phénomène nouveau dans l'histoire récente des intellectuels québécois. La révolution tranquille a été aussi vécue sous le signe de la modernisation scientifique de l'État, les sciences sociales fournissant des modèles autorisés de la modernité. C'est au nom de la science et du progrès que les nouvelles élites ont remplacé les anciennes. Le savoir se muait en pouvoir et le mythe platonicien du philosophe sortant le monde de la caverne de la grande noirceur n'était pas bien loin.

Ce phénomène est très bien illustré dans l'analyse de Soulet qui compare les intellectuels québécois de la révolution tranquille aux *Aufklärer* et souligne leur rôle déterminant dans la modernisation de l'État

> La mobilisation des classes moyennes, des techniciens aux experts, autour de l'État s'explique donc économiquement par la nécessité de constituer une infrastructure de production et socialement par les possibilités d'ascension collective qu'impliquait cette centration sur les savoirs et les compétences détenus par les classes moyennes[20].

S'inspirant des analyses de Konràd et Szelenyi[21], Soulet souligne la complémentarité de la construction étatique et de la consolidation des sciences sociales et le passage relativement aisé de la sphère intellectuelle à la sphère politique.

LES PIÈGES DE L'IDÉOLOGIE

À l'opposé de cette expertise, la fonction intellectuelle a aussi été vécue sur le mode idéologique. Si certains intellectuels ont entrepris de «bâtir le Québec» moderne, pour reprendre le titre d'un rapport aujourd'hui oublié, d'autres ont entrepris de le critiquer au nom d'une autre conception de la modernité. Cette critique a pris essentiellement deux directions: le nationalisme et le socialisme, deux projets sociaux dans lesquels les intellectuels ont joué un rôle de premier plan et qui se sont tous deux heurtés à des échecs majeurs au début des années 80. Deux idéologies opposées également qui ont toutes deux prétendu au monopole explicatif et qui ont été le lieu à partir duquel les intellectuels ont été présents dans le social.

Aujourd'hui, entreprendre une critique de l'idéologie est certes plus facile que cela ne l'a été dans le passé. La pensée postmoderne ne nous a-t-elle pas habitués à la crise des récits explicatifs et à discréditer les idéologies au nom du micro-social. Mais il faut aller plus loin que ces lieux communs et voir le rôle que l'idéologie a permis aux intellectuels d'exercer. Cela permettra peut-être d'éviter de retomber dans le piège idéologique qui semble de nouveau hanter les intellectuels depuis l'échec de l'accord du Lac Meech.

L'échec d'idéologies particulières peut d'abord se percevoir sur le mode événementiel. Au début des années 80, le nationalisme enregistre un premier échec de taille avec d'une part l'échec référendaire et d'autre part le rapatriement de la constitution canadienne sans l'accord du gouvernement québécois, ce qui consacre le succès de la vision centralisatrice du fédéralisme canadien développée par Trudeau. Par ailleurs, le mouvement syndical traverse péniblement la crise économique et tombe dans un corporatisme qui permet difficilement d'y voir un carrefour des forces de critique sociale. Quant à la gauche m.l., les organisations se dissolvent les unes après les autres, victimes de leur propre sectarisme et de la crise des systèmes politiques dont elles se réclamaient.

Toutefois, une telle approche événementielle ne suffit pas pour comprendre le silence des intellectuels dans les années 80 et le renouveau de la tentation idéologique dans les débats actuels. Ce qui est alarmant, ce n'est pas tant que les intellectuels se soient trompés (encore que l'erreur reste à prouver), mais qu'ils se soient trompés en prétendant détenir la vérité et en se considérant comme les porte-paroles de tendances sociales majoritaires.

Car il est indéniable que la question de la forme étatique la plus adéquate demeure encore pertinente. Certes, l'évidence de l'État-nation et son universalité ont été remises en cause, mais le modèle conserve son pouvoir d'attraction comme en témoignent les résurgences nationalitaires dans les pays d'Europe centrale et orientale. Même au Québec, ce mouvement que d'aucuns avaient cru pouvoir enterrer acquiert une nouvelle crédibilité politique. Le problème n'est pas tant que des intellectuels aient été ou soient encore nationalistes, c'est plutôt qu'ils abdiquent tout sens critique au profit de l'efficacité politique.

De même, ce n'est pas en fournissant un enterrement de première classe au marxisme et aux autres variantes de socialisme que l'on résoudra les inégalités économiques et sociales qui ne sont pas sans conséquences politiques. S'il paraît désormais plus que raisonnable d'entretenir des doutes sur la validité des solutions proposées par le marxisme, il n'en reste pas moins que les conditions sociales qui en ont favorisé l'émergence perdurent et qu'il importe de rechercher des modalités de justice sociale qui soient compatibles avec le maintien des libertés publiques et individuelles.

L'échec référendaire ou le rapatriement de la constitution canadienne peuvent être expliqués de façon rationnelle, là n'est pas la question. De même, l'on peut sociologiquement comprendre la perte d'influence sociale du mouvement syndical et la décomposition de la gauche m.l. Ce qui est moins justifiable, c'est le silence des intellectuels sur leur rôle idéologique dans ces deux cas.

Le grand impensé demeure le rôle des intellectuels dans le développement d'une pensée socialiste et surtout du mouvement m.l. Sur le plan politique, l'effet du «marxisme-léninisme» a été une véritable catastrophe. D'une part, cela a fortement discrédité toute pensée de transformation sociale radicale et a justifié l'engouement béat pour un libéralisme qui connaît aussi sa part d'échec social[22]. D'autre part, cela a fortement affaibli des organisations qui poursuivaient des objectifs restreints mais produisant des résultats probants dans la réduction des inégalités.

Il est devenu maintenant courant de critiquer le marxisme comme idéologie en s'autorisant de la décomposition des régimes s'en réclamant pour ce faire. Cela ne nous mène pas bien loin, d'autant que l'on peut déceler autant d'échecs sociaux dans le camp capitaliste. Il m'apparaît beaucoup plus utile d'aborder la question par le biais de l'effet politique de la «marxisation» des intellectuels québécois.

Un premier effet, c'est la persistance de la foi du charbonnier. Le monde intellectuel québécois est passé en moins de vingt ans de l'orthodoxie catholique à un autre type d'orthodoxie; cela a certes une fonction de réassurance: le passé, le présent et l'avenir ont un sens et peuvent acquérir une intelligibilité. Mais le revers de la médaille, c'est l'absence de curiosité. Le monde est fini, clos; l'imprévisible et l'événement n'y ont pas leur place. On ne cherche plus, par le biais du débat, à concourir à la formation de l'opinion publique. On cherche à imposer.

La certitude de la vérité entraîne l'économie de sa recherche. Le politique se réduit donc aux techniques permettant de faire triompher sa vérité.

Hannah Arendt, dans son analyse du totalitarisme, montrait le rôle de l'idéologie dans la consolidation du totalitarisme en soulignant d'abord le risque que l'idéologie fait courir à la pensée dont elle représente en quelque sorte la négation

> Le danger d'échanger la nécessaire insécurité où se tient la pensée philosophique pour l'explication totale que propose une idéologie et sa *Weltanschauung*, n'est pas tant le risque de se laisser prendre à quelque postulat généralement vulgaire et toujours pré-critique, c'est celui d'échanger la liberté inhérente à la faculté humaine de penser pour la camisole de la logique, avec laquelle l'homme peut se contraindre lui-même presque aussi violemment qu'il est contraint par une force extérieure à lui[23].

C'est ce qui l'amènera à soutenir que «[le] sujet idéal du règne totalitaire n'est ni le nazi convaincu, ni le communiste convaincu, mais l'homme pour qui la distinction entre fait et fiction (...) et la distinction entre vrai et faux (...) n'existe plus[24]».

Certes, cette menace totalitaire était plutôt ciconscrite au Québec, mais il est significatif que ce soit les intellectuels qui en aient le plus été affectés. Il est particulièrement dangereux, pour quelque société que ce soit, que ceux et celles qui devraient faire profession de penser adhèrent à la non-pensée.

Cela a pour conséquence d'engendrer une baisse de la participation politique. Malgré toutes les critiques qu'on peut lui adresser, la révolution tranquille a tout de même eu pour effet que la population s'est un moment crue artisane de son destin et a commencé à s'organiser pour améliorer sa situation. En essayant de noyauter tout ce qui bougeait socialement et d'instrumentaliser l'ensemble des luttes sociales, le mouvement m.l. a contribué à une démobilisation politique remarquable. Plutôt que de se faire manipuler, plusieurs ont préféré rentrer chez eux et se replier sur leur vie privée, devenant sceptiques face à toute tentative de changement social.

Il serait intéressant de se demander si une composante de la crise des idéologies ne provient pas de l'incapacité des intellectuels à admettre qu'il s'étaient trompés. En tout cas, il est évident que l'absence de débat, puisque le propre de la parole autorisée est de circuler à sens unique, ne favorisait pas la réflexion sur les pratiques antérieures et laissait peu de place à une attitude autre que la démission.

Quant à la pensée nationaliste, elle a eu à pâtir du désistement des intellectuels. La question nationale s'est progressivement vidée de son

contenu social et culturel pour devenir un discours d'efficacité gestion-
naire qui voit dans le lien fédéral canadien une entrave au développement
économique du Québec. Le nationalisme a de plus en plus une texture de
froide instrumentalité.

DES VOIES D'INTERVENTION

Dans les deux cas de figure, celle de l'expertise et celle de l'idéologie,
l'intervention des intellectuels en politique s'est avérée désastreuse parce
qu'un élément essentiel a été perdu de vue. La scène politique n'est pas
le lieu de la vérité, mais celui du débat; elle ne devrait pas être celui de
l'unicité mais celui de la pluralité. Il est donc problématique de s'autoriser de sa fonction sociale pour prétendre avoir une opinion plus valable
que celle de son voisin, à tout le moins si l'on entrevoit la politique
comme un processus démocratique fondé sur l'égalité des participantes et
participants au débat.

Ces considérations sur les pièges de l'idéologie et de l'expertise ne
tendent cependant nullement à préconiser le silence. Il faut toutefois
distinguer entre les ordres de discours. Les discours de l'idéologie et de
l'expertise se réclament tous deux de la vérité et il importe peu ici que
cette vérité relève dans un cas de l'«Histoire» et dans l'autre de la
«science». Ce que je qualifierais de fonction critique, c'est la capacité de
susciter des débats publics, «de rendre compte des valeurs sous-jacentes
à son travail, et de leur relation avec les valeurs de la société»[25]. Or c'est
ce débat public qui fait cruellement défaut dans le contexte politique
actuel, à moins de penser que la question constitutionnelle se limite à une
question de partage de juridiction, de partage du déficit ou de gestion de
la monnaie.

Ce qui est révélateur dans les démarches proposées par la Commission Bélanger-Campeau, c'est l'exclusion du débat public, la seule
place concédée à la population étant de se prononcer lors d'un référendum dont l'enjeu paraît de plus en plus nébuleux. Or c'est ce débat
public que nous devons contribuer à faire émerger, peu importe la
position constitutionnelle que l'on adopte[26]. Dans une situation politique
caractérisée par une crise de légitimité, nous devons faire en sorte que les
valeurs démocratiques l'emportent à la fois pour des raisons civiques,
dans la mesure où la démocratie est le seul régime politique qui autorise
une discussion sur ses fondements, et pour des raisons plus étroitement
professionnelles, puisque la liberté de penser, si nécessaire à notre travail,
est mieux protégée dans ce type de régime que dans n'importe quel autre.

On pourrait certes rétorquer que personne ne remet en cause la démocratie dans le débat constitutionnel actuel. Sur le plan formel, c'est exact. Sur le plan pratique, la situation est un peu plus complexe: le processus de modification constitutionnelle relève de politiciens dont la légitimité est elle-même remise en cause et surtout, il semble y avoir consensus pour faire silence sur le contenu de tout projet politique.

C'est ce silence qu'il faut dissiper si nous voulons contribuer à susciter un débat public. Il faut parvenir également à faire en sorte que les questions soulevées ne tournent plus autour de la notion d'identité, mais plutôt sur les modalités du vivre ensemble de la collectivité. Bref, il faut que le débat constitutionnel parvienne à s'arrimer aux enjeux sociaux concrets auxquels la société québécoise se trouve confrontée.

On peut nommer ici certains de ces enjeux, mais la liste ne saurait être exhaustive: l'attitude face à l'immigration, le rapport entre «blancs» et «autochtones», la place des femmes dans les structures politiques et sociales, le rôle des régions, le rôle et la responsabilité des pouvoirs locaux, de nouveaux modes de représentation politique. Je me limite même volontairement aux questions qui doivent assez immédiatement connaître une concrétisation institutionnelle laissant de côté les questions reliées à l'environnement et au développement économique.

Face à ces questions, notre première tâche est non pas d'apporter des réponses, mais de susciter un débat. Il n'y a aucune solution simple ni générale à ces questions. Elles ne peuvent être réglées ni par une politique spécifique ni une fois pour toutes. Cependant, elle doivent demeurer présentes dans l'élaboration des politiques et des mesures sociales. C'est pourquoi nous devons veiller à ce qu'elles continuent (ou commencent) à être des interrogations qui traversent le corps social. Elles ne doivent surtout pas être reléguées aux lendemains du débat constitutionnel mais contribuer à lui donner un peu de substance. Il s'agit pour nous de se référer «aux principes constitutifs de la société présente, en l'occurrence aux principes démocratiques, pour critiquer leur réalisation imparfaite dans la vie de tous les jours[27]».

Jouer un rôle intellectuel, surtout dans les sociétés modernes qui se sont constituées dans le rejet de toute transcendance, c'est amener la société à s'interroger sur elle-même, ce qui constitue le moyen pour elle d'être vivante, tout en devant reposer sur des institutions stables.

Ce rôle est certes moins glorieux que de prophétiser l'avenir ou de façonner le présent en exerçant des responsabilités politiques. N'aspirer ni au rôle du prince ni se complaire dans ceux de conseiller du prince ou de prophète représente peut-être une nouveauté pour les intellectuels québécois, mais cela ne constitue-t-il pas la condition nécessaire au maintien d'une fonction intellectuelle dans la société?

Nous avons une responsabilité sociale, comme membres d'une collectivité humaine et à ce seul titre. Notre action ne doit pas viser à assener des vérités mais plutôt à disséminer dans le corps social la faculté de penser. Cela devrait devenir notre «déformation professionnelle». C'est principalement à ce titre que la société pourra juger de notre action et nous demander de rendre des comptes.

NOTES

1. Hannah Arendt, «Les intellectuels et la responsabilité», *Cahiers du GRIF*, 33, 1986 (nouvelle édition augmentée, 1991), p. 151.
2. Voir à ce sujet l'article d'Andrée Fortin «Les intellectuels à travers leurs revues», *Recherches sociographiques*, XXXI, 2, 1990.
3. On n'a qu'à penser à l'activité journalistique d'André Laurendeau, Gérard Pelletier ou Gérard Bergeron pour ne citer que quelques exemples relativement anciens.
4. Max Weber, *Le savant et le politique*, Paris, UGE 10/18, 1979, p. 88.
5. Léon Dion, «Nos institutions: considérations liminaires », *in Les institutions québécoises: leur rôle, leur avenir*, Québec, Presses de l'Université Laval, 1990, p. 47.
6. *Loc. cit.*
7. *Loc. cit.*
8. À partir de maintenant j'emploierai ce terme à peu près exclusivement au masculin. Ceci n'a pas pour fonction d'alléger le texte, prétexte usuel à l'invisibilisation des femmes dans la langue française, mais plutôt de souligner la prépondérance masculine dans cette confrérie. Par ailleurs, ce groupe social, à l'instar de tous les autres groupes sociaux, est traversé par la question du genre, et être une intellectuelle n'a pas exactement la même signification qu'être un intellectuel. Pour s'en convaincre, la définition du terme par le *Petit Robert* est révélatrice: au masculin il s'agit d'une activité inscrite dans la division sociale du travail, au féminin, cela devient un terme péjoratif.
9. Voir à ce sujet les articles consacrés par la revue *Conjoncture* au silence des intellectuels, silence que cette revue tançait vertement, de même que les numéros consacrés à cette question par *la nouvelle barre du jour* et *Possibles*. À la même époque, il y a eu l'amorce d'un débat avec la publication du livre de Marc Henry Soulet, *Le silence des intellectuels*, Montréal, Éditions Saint-Martin, 1987.
10. Ce qui correspond à la composition de la Commission, celle-ci réunissant des élues et élus des paliers municipal, provincial et fédéral en plus des représentants des milieux des affaires et du milieu syndical.

11. Platon, *Apologie de Socrate*, Paris, Garnier-Flammarion, 1967, 33c, p. 45.
12. Jürgen Habermas, *Écrits politiques*, Paris, Cerf, 1990, p. 258.
13. Encore que là aussi l'oscillation entre l'expertise et l'idéologie ait été forte.
14. Même le quotidien qui se réclamait de certaines prétentions intellectuelles, *Le Devoir*, a opéré un changement de cap durant ces années et Piotte a parfaitement raison de le souligner lorsqu'il mentionne la mise hors champ des intellectuels dans ce journal (cf. «L'apahasie des intellectuels» *in Les avenues de la science politique. Théories, paradigmes et scientificité*, Cahiers de l'ACFAS n° 73, 1990, p. 230).
15. *Étude sectorielle en sciences sociales*, rapport final, Conseil des universités, document 2310-0134, 1989, p. 9.
16. Quoiqu'il porte sur les CEGEPs et non sur les universités l'article de Louise Lacour-Brossard souligne que, dans le secteur sciences humaines, on «retrouve une forte proportion d'étudiants qui rencontrent de sérieuses difficultés d'apprentissage et de réussite scolaires». «Les étudiants en sciences humaines» *Recherches sociographiques*, XXVII, 3, 1986, p. 465.
17. Par simple cumul de crédits plutôt qu'en fonction d'un programme cohérent, la seule cohérence pouvant exister étant le fait de l'étudiante ou de l'étudiant.
18. Dans le réseau Université du Québec, les chargées et chargés de cours dispensent environ la moitié des cours. Dans d'autres universités, la situation est moins tranchée mais il y a tout de même un certain clivage entre l'enseignement et la recherche universitaires.
19. À des fins de comparaisons, mentionnons que sur la commission Tremblay siégeait Esdras Minville et sur la commission Parent, Guy Rocher.
20. Marc Henry Soulet, *op. cit.*, p. 44.
21. Gyorgy Konràd et Yvan Szelenyi, *La marche au pouvoir des intellectuels*, Paris, Seuil, 1979.
22. On n'a qu'à penser aux taux de chômage qui prévalent dans la quasi-totalité des pays industrialisés de même qu'au nombre important d'Américains privés de tout accès à des soins médicaux faute d'argent. Et encore, j'ai la générosité de ne puiser mes exemples que dans les pays les plus développés.
23. Hannah Arendt, *Les origines du totalitarisme*, Paris, Seuil, 1972, p. 218.
24. *Ibid.* p. 224.
25. Tzvetan Todorov, *Les morales de l'histoire*, Paris, Grasset, 1991, p. 279.
26. À cet égard, le rapport Beaudoin-Edwards n'est pas plus de nature à susciter le débat public que celui de la commission Bélanger-Campeau. Ces deux rapports préfèrent s'en remettre aux seuls gouvernements.
27. Tzvetan Todorov, *op. cit.*, p. 289.

La politique internationale après l'échec du Lac Meech

Gordon Mace

Guy Gosselin

Au Québec, le nationalisme et l'État ont été et continueront d'être influencés par des variables internationales. Ils persistent aussi à vouloir être actifs dans l'environnement planétaire. C'est cette action internationale du Québec que Gordon Mace et Guy Gosselin cherchent à circonscrire dans ce chapitre. Avec leur contribution, notre livre entre pour de bon dans le monde des scénarios. Mace et Gosselin commencent par étudier l'évolution récente des relations inter-étatiques québécoises. Ils prêtent une attention particulière au virage américain pris par le Québec dès 1977, de même qu'aux relations avec les pays de la francophonie. En théorie comme sur le terrain, ils constatent que les préoccupations économiques sont devenues omniprésentes dans la politique internationale du Québec. Quand vient le temps de proposer des scénarios pour l'avenir, les auteurs pensent qu'un réaménagement en profondeur du fédéralisme laisserait au Québec une marge de manœuvre plus grande que ne le ferait l'indépendance au chapitre des relations internationales. Gordon Mace est professeur titulaire et Guy Gosselin est professeur agrégé au département de science politique de l'Université Laval.

11

La politique internationale du Québec après l'échec du Lac Meech*

Gordon Mace
Guy Gosselin

Il semble bien que l'échec de la dernière ronde de négociations constitutionnelles de juin 1990 ait ouvert la voie à un réaménagement substantiel des institutions communautaires canadiennes. Une partie importante de la population québécoise favorise maintenant l'option de la souveraineté-association tandis qu'un sondage récent de la maison Decima Research montre que les autres Canadiens accepteraient un changement du régime fédéral où le pouvoir des provinces serait accru[1]. La même volonté de changement paraît exister au niveau gouvernemental avec la mise sur pied des commissions Spicer et Bélanger-Campeau ainsi qu'avec la création subséquente de commissions parlementaires fédérale et provinciales.

Nous ne pouvons encore anticiper clairement l'ampleur des transformations à venir mais il y a lieu de croire qu'elles toucheront plusieurs secteurs de la vie politique, économique et sociale au Canada. Un des secteurs en cause est celui des relations extérieures où se produira un bouleversement majeur du champ des compétences si l'on se fie à tout le moins au rapport Allaire qui n'accorderait au gouvernement fédéral une compétence exclusive que dans le domaine de la défense du territoire[2].

Le débat sur la compétence des deux ordres de gouvernement en matière de relations extérieures est maintenant vieux de près de 30 ans. Étant donné l'absence d'une clause précise sur le sujet dans la Constitution, le gouvernement fédéral et celui du Québec avaient senti le besoin de préciser leur position respective en la matière dès le milieu des années 1960[3]. Essentiellement, la doctrine québécoise affirmait une compétence internationale du Québec dans les matières relevant de sa juridiction tandis que le gouvernement fédéral soutenait l'idée d'une capacité exclusive d'Ottawa dans le domaine de la conclusion d'accords internationaux.

Le débat n'a jamais été vraiment tranché depuis et le Québec, imité en cela par d'autres provinces, a continué à développer ses échanges extérieurs et à élargir son réseau de représentations diplomatiques. Après quelques périodes de concurrence agressive, les gouvernements d'Ottawa et de Québec étaient parvenus depuis quelques années à s'entendre sur une sorte de *modus vivendi* que risque de remettre en cause l'échec de l'accord du lac Meech.

Nous nous proposons d'examiner ici l'impact possible de cet échec sur l'avenir de la politique internationale du Québec. Un tel examen se fera à partir de l'étude des scénarios les plus probables à l'intérieur desquels nous essaierons d'évaluer les orientations futures de la politique internationale du Québec.

Naturellement, toute étude de scénarios, pour être quelque peu valable, doit s'appuyer sur la prise en compte de la réalité existante. C'est pourquoi, dans un premier temps, il nous faudra passer en revue les tendances récentes des relations inter-étatiques québécoises. Cette analyse portera sur la période postérieure à 1976 et sera centrée sur l'étude des objectifs et du comportement du gouvernement québécois selon les domaines fonctionnels et les aires géographiques.

Par la suite, il nous faudra tenir compte d'un certain nombre de contraintes à l'action internationale du Québec. Sur cette base, nous pourrons alors examiner les scénarios probables d'arrangements constitutionnels canadiens et anticiper, à l'intérieur de chaque scénario, les orientations possibles du comportement externe du gouvernement québécois.

La politique internationale depuis 1976

La politique internationale du Québec qui s'amorce au début des années 1960 se développe assez rapidement et avec une certaine fébrilité pendant les deux premières décennies. La formation du gouvernement par le Parti québécois en 1976 n'a pas modifié fondamentalement cette politique. L'action internationale du gouvernement Lévesque s'est en effet inscrite dans une grande continuité par rapport à celle du gouvernement Bourassa. Toutefois, le gouvernement du PQ réalise à la veille du référendum de 1980 une Opération Amérique qui déclenche des changements importants dans les relations du Québec avec les États-Unis. D'autre part, la crise économique du début des années 1980 amène le Gouvernement québécois à privilégier les questions économiques et en particulier le commerce extérieur dans sa politique internationale. Parmi les tendances récentes, apparaissent encore les Sommets francophones qu'une entente conclue entre Québec et Ottawa en 1985 va enfin permettre de réunir à partir de l'année suivante. Les années 1980 ont été encore marquées par la mise au point du premier énoncé de politique étrangère québécoise depuis le début de l'action internationale du Québec. Elles ont aussi été témoins de l'établissement d'un ministère spécifique pour les affaires internationales.

L'Opération Amérique et les relations du Québec avec les États-Unis

Le Québec et les Québécois ont toujours eu des rapports nombreux et étroits avec leur voisin du sud. Néanmoins, le gouvernement du Québec n'a que progressivement formalisé ses relations avec les États-Unis en reconnaissant qu'il s'agissait là, avec la France, du partenaire le plus important pour le Québec sur la scène internationale. Bien qu'elle fût entreprise avant 1960, cette formalisation s'est développée assez lentement jusqu'en 1976 alors que le gouvernement québécois a amorcé un «virage américain».

Effectuant son premier déplacement à l'extérieur du Québec en janvier 1977, le Premier ministre Lévesque inaugura lui-même une série d'interventions publiques à l'intention des Américains en prononçant un important discours à l'Economic Club de New York. Cette «Opération Amérique» avait pour but, indique Claude Morin, non pas de rechercher des appuis extérieurs au projet d'indépendance du Québec mais plutôt d'amener les États-Unis à ne pas s'y opposer[4]. Elle fut dotée d'un budget spécial, fit appel à la collaboration de cinq ministères, se manifesta par une série de visites ministérielles et fut étalée sur les dix-huit mois précédant le référendum de 1980. Par cette «Opération», le gouvernement québécois a voulu rectifier l'image du Québec que le Canada anglais et ses porte-parole transmettaient aux Américains. Il a donc cherché à rassurer d'abord les milieux d'affaires en exposant le plus clairement possible le projet du Québec et en soulignant son caractère démocratique ainsi que son ouverture aux investissements étrangers.

La grande importance ainsi accordée aux États-Unis s'est maintenue au cours des années 1980 et elle s'est manifestée principalement dans le domaine économique. Une analyse du discours des deux gouvernements Lévesque (1976-1985) révèle en effet que les États-Unis sont au total la cible régionale la plus fréquente des objectifs énoncés par les décideurs québécois (voir Tableau 1[5]). La même analyse montre aussi que le thème principal des objectifs visant les États-Unis est celui de l'économie et que l'importance de ce thème s'accroît après 1981 (voir Tableau 2). Sous le thème de l'économie, on retrouve la question des investissements mais surtout celle du commerce et du libre-échange. Sur ce dernier point, le Québec a même été la province qui a accordé l'appui le plus ferme à

Tableau 1

Québec. Discours gouvernemental. Objectifs par région (1976-1985)

	1976	1977	1978	1979	1980	1981	1982	1983	1984	1985	Total
Afrique			1			1	6	26	9	2	**45**
Amérique latine		1		3				8	8	13	**33**
Asie				2	3		1	17	22	37	**82**
États-Unis (1)		6	15	3	4		77	43	22	37	**207**
Europe (2)		2	9		10	4	9	24	21	8	**87**
France	1	17	5		3	2	23	15	13	19	**98**
Moyen-Orient		1	1				1		2	4	**9**
Océanie											**0**
Env. int. (3)	2	33	33	10	11	23	54	66	53	54	**339**
Inclassables		1	2	1			10	9	4	7	**34**
TOTAL	**3**	**60**	**67**	**16**	**34**	**30**	**181**	**208**	**154**	**181**	**934**

(1) comprend les visites aux institutions canado-américaines.
(2) à l'exclusion de la France.
(3) Cette catégorie comprend les cibles générales, telle l'économie mondiale, ainsi que les cibles à caractère non régional, telles que les Nations-Unies.

Sources: Projet d'analyse des relations internationales du Québec.
        Centre québécois de relations internationales.

l'Accord de libre-échange avec les États-Unis en 1988-89. L'intérêt pour les États-Unis se traduit encore par les nombreuses visites qu'y font le premier ministre et les ministres québécois. Ces visites présentent les mêmes caractéristiques que les objectifs proclamés: les États-Unis sont la destination la plus fréquente au total de la période 1976-1989 (voir Tableau 3) et le thème de l'économie domine (voir Tableau 4). Enfin, les ententes internationales avec les États-Unis, ou plus précisément avec l'un ou l'autre des États américains, se sont multipliées dans les années 1980 (41 ententes après 1981 sur un total de 57 ententes depuis 1960) et visaient surtout le domaine du transport.

À la fin des années 1970, le gouvernement Lévesque étend et renforce son réseau de représentations aux États-Unis. Il établit un bureau à Atlanta en 1977 et un autre à Washington en 1978. Le bureau de Washington est officiellement voué au tourisme parce que la volonté du gouvernement québécois de lui donner une vocation de lobbying a été contrée par Ottawa[6]. D'autre part, le gouvernement Lévesque a accru de façon importante le mandat et le personnel des représentations du Québec dans le cadre de l'«Opération Amérique». Dans le but de corriger l'image

Tableau 2

Québec. Discours gouvernemental.
Objectifs par domaine et par région en pourcentage (1976-1985)

Lévesque 1

	Env. intern.	Afr.	Am. lat.	Asie / Océanie	États-Unis	France (1)	Europe	Moyen Orient	Inclas-sables	Total
politique/ diplomatique	4,4	100	100	20	21,4	4	38,1		75	**15,5%**
institutions internationales	22				3,6					**11,6%**
culture et comm.	7,7				7,1		4,8			**5,5%**
économie et commerce	22			40	42,9	16	9,5	50		**22,7%**
éducation et science	1,1				14,3	20	9,5			**6,6%**
immigration	1,1			40					25	**2,2%**
environnement	1,1									**0,6%**
aide au développement	2,2									**1,1%**
affaires sociales	5,5									**2,8%**
mobilité des Québécois										**0%**
Général	33				10,7	60	38,1	50		**31,5%**
Total	100%	100%	100%	100%	100%	100%	100%	100%	100%	**100%**
% par région	**50,3%**	**0,6%**	**2,2%**	**2,8%**	**15,5%**	**13,8%**	**11,6%**	**1,1%**	**2,2%**	**100%**

que donnait de lui le Canada anglais et qu'il estimait déformée, le Québec créa des services d'information dans la plupart de ses représentations. Ce renforcement se révélera durable. Par ailleurs, le Québec est un membre actif et important de la Conférence annuelle des Gouverneurs des États de la Nouvelle-Angleterre et des Premiers ministres des provinces de l'Est du Canada qui se réunit depuis 1973. Les questions d'énergie et plus tard d'environnement, dans lesquelles le Québec a des intérêts considérables, ont dominé les travaux de la Conférence. Le Québec exporte vers ces États de forts volumes d'hydroélectricité à laquelle sont étroitement associés d'importants problèmes d'environnement.

Le thème de l'économie ne prédomine pas que dans les relations avec les États-unis. Il en est de même dans l'ensemble des relations inter-

Tableau 2 (suite)

Lévesque 2

	Env. intern.	Afr.	Am. lat.	Asie / Océanie	États-Unis	France	Europe (1)	Moyen Orient	Inclas- sables	Total
politique/ diplomatique	5,3	4,5	24,1	13	5	6,9	10,6		10	**7,5%**
institutions internationales	11	2,3	6,9	1,3	7,3					**5,9%**
culture et commun.	3,3	2,3		6,5	9,5	18,1	4,5	14,3	6,7	**6,7%**
économie et commerce	50,4	20,5	31	37,7	50,3	34,7	40,9	28,6	80,0	**45,2%**
éducation et science	8,1	38,6	10,3	6,5	6,1	16,7	9,1			**9,9%**
immigration	0,8			1,3						**0,4%**
environnement	2	2,3	6,9		4,5					**2,1%**
aide au développement	10,2	2,3						14,3		**3,6%**
affaires sociales	2	2,3	6,9		1,7	2,8	4,5	14,3		**2,3%**
mobilité des Québécois	0,4				2,2					**0,7%**
Général	6,5	25	13,8	33,8	13,4	20,8	30,3	28,6	3,3	**15,9%**
Total	**100%**	**100%**	**100%**	**100%**	**100%**	**100%**	**100%**	**100%**	**100%**	**100%**
% par région	**32,8%**	**5,9%**	**3,9%**	**10,3%**	**23,9%**	**9,6%**	**8,8%**	**0,9%**	**4,0%**	**100%**

1) à l'exclusion de la France

Sources: Projet d'analyse des relations internationales du Québec.
          Centre québécois de relations internationales.

nationales du Québec à quelques nuances près. L'analyse précitée des discours des deux gouvernements Lévesque met en évidence la croissance rapide et l'importance de ce thème qui, d'un gouvernement à l'autre, double sa part relative et devient, avec un taux de 45%, le thème le plus important du discours officiel sur les relations internationales. Sous ce thème, le gouvernement québécois a d'abord traité d'investissements, la croissance de l'économie québécoise au cours des années 1960 et 1970 nécessitant des investissements importants. Puis, dans le contexte de la crise économique du début des années 1980, le discours du gouvernement québécois a déplacé sa priorité vers le commerce extérieur. Cette priorité s'est aussi manifestée dans la création d'un ministère du commerce extérieur en 1982, dans un fort appui au projet d'Accord de libre-échange

Tableau 3

Québec. Visites ministérielles par région (1976-1989)

	1976	1977	1978	1979	1980	1981	1982	1983	1984	1985	1986	1987	1988	1989	Total
Organis. internat.	1	5	1	0	5	2	4	4	3	7	3	4	5	4	**48**
Afrique	4	3	1		3	2	1	3	6	1	5	7		2	**38**
Amérique lat.	1		4	3	3		3		6	1				5	**26**
Asie		2	2	4	1		3	14	7	9	14	3		7	**66**
États-Unis	1	15	16	17	10	8	23	29	19	18	19	24	16	4	**219**
Europe (1)	5	13	30	4	12	7	12	30	27	16	11	17	22	5	**211**
France	1	12	9	2	10	7	8	21	15	12	5	7	7	6	**122**
Moyen-Orient	1		1												**2**
TOTAL	**13**	**51**	**57**	**30**	**47**	**30**	**48**	**93**	**84**	**67**	**53**	**73**	**53**	**33**	**732**

(1) à l'exclusion de la France

Sourcse: Projet d'analyse des relations internationales du Québec.
Centre québécois de relations internationales.

Tableau 4
Québec. Visites ministérielles par région et par domaine (1976-1989)

Lévesque 1

	Env. intern.	Afr.	Am. latine	Asie / Océanie	États-Unis	France	Europe (1)	Moyen-Orient	Total
politique/diplomatique		4	3		14	10	9		**40**
institutions internationales	1		2		6	1	6		16
culture et communications					4	2	5		11
économie et commerce	3		5	1	35	7	25	1	**67**
éducation et science	1			1	1	5	4		**12**
immigration	2	2		6		1	4		**15**
environnement	1					2	3		**6**
aide au développement									**0**
affaires sociales	3	1				2	2		**8**
mobilité des Québécois									**0**
urbanisme	1				1	5	11		**18**
TOTAL	**20**	**13**	**10**	**25**	**97**	**66**	**99**	**0**	**330**

Tableau 4 (suite)

Lévesque 2

	Env. intern.	Afr.	Am. latine	Asie / Océanie	États-Unis	France	Europe (1)	Moyen Orient	Total
politique/diplomatique	3	3		6	22	10	11		55
institutions internationales					4	3	5		12
culture et communications		3			7	11	6		27
économie et commerce	4	3	7	14	44	26	48		146
éducation et science	2	4	1	1	4	5	6		23
immigration			2	3	1	1	3		10
environnement	1			1	8	1			11
aide au développement	1	1							2
affaires sociales	6	1			7	7	18		39
mobilité des Québécois									0
urbanisme		1				2	2		5
TOTAL	20	13	10	25	97	66	99	0	330

Bourassa 3

	Env. intern.	Afr.	Am. latine	Asie / Océanie	États-Unis	France	Europe (1)	Moyen Orient	Total
politique/diplomatique	1	1	1		5	6	16		30
institutions internationales									0
culture et communications	1	8			5	6	2		22
économie et commerce	8	3	5	29	42	11	28		126
éducation et science	4	2				1			7
immigration	1			8		1			10
environnement				1	12	1	6		20
aide au développement									0
affaires sociales	2			2	3	2	8		17
mobilité des Québécois									0
urbanisme						1	1		2
TOTAL	17	14	6	40	67	29	61	0	234

(1) à l'exclusion de la France

Sources: Projet d'analyse des relations internationales du Québec.
          Centre québécois de relations internationales.

avec les États-Unis (ALE) en 1988-1989, dans une participation active au processus d'élaboration de la position canadienne dans les négociations de l'ALE et dans celles du GATT alors en cours et dans la mise sur pied de nombreux programmes gouvernementaux de promotion du commerce extérieur. Pour le gouvernement du Québec, révèlent les Tableaux 2 et 4, les cibles principales vers lesquelles il dirige son intérêt sont, d'une manière constante, les États-Unis, l'Europe, la France et, plus récemment, l'Asie. Dans l'ensemble du discours officiel québécois et des visites ministérielles québécoises à l'étranger, les États-Unis demeurent donc la cible prépondérante et l'économie est devenue le domaine prépondérant.

La francophonie vers les Sommets

Les relations du Québec avec la France et, de façon générale, avec la francophonie sont, depuis le début, la partie la plus visible et la plus mouvementée des relations internationales du Québec. Les détails et les causes de cet état de fait sont assez bien connus. Il suffit de relever qu'une situation semblable s'est de nouveau produite à la fin des années 1970 et au cours des années 1980. L'occasion en était l'institution de rencontres régulières, au sommet, des chefs d'État et de gouvernement francophones. Cette idée avait été énoncée par Léopold Senghor sous une autre forme et promue de façon constante depuis les années 1960. La mise sur pied de l'ACCT en 1970 n'avait réalisé qu'une partie du projet entretenu par Senghor. C'est pourquoi la proposition de Sommets francophones fut de nouveau discutée à partir de la fin des années 1970.

Cette question suscita des affrontements épiques entre Québec et Ottawa et entre le Canada et la France de 1977 à 1984[7]. L'objet des affrontements était la présence du Québec aux sommets, présence à laquelle Ottawa s'opposait catégoriquement mais que, par contre, soutenait la France. L'impasse persistera jusqu'au changement de gouvernement à Ottawa en 1984. Une entente est en effet conclue en novembre 1985 entre le gouvernement fédéral dirigé par Brian Mulroney et celui du Québec. Les deux gouvernements se sont finalement entendus pour reprendre, en l'adaptant, la formule déjà convenue pour la participation du Québec à l'ACCT. Le Québec sera invité directement mais il fera partie de la délégation canadienne tout en pouvant intervenir librement sur les questions relevant de sa compétence.

Du point de vue de son statut international, l'entente de 1985 constitue pour le Québec un gain considérable même si certains le considèrent fragile. Au sein d'un forum de chefs d'État et de gouvernement de pays souverains, le Québec est en effet admis à titre d'observateur et de participant. Il peut agir comme «observateur intéressé» lors de la discussion de la situation politique mondiale. Il peut intervenir «après concertation et avec l'accord ponctuel» du gouvernement fédéral sur les questions économiques. Il participe enfin de façon autonome aux débats relatifs à la coopération et au développement.

Il apparaît bien, dans ces conditions, que les sommets francophones n'ont pas qu'une vocation culturelle. Leur fonction économique est tout aussi importante. C'est la vision qui a été retenue par le premier Sommet de Paris en 1986 et c'est également la position que défend le Québec. Dès le Sommet de Paris de 1986, le Premier ministre Bourassa proposait de choisir des domaines prioritaires tels que l'agriculture et l'énergie, les industries de la langue, les problèmes de la culture et de la communication, l'information scientifique et le développement technologique. Le Québec souhaitait que dans chacun de ces domaines le Sommet définisse des grandes orientations devant aboutir à des programmes mobilisateurs qui pourraient être réalisés par une ACCT refondue. Le gouvernement québécois proposait lui-même la création d'un réseau de l'Énergie des pays de langue française en vue de concerter les efforts et d'une Association francophone de l'Énergie regroupant des représentants des gouvernements et du secteur privé afin de promouvoir les échanges d'information. Le Sommet a retenu ces propositions et demandé au Québec de diriger le réseau de l'Énergie. Le gouvernement québécois saisit d'ailleurs l'occasion de faire la promotion de son expertise dans ce domaine et il annonça, au moment du deuxième Sommet tenu à Québec en 1987, la mise sur pied d'un Institut international d'énergie situé à Québec et ayant pour mandat la coordination des efforts des pays francophones, notamment en matière de recherche. C'est en misant sur ses atouts également que le Québec chercha à faire de l'environnement une question prioritaire lors du troisième Sommet, à Dakar en 1989. Ces initiatives illustrent les préoccupations constantes du Québec qu'exprimait encore M. Bourassa devant la presse de Dakar à la veille du Sommet de 1989 en disant qu'il espérait retirer des retombées économiques des sommets francophones[8].

Vers un énoncé de politique et un ministère des Affaires internationales

À la suite de quelque vingt-cinq années de relations internationales particulièrement intenses et diversifiées pour une entité non-souveraine, le gouvernement québécois se dote enfin, en juin 1985, d'un premier véritable énoncé de politique étrangère québécoise. Malgré le changement de

gouvernement survenu quelques mois plus tard et les intentions exprimées de temps à autre par le nouveau gouvernement de réviser à son tour
la politique internationale du Québec, l'Énoncé de politique de 1985
demeure le fait marquant de la dernière décennie au plan de l'élaboration
de la politique québécoise.

L'importance de cet Énoncé tient d'abord à la façon dont il a été
préparé. Il a en effet été précédé d'un vaste exercice de consultation dans
le cadre de l'une des conférences socio-économiques au sommet que le
gouvernement péquiste réunissait à cette époque dans différents secteurs
d'activité. Cet exercice a donné lieu à la publication d'un substantiel État
de la situation. L'Énoncé de politique qui a suivi possède lui-même un
contenu assez dense qui définit la politique extérieure du Québec, énonce
les grands principes sur lesquels elle se fonde, formule les grands objectifs qu'elle poursuit et précise les secteurs d'activité et les régions du
monde qu'elle va privilégier[9].

Six secteurs d'activité prioritaires sont identifiés: les relations économiques, les relations scientifiques et technologiques, les relations
culturelles, l'immigration, l'environnement et l'énergie. À part le cas de
la culture, on note la grande complémentarité de ces secteurs dans la
perspective du progrès économique du Québec. Cette perspective est plus
explicite quand il s'agit des régions du monde avec lesquelles le Québec
veut entretenir et développer prioritairement ses relations. L'Énoncé de
politique dit des pays industrialisés qu'ils sont la zone du monde où
continueront à être concentrées les relations économiques internationales
du Québec et où seront d'abord mises en oeuvre les politiques sectorielles. Plus précisément, les États-Unis, la France et l'Europe constituent
les régions prioritaires, suivies, en un deuxième cercle, des pays nordiques, de l'Asie de l'Est et de l'Asie du Sud-Est. Les rapports avec
l'Asie, précise-t-on, vont permettre au Québec de s'insérer dans les nouveaux courants commerciaux.

D'autre part, au plan de la gestion de la politique internationale du
Québec, les années 1980 sont l'occasion de quelques évolutions importantes. La première illustre la priorité qu'acquiert au début de cette décennie la question des échanges commerciaux. Le gouvernement Lévesque
établit en effet en décembre 1982 un ministère du Commerce extérieur
qui, sous la direction d'un ministre dynamique, Bernard Landry, devait
maximiser les efforts du Québec pour développer ses exportations. La
deuxième évolution majeure est celle qui a touché le principal ministère
responsable des relations internationales du Québec. Jusqu'en 1984, cette
responsabilité était confiée au ministère des Affaires intergouvernementales qui traitait à la fois des affaires intergouvernementales cana-

diennes et internationales. La réforme de mars 1984 a eu pour effet d'attribuer les seules affaires internationales au nouveau ministère des Relations internationales. Cette décision consacrait donc l'importance que le gouvernement québécois voulait désormais reconnaître aux affaires internationales. De même, la rationalisation qui s'est opérée en 1988 par la fusion des ministères du Commerce extérieur et des Relations internationales en un ministère des Affaires internationales (MAI) a non seulement mis fin aux problèmes de coordination et aux rivalités ministérielles mais elle a surtout consolidé les moyens dont dispose le gouvernement québécois pour réaliser ses objectifs.

En conclusion, on doit souligner la grande tendance que l'on a pu observer dans la politique internationale du Québec depuis 1976. Le thème de l'économie y a pris en effet une place majeure. L'importance des questions économiques a non seulement connu une croissance considérable mais la dimension économique des diverses questions a également acquis plus d'importance. On voit cette tendance principale apparaître dans le développement des relations avec les États-Unis mais aussi dans le cadre des Sommets francophones. Dans les deux cas, par exemple, l'atout énergétique du Québec est mis en évidence sous forme de produit ou d'expertise à exporter. Enfin, l'élaboration et la gestion de la politique internationale du Québec semblent avoir atteint un stade de développement avancé, plus approprié à une véritable politique étrangère.

LES SCÉNARIOS D'AVENIR

Les paramètres actuels

Si la prise en compte des tendances récentes du comportement externe de l'État québécois constitue un premier prérequis pour l'étude de scénarios possibles, cela ne saurait être suffisant pour une analyse un tant soit peu minutieuse. Évaluer les perspectives d'avenir de la politique internationale du Québec exige également que l'on tienne compte d'un certain nombre de faits fondamentaux servant de balises à toute politique étrangère future de l'État québécois.

À cet égard, l'on ne peut manquer de souligner tout d'abord la très importante modernisation vécue par la société québécoise au cours des trente dernières années. Ce processus, à peu près unique dans l'histoire moderne des sociétés, a été réalisé dans le cadre fédéral canadien et a permis de construire un modèle économique original que certains n'ont pas hésité à baptiser «Québec Inc.[10]» Ce cadre assez particulier de gestion économique a donné à l'État québécois de puissants leviers d'intervention, tels la Société générale de financement (SGF) et la Caisse de dépôt et de placement, et a permis une concertation de plus en plus grande entre le secteur public et une classe d'affaires francophone maîtrisant de plus en plus les règles du jeu économique. Au-delà de cet appareil de gestion économique, le Québec possède également une abondance de ressources naturelles et abrite une population parmi les plus jeunes des sociétés occidentales[11].

Si le Québec possède par conséquent les ressources et les instruments de gestion économique interne, on ne peut pas dire, cependant, qu'il soit aussi bien armé pour faire face à la concurrence étrangère, s'imposer sur les marchés extérieurs et assurer son développement économique à long terme. Le Québec est l'une des économies les plus ouvertes du monde avec 40% du produit intérieur brut (PIB) venant des recettes d'exportation. C'est le taux le plus élevé en Occident. Ce taux atteste de la vulnérabilité de l'économie québécoise par rapport à l'environnement international, vulnérabilité d'autant plus grande que la petite taille de notre économie ne lui permet pas d'agir sur les facteurs pouvant l'influencer.

Malgré des efforts louables sur le plan interne, l'économie québécoise est devenue de plus en plus dépendante de l'étranger et cette dépendance, alliée à la faible compétitivité de notre économie, ne pourra manquer de réduire fortement la marge de manœuvre de toute politique étrangère québécoise à venir. Quelques données suffisent pour illustrer ce qui précède.

Les graphiques qui suivent permettent tout d'abord de souligner la dépendance du Québec à l'égard des investissements et du commerce extérieur. Dans un premier temps, on remarque que les investissements étrangers faits au Québec depuis 15 ans ont été réalisés essentiellement par cinq pays. Parmi ceux-ci, comme on pouvait s'y attendre, les États-Unis prennent la part du lion avec une proportion de presque 40%. Si le nombre de projets et les montants investis ne sont pas à dédaigner, il y a lieu de noter par ailleurs que le Québec ne parvient pas à s'assurer une part importante des investissements étrangers faits au Canada. Ainsi, de 1985 à 1990, le Québec n'a pu s'assurer que 13% des investissements étrangers réalisés au Canada contre 59% pour l'Ontario[12]. Ces chiffres signifient par conséquent que le Québec attire des investisseurs de l'étranger de façon beaucoup moins importante que l'Ontario alors que ces investisseurs viennent essentiellement de cinq pays. Cette concentration de l'origine de nos investissements étrangers pourrait poser problème si les politiques québécoises suscitaient la crainte à l'extérieur.

Sur le plan du commerce extérieur, l'on ne peut que remarquer l'extrême concentration de nos exportations vers les États-Unis. Ce

Graphique I

**Invertissements étrangers au Québec
1976-1989 (en pourcentage)**

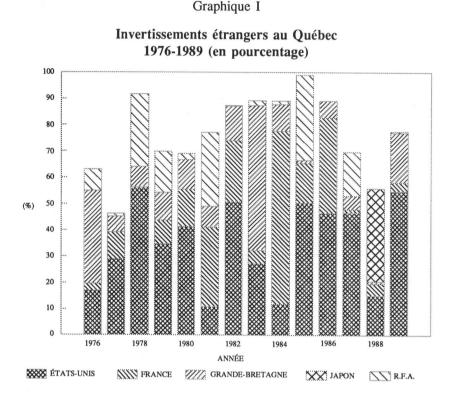

phénomène, dont la tendance s'est amplifiée depuis 1980, atteste l'échec des politiques québécoises de diversification de nos échanges extérieurs[13] et montre qu'à l'avenir le commerce extérieur du Québec sera de plus en plus limité géographiquement à la région des Amériques.

On constate donc un phénomène indéniable de dépendance économique du Québec à l'égard de l'étranger et en particulier à l'égard des États-Unis. La situation serait meilleure si le Québec pouvait envisager une réduction possible de cette dépendance dans un avenir plus ou moins rapproché. Malheureusement, il y a peu d'espoir à cet égard compte tenu de la faible compétitivité de l'économie québécoise sur les marchés étrangers.

À quelques exceptions près, en effet, l'économie du Québec demeure toujours majoritairement une économie de ressources, une économie dont le développement et la croissance sont liés au secteur des ressources naturelles[14]. C'est également une économie de petites et moyennes entreprises (PME) qui peuvent servir à générer de l'emploi mais qui sont en

Graphique 2

**Exportations du Québec: destination
1968-1987 (en pourcentage)**

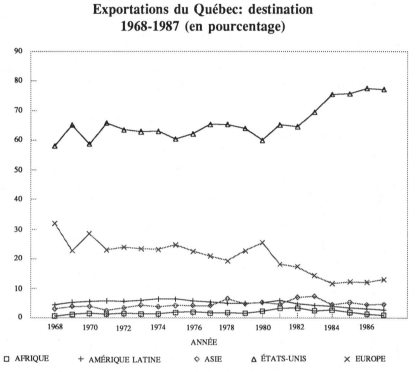

général peu présentes sur les marchés extérieurs. On estime ainsi que 90%
des exportations québécoises sont le fait d'entreprises de 200 employés et
plus[15] dont la majorité appartient à des intérêts étrangers. Enfin, ce qui
n'est rien pour aider, l'économie du Québec est caractérisée par un
investissement faible en recherche-développement ainsi que par un effort
minimal sur le plan de la formation professionnelle.

En matière de recherche-développement, le Canada et le Québec font
piètre figure parmi les grands pays industrialisés. Le Canada se classe au
15e rang des 22 pays de l'OCDE et il est avant-dernier parmi les pays du
Groupe des Sept. Alors que des pays comme la Suède, la France, l'Allemagne et le Japon consacrent entre 2,5 et 3,0% de leur PIB à la recherche
et au développement, le Canada n'y consacre que 1,32% et le Québec
1,29%[16]. Une enquête récente sur huit principaux pays industrialisés
révèle que le Canada est au dernier rang ou à l'avant-dernier pour à peu
près tous les indicateurs mesurant la capacité d'un pays à capitaliser sur
les découvertes technologiques[17].

La situation du Québec est encore plus mauvaise puisque sa position relative à l'intérieur du Canada a décliné constamment depuis quelques années. C'est le cas depuis 1986 en recherche-développement[18] tandis qu'en recherche industrielle la position du Québec s'est détériorée depuis 1979[19]. La proportion de main-d'oeuvre qualifiée et hautement qualifiée est plus faible au Québec qu'en Ontario et dans l'ensemble canadien tandis que nous traînons toujours de la patte face à l'Ontario sur le plan de la formation d'ingénieurs et de scientifiques. La situation n'est guère meilleure sur le plan de la formation professionnelle alors que 52% des entreprises québécoises offrent des activités de formation comparativement à 70% en Ontario. Au plan mondial, le Canada n'a pas une position enviable en matière de formation professionnelle puisque les entreprises locales y consacrent deux heures par année en moyenne par rapport à une moyenne de 150 heures au Japon[20].

Partant de là, il n'est pas surprenant de constater que la plupart des analyses en arrivent à conclure au déclin constant du Canada et du Québec sur le plan de la compétitivité internationale. De 1985 à 1990, la performance canadienne en matière de productivité n'a augmenté que de 1,2% comparativement à 23,8% aux États-Unis. Sur la période 1979-1988, une étude de l'OCDE portant sur vingt pays industrialisés montre que le Canada a eu la pire performance de tous sur le plan de la productivité à l'exception de la Grèce[21]. Cette conclusion est corroborée par le World Competitiveness Report de 1990 où, parmi 23 pays industrialisés, le Canada vient au 13e rang pour l'efficacité industrielle, au 15e rang pour les orientations internationales et au 16e rang pour les orientations futures où est pris en compte l'effort en matière de recherche-développement[22].

La mauvaise situation du Québec sur le plan de la compétitivité internationale s'explique naturellement par les caractéristiques de base de son économie. Une économie centrée sur les ressources naturelles innove peu parce qu'au Canada et au Québec ce secteur est celui qui investit le moins en recherche-développement. Une économie dominée par la PME est également une économie qui investit peu en recherche-développement parce que ces entreprises, de taille trop réduite, n'ont pas les ressources pour intervenir à ce niveau. Comme cette situation est peu susceptible de changer dans les années à venir et comme la capacité économique d'un État constitue un élément fondamental de toute politique étrangère, il faudra bien tenir compte de ces contraintes pour toute évaluation de l'action internationale future du Québec.

Les scénarios de changement

Compte tenu de la situation politique et constitutionnelle actuelle au Canada et si l'on excepte le statu quo dont rendent compte les pages précédentes, deux scénarios de changement apparaissent maintenant les plus plausibles. Le premier implique un réaménagement en profondeur de la répartition des pouvoirs au sein d'une seule entité canadienne souveraine. Le deuxième est celui de l'indépendance du Québec avec rapatriement complet de tous les pouvoirs d'un État souverain. Dans l'un et l'autre cas, quels seront les contours de l'action internationale du Québec?

Le scénario du réaménagement des pouvoirs

Il s'agit certainement du scénario le moins acrimonieux et le plus productif pour l'ensemble des parties impliquées. Dans un tel scénario, il y a lieu de penser que le gouvernement fédéral conserverait des pouvoirs significatifs sur le plan de la coordination économique, de la défense du territoire et de la représentation internationale. Les provinces, de leur côté, verraient leurs pouvoirs augmenter dans plusieurs secteurs socio-économiques où les gouvernements locaux sont mieux à même de légiférer et où, étant plus près de la population, ils peuvent être mieux contrôlés. Le Québec, pour sa part, devrait obtenir la plénitude des pouvoirs en matière de langue, de culture et d'immigration à tout le moins.

Sur le plan de la politique étrangère, le gouvernement fédéral voudra conserver l'autorité ultime dans les domaines de la conclusion d'accords internationaux et de la représentation internationale. Plusieurs provinces, de leur côté, désireront de plus en plus avoir voix au chapitre dans le domaine des relations internationales et en particulier dans le secteur des relations économiques internationales. Cette volonté s'exprimera par une participation plus grande des gouvernements provinciaux dès le début du processus d'élaboration des politiques et par le biais d'une présence plus grande de leur part dans les délégations canadiennes aux conférences internationales.

Le Québec, qui constitue actuellement l'un des États fédérés les plus agressifs sur le plan international, continuera vraisemblablement à jouer ce rôle dans le nouveau Canada en utilisant pleinement les pouvoirs accrus qu'il aura acquis. Les deux axes centraux de l'action internationale du Québec demeureront l'économie et la culture avec comme cibles géographiques privilégiées l'Amérique du Nord et les pays francophones d'Europe de l'Ouest et d'Afrique. La question de l'immigration deviendra sans doute plus importante comme l'indiquent l'énoncé de politique sur l'immigration de 1990 et l'entente administrative qui a suivi entre les gouvernements canadien et québécois reprenant les dispositions de l'accord du Lac Meech[23].

La langue et la culture obligeront en effet le gouvernement du Québec à maintenir et à développer ses échanges avec les pays de la communauté francophone, en particulier dans le domaine de la coopération scientifique et technique. Le maintien du Québec dans l'ensemble canadien avec des pouvoirs élargis et une concertation plus grande avec les gouvernements de l'Ontario et du Nouveau-Brunswick devraient contribuer à renforcer l'action du Québec à cet égard face en particulier à un acteur aussi important que la France.

Sur le plan économique, le Québec fait face à un certain nombre de contraintes fondamentales qui réduiront sérieusement sa marge de manœuvre dans le domaine des relations internationales. Les faiblesses structurelles des économies canadienne et québécoise combinées à leur faible compétitivité sur les marchés internationaux confineront de plus en plus le Canada et le Québec dans les Amériques et en Amérique du Nord plus particulièrement. Tendance qui sera renforcée par la constitution des blocs économiques régionaux en Europe et en Asie et la dérive de plus en plus accentuée du continent africain. Face au géant américain et à une économie mexicaine de plus en plus performante, l'inclusion dans un ensemble canadien mieux structuré constituera encore une fois un atout non négligeable pour le Québec face à la concurrence étrangère.

Ainsi, ce scénario est celui de la continuation des tendances esquissées au cours des années 1980. C'est le scénario d'action internationale du Québec le moins coûteux à plusieurs points de vue et c'est celui qui est le plus susceptible de générer des bénéfices pour la présence internationale du Québec dans les années à venir.

Le scénario de l'indépendance

Le scénario de l'indépendance du Québec, tout aussi plausible que le précédent au moment d'écrire ces lignes, est un scénario beaucoup plus coûteux pour la collectivité québécoise à court et à moyen terme. Du point de vue de l'action internationale du Québec, c'est également le scénario qui pourrait réduire le plus la marge de manœuvre du gouvernement québécois en matière de politique étrangère par rapport à la situation actuelle.

Dans un tel scénario, se posera dès le départ tout le problème de la reconnaissance internationale du nouvel État québécois. En droit international une telle reconnaissance est généralement consentie lorsqu'on a l'assurance qu'un gouvernement contrôle son territoire et peut assurer la bonne gestion des affaires de l'État, appuyé en cela par une majorité de la population.

Dans le cas du Québec, l'accession pacifique à l'indépendance sur la base d'un appui populaire majoritaire devrait satisfaire les conditions exigées par le droit international. Mais à côté du droit international, il y a tout le jeu des acteurs et en particulier celui des grandes puissances. Et c'est là que la mise sera gagnée ou perdue.

La stratégie du Québec consistera naturellement à s'appuyer sur la France qui elle-même ferait pression sur les pays africains avec lesquels elle entretient des relations privilégiées. Le Canada, pour sa part, pourrait ne rien faire et tout serait alors réglé. Plus vraisemblablement, le gouvernement canadien pourrait chercher à contrer l'action du Québec auprès de Washington, auprès de ses alliés du Commonwealth et plus largement, face au reste de la communauté internationale. Cette action pourrait recevoir l'appui des autochtones du Québec, ce qui pourrait alors compliquer singulièrement la question.

Il est difficile de déterminer ce que sera la réaction de la communauté internationale face à l'accession éventuelle du Québec à l'indépendance. Les cas récents des États baltes et de la Yougoslavie montrent qu'il y aura certainement une période d'attentisme qui pourrait ne pas jouer en faveur du Québec. Mais, en dernier recours, tout dépendra de l'attitude de Washington dont le poids relatif dans le système international s'est accru considérablement à la suite des événements d'Europe de l'Est et du Moyen-Orient. C'est là que pourrait être déterminé le sort du Québec dans la mesure où la force nouvelle de Washington permet aux États-Unis de contrôler davantage l'accès à des organismes, comme l'Organisation des Nations Unies (ONU) ou l'Organisation des États américains (OEA), où le Québec doit avoir accès pour gagner la bataille du statut international.

Dans un ordre d'idées semblables, le gouvernement du Québec devra également consacrer des énergies considérables au partage des actifs de ce qu'aura été l'ensemble canadien. Dans une telle négociation, et à l'encontre de ce qu'affirment plusieurs partisans de l'indépendance, le climat sera conflictuel et acrimonieux. Plusieurs gestes ne seront pas posés en fonction d'un calcul rationnel. Car, comme le rappelait avec justesse Gérard Bergeron, la sociologie des conflits enseigne que les rivaux «n'agissent pas comme des acteurs rationnels dans le sens de leur propre intérêt objectif[24]». L'attachement des Canadiens des autres provinces à l'idée de Canada et la perception très forte d'une brisure occasionnée par le Québec laissent entrevoir de façon très claire un comportement non rationnel où un des enjeux d'une négociation globale sera le territoire québécois actuel. Les provinces maritimes n'accepteront jamais une coupure territoriale totale du reste du Canada et les pressions seront fortes pour la création d'un «corridor» en territoire québécois sans compter la «négociation» sur le Nord québécois à propos duquel l'incertitude des textes juridiques ouvre la voie à des interprétations diverses. Malgré la répugnance de l'ensemble des Québécois à aborder cette question, on peut être à peu près certain que le territoire même du Québec fera l'objet de contestation et que le gouvernement devra y consacrer des ressources importantes dans une guerre juridique de longue haleine.

Le troisième dossier important, tout aussi immédiat, concernera la négociation d'un accord de libre-échange avec le Canada, les États-Unis et, éventuellement, le Mexique. Car, comme le rappelait récemment M. Lansing Lamont, directeur des affaires canadiennes de Americas Society de New York,

> ... it is a «misconception» that Quebec could break away from Canada and still maintain business as usual with other countries when it comes to questions such as free trade and tax treaties. That is not the way people in Washington regard the situation... An independent country is an independent country. You're going to start from scratch on various treaties[25].

Dans un tel cas, l'interlocuteur stratégique sera encore une fois le gouvernement de Washington dont on peut penser qu'il tiendra compte des avis d'Ottawa dans la négociation à mener avec le Québec pour peu naturellement qu'il ait accepté de reconnaître le nouvel État du Québec.

Plusieurs observateurs croient alors que le gouvernement américain, sous la pression du Congrès, sera demandeur dans une telle négociation. Des analystes réputés comme Charles Doran et Pierre Pettigrew sont en effet d'avis que Washington pourrait remettre en cause le rôle d'institutions québécoises, telles la Caisse de dépôt et de placement, le Mouvement Desjardins et le Fonds de solidarité de la Fédération des travailleurs du Québec (FTQ), dont les règles de fonctionnement sont étrangères au système américain[26]. Finalement, c'est toute la stratégie d'interventionnisme économique de l'État québécois qui serait remise en question avec le résultat que le gouvernement québécois pourrait en venir à considérer que les coûts exigés pour une participation au libre-échange nord-américain seraient trop élevés. En tel cas, la situation du Québec deviendrait alors immensément plus vulnérable.

Le quatrième problème immédiat de politique étrangère d'un éventuel Québec indépendant consisterait à rassurer les investisseurs étrangers[27]. Ces individus et sociétés ont une importance stratégique pour l'avenir économique du Québec, compte tenu de notre niveau élevé d'endettement. Cependant, comme ont pu le constater à Tokyo des émissaires québécois, ces investisseurs ont maintenant adopté une position d'attente à l'égard de la situation canadienne[28]. Un rapport récent du ministère américain du Commerce révèle également que les investissements des filiales de compagnies américaines au Canada ont déjà fléchi de 11% en 1991, une diminution plus forte que partout ailleurs dans le monde[29]. Des obstacles importants devront donc être surmontés de ce point de vue et il faut anticiper à cet égard plusieurs années de flottement.

Une fois ces problèmes immédiats en passe d'être réglés, le Québec pourra dès lors amorcer la conduite régulière de sa politique étrangère. L'action internationale du Québec ne devrait pas alors être très différente de celle poursuivie dans le cadre du scénario précédent sauf pour la participation à l'ONU, aux Sommets francophones et à l'OEA où le gouvernement du Québec cherchera à assurer son statut international. Pour le reste, l'action du Québec devrait être orientée vers les Amériques et les pays de la francophonie avec insistance sur l'économie, l'immigration et la coopération scientifique et technique.

Mais l'action internationale d'un Québec souverain, à l'image de la politique étrangère des pays de même taille, devrait être limitée et sans commune mesure avec la présence internationale actuelle du Canada. Qui plus est, la marge de manœuvre de l'État québécois sur la scène internationale sera beaucoup plus réduite que celle de pays comme la Suède, l'Autriche, la Belgique ou la Hollande.

Le Québec cherchera naturellement à développer ses échanges avec la France et les pays francophones d'Afrique. Dans ce dernier cas, les perspectives apparaissent plutôt limitées, sans compter la présence jalouse de la France dans cette zone traditionnelle d'influence pour elle. Quant à la coopération franco-québécoise, on sait déjà que les entreprises françaises ont plus investi en Ontario qu'au Québec[30]. On se rappelle par ailleurs l'échec récent de la tentative d'accord sur le sous-titrage des films de langue anglaise. Il faut souligner aussi que la dépendance économique du Québec à l'égard des États-Unis pèsera fortement sur les orientations de politique étrangère d'un Québec souverain, comme vient de l'attester récemment la prise de position du Parti québécois en faveur de l'action armée contre l'Irak[31]. Ce qui a amené les souverainistes de la première heure à manifester certaines inquiétudes que traduisait Louis O'Neill lorsqu'il écrivait:

> L'appui du PQ à l'intervention armée dans le golfe Persique marque une rupture avec une longue tradition de pacifisme et de refus de la guerre

qui a caractérisé les mouvements nationalistes au Québec... Une question surgit quant à l'avenir d'un Québec indépendant sous la gouverne d'un parti qui semble habité par le désir fiévreux de plaire aux intérêts américains. Le grand projet national consiste-t-il à nous faire passer d'une domination à l'autre[32]?...

L'on ne peut que s'étonner de l'étonnement du professeur O'Neill tant il semble évident que «le désir fiévreux de plaire aux intérêts américains» est appelé à devenir une constante de la politique étrangère d'un Québec souverain. La proximité géographique et la dépendance économique à l'égard des États-Unis ne permettent pas qu'il en soit autrement comme ce fut le cas, à de rares exceptions près, pour la politique étrangère d'un Canada pourtant un peu mieux armé à cet égard. Si le scénario se compliquait par l'incorporation des Maritimes aux États-Unis, l'histoire rappelant qu'aucun pays divisé géographiquement n'a pu survivre longtemps, alors la pression en faveur de la conformité des orientations de politique étrangère deviendrait, on s'en doute bien, intenable. L'ironie du scénario est qu'un Québec indépendant, possédant ainsi tous les leviers d'action internationale, verrait alors sa marge de manœuvre sur ce plan beaucoup plus réduite que celle qu'il aurait comme partie de l'ensemble canadien.

CONCLUSION

Il n'est jamais aisé d'anticiper l'avenir, même à court terme, et c'est sans doute pourquoi les économistes ont popularisé l'expression «toutes choses égales par ailleurs». La discussion des scénarios qui précèdent a tout de même été menée à partir de la prise en compte de tendances récentes de l'action internationale du Québec et des principales contraintes susceptibles d'influencer le comportement externe du gouvernement québécois dans le futur. En ce sens, les scénarios identifiés paraissent actuellement les plus plausibles.

Depuis trente ans, l'action internationale du Québec a servi à développer le statut international de l'acteur québécois. Mais elle a également, et sinon plus, constitué un instrument dans l'effort de modernisation globale de la société québécoise. Il y a fort à parier qu'à l'avenir la politique étrangère du Québec continue à jouer ce rôle.

Car le Québec ne sera jamais un acteur significatif sur le plan international. Il ne peut guère aspirer à influencer le cours des choses dans le système mondial. Sa localisation géographique, la petite taille de son économie et ses ressources limitées feront en sorte que son action internationale servira toujours plus à protéger la collectivité québécoise face aux diverses menaces externes qu'à modifier l'évolution du système international lui-même.

Mais dans un sens où dans l'autre, l'alliance avec le Canada demeure un prérequis fondamental. Il nous semble que la mise en commun des ressources sera plus facilement réalisable dans un ensemble canadien modifié, qui se situera encore dans le peloton de tête des pays industrialisés, plutôt que dans le cadre de deux entités amputées dont la séparation laissera des marques pour longtemps.

C'est finalement à la collectivité de décider et tous devront se rallier au choix qui aura été fait. Il faut seulement espérer que la décision prise alors l'aura été à partir d'une analyse réaliste des arguments et de leurs conséquences.

NOTES

* Ce texte a été écrit dans le cadre des activités du Projet d'analyse des relations internationales du Québec (PARIQ) en cours au Centre québécois de relations internationales (CQRI). Ce programme est financé grâce à une subvention du Fonds FCAR. Les auteurs désirent remercier Madame Lynn Sauvageau ainsi que Messieurs Jean Touchette et Claude Goulet pour la mise en ordre des données et la confection des tableaux et graphiques. Ils remercient également Monsieur Louis Bélanger pour ses commentaires sur la première version de ce texte.

1. *Maclean's*, 7 janvier 1991, p. 19. Ce sondage révèle également que le *statu quo* ne reçoit l'appui que de 14% des Québécois et que de 24% des autres Canadiens.

2. Parti libéral du Québec, *Un Québec libre de ses choix, Rapport du Comité constitutionnel... Pour un dépôt au 25ᵉ congrès des membres*, Québec, 1991.

3. La position du Québec apparaît dans Paul Gérin-Lajoie, «La personnalité internationale du Québec?: Le Québec est vraiment un État même s'il n'a pas la souveraineté entière», *Le Devoir*, 15 avril 1965, p. 5 ainsi que dans *Document de travail sur les relations avec l'étranger*, Gouvernement du Québec, 5 février 1969. Celle du gouvernement fédéral est contenue dans Paul Martin, *Fédéralisme et relations intrnationales*, Ottawa, Imprimeur de la Reine, 1968 et dans M. Sharp, *Fédéralisme et conférences internationales sur l'éducation*, Ottawa, Imprimeur de la Reine, 1968.

4. Claude Morin, *L'art de l'impossible. La diplomatie québécoise depuis 1960*. Montréal, Boréal, 1987, p. 275.

5. Ralisée dans le cadre du PARIQ, cette analyse du discours a consisté à extraire de leurs allocutions publiques et déclarations en Chambre les objectifs de politique étrangère formulés par les premiers ministres et les ministres responsables de la politique internationale du Québec.

6. J.-F. Lisée, *Dans l'œil de l'aigle, Washington face au Québec*. Montréal, Boréal, 1990, p. 307-312.

7. Claude Morin, *op. cit.*, p. 363-465.

8. Hélène Galarneau, «Chronique des relations extérieures du Canada et du Québec», *Études internationales*, XVII (2), 1986, p. 433-4; *ibid.*, «Chronique...», *Études internationales*, XVIII(4), 1987, p. 836; Hélène Galarneau et Manon Tessier, «Chronique...», *Études internationales*, XX(3), 1989, 1989, p. 702-703.

9. Gouvernement du Québec, *Le Québec dans le monde. État de la situation.* Québec, Secrétariat permanent des conférences socio-économiques du Québec, 1984; *ibid.*, *Le Québec dans le monde ou le défi de l'interdépendance, Énoncé de politique de relations internationales*, Québec, ministère des Relations internationales, 1985.

10. Matthew Fraser, *Québec Inc.*, Montréal, Les Éditions de l'Homme, 1987. Voir également Pierre S. Pettigrew, «Why Quebec Federalists Keep a Low Profile», *The Globe and Mail*, 8 mars 1991.

11. En 1986, 14,3% de la population québécoise avait plus de 60 ans comparativement à 15% pour le Canada, 16% pour le Japon, 16,7% pour les États-Unis, 18,9% pour la France et 23,1% pour la Suède. Voir Jacques Noël, «Petit Décalogue des mythes démographiques», *Le Devoir,* 13 avril 1991.

12. Anne Pélouas, «La province n'a obtenu que 13% des investissements étrangers au Canada depuis juillet 1985», *Le Devoir*, 1er février 1991.

13. Anne Pélouas, «Plus tourné vers l'étranger, le Québec demeure malgré tout déficitaire dans ses échanges extérieurs», *Le Devoir*, 1er février 1991. Cet échec de la diversification dans ses échanges extérieurs vaut aussi pour le Canada. Voir à ce sujet G. Mace et G. Hervouet, «Canada's Third Option: A Complete Failure?», *Canadian Public Policy*, XV 4, décembre 1989, p. 387-404.

14. Jacques Fortin, *Québec. Le défi économique*, Sillery, Presses de l'Université du Québec, 1990, p. 126-127.

15. *Ibid.*, p. 75-76.

16. Josée Boileau, «La science et la technologie victimes de chevauchements inutiles entre gouvernements», *Le Devoir*, 16 mars 1991. Voir également Conseil de la sience et de la technologie, *Science et technologie. Conjoncture 1988*, Québec, Éditeur du Québec, 1988, p.118 ss.

17. Fortin, *op. cit.*, p. 81.

18. Michel Van de Walle, «Le Québec recule malgré un effort pour accroître la recherche-développement», *Le Soleil*, 12 juin 1991.

19. Conseil de la science et de la technologie, *op cit.*, p. 120.

20. Fortin, *op. cit.*, p. 109. Voir également Harvey Enchin, «Canada's Creativity Left to Languish», *The Globe and Mail*, 29 avril 1991.

21. «The Weak state of Canada's competitiveness», *The Globe and Mail*, 29 avril 1991.

22. Harvey Enchin, «How Canada Shapes up», *The Globe and Mail*, 25 avril 1991.

23. Manon Tessier, «Chronique des relations extérieures du Canada et du Québec», *Études internationales*, XXII(i), 1991, p. 156-157.
24. Gérard Bergeron, «Pour que l'indépendance ne rate pas», *Le Devoir*, 6 février 1991.
25. Rapportés dans Susan Smith, «U.S. Firms Uneasy over Unity Debate», *The Financial Post*, 2 avril 1991.
26. M. Droham et B. McKenna, «Independence Hits Unexpected Bumps», *The Globe and Mail*, 27 mars 1991.
27. C. Languedoc, «Foreign Firms Wary of Mood in Quebec», *The Financial Post*, 3 février 1991 et R. Blohm, «D'abord, évaluer la souveraineté», *Le Soleil*, 12 février 1991.
28. Languedoc, *op. cit.*
29. «Morgan Guaranty Trust menaçant face au Québec», *Le Soleil*, 13 avril 1991.
30. Les chiffres les plus récents pourraient toutefois indiquer un retournement de tendance. Michel David, «Les Français ne craignent pas d'investir au Québec», *Le Soleil*, 29 juin 1991.
31. Michel Venne, «Le Parti québécois à l'heure de la politique réelle», *Le Devoir*, 1er février 1991.
32. Louis O'Neill, «Le Parti québécois s'en va-t-en guerre», *Le Soleil*, 6 février 1991.

Prospective des rapports Canada-Québec

Réjean Landry

La science politique explicative et la prospective peuvent offrir un coup d'œil original sur la crise que nous traversons. Dans ce chapitre, Réjean Landry se propose d'ébaucher un certain nombre de scénarios plausibles. Son analyse repose sur une intégration des attributs des individus, des arrangements institutionnels et des biens produits par les collectivités. Il en déduit un certain nombre de tendances lourdes qui balisent le phénomène étudié et débouchent sur l'identification des avenirs les plus plausibles. Landry pense que l'ampleur de la dette fédérale exacerbera les conflits entre les régions. Restreint dans son pouvoir de dépenser, le gouvernement central sera porté à faire des interventions règlementaires et idéologiques, formulées dans le langage des «normes nationales». Cela se fera dans un contexte d'incertitude comportementale réciproque entre le Québec et le Canada. Un tel contexte est propice au chacun pour soi. L'auteur pense que la taille des obstacles sur la route du changement constitutionnel joue en faveur du statu quo. Réjean Landry est professeur titulaire au département de science politique de l'Université Laval.

12

Prospective des rapports Canada-Québec

Réjean Landry

La visée de la prospective est d'ébaucher des panoramas de futurs possibles, c'est-à-dire des scénarios plausibles qui tiennent compte tant du poids de déterminismes du passé que de la confrontation des projets de groupes d'intérêt clés. Les scénarios renvoient à des jeux d'hypothèses cohérents qui ne tiennent généralement pas compte des avancées de la science politique. À la décharge de la prospective, il convient de souligner que la science politique n'a jamais manifesté un grand intérêt à l'endroit des outils de la prospective. Cet essai arrime les outils de la science politique à ceux de la prospective pour mettre en lumière les rapports entre le Québec et le Canada. Nous faisons l'hypothèse que la crise des rapports entre le Québec et le reste du Canada s'explique par les difficultés de changer les règles de décision qu'impose l'évolution des rapports de force entre les groupes d'intérêt du Québec francophone et du Canada anglophone. Nous tenterons de démontrer cette hypothèse en adoptant une démarche en trois temps: d'abord, en effectuant un bref rappel des paradigmes explicatifs de la science politique; ensuite, en intégrant ceux-ci dans la trame d'une démarche prospective; finalement, en procédant à une application de ces outils aux rapports entre le Québec et le Canada.

L'EXPLICATION EN SCIENCE POLITIQUE

Les théories explicatives et prédictives de la science politique contemporaine s'articulent autour de trois catégories de facteurs: les attributs des individus, ceux des biens produits et, finalement, ceux des arrangements institutionnels.

Le plus ancien paradigme de la science politique, qu'on qualifie généralement d'institutionnalisme, postule que l'examen des attributs des arrangements institutionnels permet d'expliquer et de prédire de façon satisfaisante les actions et les stratégies des individus. Les attributs des arrangements institutionnels renvoient aux règles explicites régissant les décisions s'imposant à l'ensemble des membres d'une collectivité.

Dominant jusque vers les années 1940, ce paradigme postule implicitement que les attributs des individus et les attributs des biens produits par la collectivité n'affectent en rien les actions et les stratégies des individus.

Le paradigme behavioriste, qui a dominé l'univers explicatif de la science politique des trente années subséquentes, postule que l'examen des attributs des individus permet d'expliquer et de prédire de façon satisfaisante les actions et les stratégies des individus. Les attributs considérés concernent principalement le niveau d'information des individus, leurs motivations, ainsi que les façons (rationalité) de faire leurs choix. Même s'ils utilisent l'artillerie lourde des méthodes statistiques en conjonction avec l'informatique, les behavioristes adoptent implicitement une position épistémologique relativement étroite qui suppose que les attributs des arrangements institutionnels et des biens produits par la collectivité n'affectent aucunement les actions et les stratégies des individus.

Avec la parution de l'ouvrage magistral de Mancur Olson (1965) sur la logique de l'action collective, on a vu apparaître une troisième catégorie de facteurs explicatifs et prédictifs en science politique: les attributs des biens produits par la collectivité. Ces attributs renvoient à diverses dimensions des bénéfices et des coûts des biens: sont-ils facilement ou difficilement appropriables par les individus? Sont-ils divisibles ou indivisibles? Dans quelle mesure sont-ils susceptibles de congestion? Etc. Nous savons tous que les individus ne réagissent pas de la même façon dans le cas de l'adoption d'une loi renforçant ou affaiblissant la langue française au Québec et dans le cas d'une loi prévoyant l'allongement d'une route régionale. Ainsi donc, une explication ou une prédiction qui reposerait sur la seule considération des attributs des biens produits par la collectivité postulerait implicitement que les attributs des individus et des arrangements institutionnels n'exercent aucune influence sur les choix des individus.

La nécessité de surmonter les limites inhérentes à chacun de ces trois paradigmes classiques a débouché sur la formulation d'un paradigme incorporant dans un même cadre conceptuel des attributs provenant des arrangements institutionnels, des individus et des biens produits par la collectivité. Ce paradigme peut être qualifié de micro-institutionnaliste. Il renvoie à une perspective microscopique parce que, à l'instar de l'individualisme méthodologique, il démarre des attributs de l'individu pour expliquer et prédire tant les actions et les stratégies des individus que les résultats agrégés qui en découlent. Il renvoie de plus à une perspective institutionnelle parce que les arrangements institutionnels constituent des variables qui jouent un rôle déterminant dans la création d'incitations qui affectent les actions et les stratégies des individus et les résultats agrégés qui en dérivent. Ces résultats agrégés constituent des biens collectifs qui émergent d'actions et de stratégies d'individus qui se trouvent en état d'interdépendance. En termes concrets, il y a interdépendance lorsque des résultats dépendent des actions de plus d'un individu.

L'analyse micro-institutionnelle comprend donc quatre éléments enchaînés causalement (Figure 1): les attributs des arrangements institutionnels et les attributs des individus correspondent aux attributs de la situation de décision, alors que les phénomènes à expliquer renvoient aux actions et stratégies des individus de même qu'aux résultats agrégés (biens collectifs) qui en découlent. Les attributs des arrangements institutionnels et des individus déterminent les actions et les stratégies des individus, dont l'agrégation engendre des biens collectifs qui, en retour, influencent les attributs des arrangements institutionnels et des individus. Le choix des variables concernant chacun des types d'attributs dépend du type de phénomènes à expliquer. Il variera suivant que l'on s'intéresse à expliquer et à prédire les actions et les stratégies des individus dans les groupes d'intérêt, les partis, les législatures ou les bureaucraties.

Figure 1

Les éléments constitutifs de l'analyse micro-institutionnelle

attributs de la situation   phénomènes à expliquer
de décision

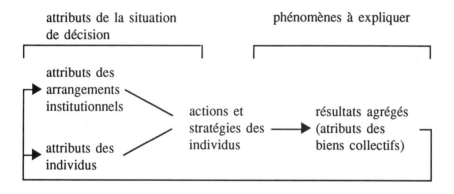

L'EXPLICATION EN PERSPECTIVE

La prospective, avons nous dit en introduction, ébauche des scénarios plausibles qui tiennent compte tant du poids de déterminismes du passé que de la confrontation des projets de groupes d'intérêt clés. La construction d'explications prospectives qui s'inspirent de la méthode des scénarios procède d'un cheminement en trois étapes (Cazes, 1971; Godet, 1985; Landry, 1987):

1. identification et analyse des tendances qui affectent le problème étudié;
2. identification et analyse des avenirs plausibles associés aux tendances en cours;
3. identification des actions et des stratégies susceptibles d'infléchir le cours de certaines tendances.

La prospective politique consiste à intégrer les éléments constitutifs de l'explication politique dans le cheminement de la méthode de prospective, dans notre cas, de la méthode des scénarios. La prospective politique englobe donc l'étude des évolutions et des mutations dans la production des biens produits par la collectivité, en conjonction avec les changements qui se produisent dans les attributs des individus et des règles des arrangements institutionnels. La prospective politique décrit les conséquences à long terme des actions et des stratégies des individus à l'égard de la production et de la distribution des biens collectifs. Sa méthode explicative consiste à analyser la logique qui engendre ces conséquences à partir des implications de certaines tendances lourdes.

La méthode explicative de la prospective politique s'appuie sur trois postulats;

1. les attributs des biens collectifs préférés par les individus changent et des biens collectifs nouveaux émergent;
2. certains types de changements concernant les attributs des individus, des arrangements institutionnels et des biens collectifs correspondent à des *patterns* reconnaissables;
3. la direction et la vitesse de certains types de changements peuvent être modifiées par certaines décisions des individus et des groupes qui les représentent.

APPLICATION AUX RAPPORTS ENTRE LE QUÉBEC ET LE CANADA

La première tâche du prospectiviste consiste à repérer les tendances affectant le problème étudié. La méthode prospective propose alors de se limiter à l'examen des tendances lourdes, en ce sens qu'il s'agit, suivant de Jouvenel (1972:144), du «développement d'un phénomène qui n'a point été choisi comme but par une volonté humaine, mais qui est l'effet d'un concours complexe d'actions n'y tendant point délibérément». Dans le cas de la prospective politique, les tendances lourdes à retenir concernent les attributs des individus, des arrangements institutionnels et des biens collectifs.

Les tendances lourdes

Les tendances lourdes concernant les attributs des individus

Du point de vue de l'analyse micro-institutionnelle, ce sont les individus et non les groupes qui agissent et prennent des décisions. Les décisions collectives ne constituent que l'agrégation des choix effectués par les individus. Ainsi, la décision de faire l'indépendance du Québec dépend de l'addition des choix de chacun des Québécois et non des décisions prises par la Centrale des syndicats nationaux (CSN) ou le Conseil du patronat. Afin de dégager les tendances lourdes qui concernent les attributs des individus, il importe de préciser les hypothèses que nous faisons sur trois sujets:

— le niveau d'information des individus concernant la situation de prise de décision;

— la valeur que les individus attribuent aux résultats agrégés (biens collectifs) découlant des différentes actions possibles dans la situation de décision;

— le processus de calcul qu'utilisent les individus pour choisir entre les différentes actions et stratégies possibles.

Disons-le dès le départ, les décisions politiques sont toujours prises en état d'information imparfaite par des individus tiraillés par la promotion de valeurs multiples. Les différences dans le degré d'information et du côté des valeurs influencent le processus de calcul utilisé et les choix qui en résultent. Autrement dit, tous et chacun agissent dans un monde où la rationalité absolue est impossible. Dans le cas de la situation de décision entourant l'avenir du statut politique du Québec, nous dirons que nous avons affaire à des individus rationnels qui agissent pour obtenir des résultats auxquels ils accordent de la valeur et qu'ils sont capables d'établir des liens entre les résultats et les valeurs lorsqu'ils choisissent entre des alternatives de décision.

En dépit du rapprochement qu'on fait souvent entre le marché politique et le marché privé, il importe de souligner quelques différences entre les achats effectués sur le marché privé et les décisions prises sur le marché politique. Les achats de biens non durables sur le marché privé constituent des décisions répétitives dont les coûts sont généralement peu élevés. Nos mauvaises décisions sont assez vite oubliées. À l'inverse, les décisions des individus concernant des biens collectifs, qu'il s'agisse d'appuyer ou non le programme d'un parti politique ou une option constitutionnelle, constituent des décisions non répétitives qui renvoient à la production de biens durables dont la déception concernant les coûts et les bénéfices est lente à liquider et consistante sur une longue période.

Les débats entourant le choix d'un statut constitutionnel se déroulent dans un contexte où les individus font moins confiance à l'État que dans le passé. Les années soixante représentent une période historique au cours de laquelle les Québécois pensaient que la meilleure façon de résoudre les problèmes collectifs, qu'il s'agisse d'éducation, de santé, ou de pauvreté, résidait dans l'intervention de l'État, particulièrement de leur État provincial. Cette période s'est caractérisée par des investissements considérables dans l'augmentation de la production par l'État de services sociaux, de services de santé et de services d'éducation. Cette croissance s'est poursuivie sans trop de critiques tout au long des années 1970. Avec les années 80, on assista à l'émergence d'un courant critique, dont l'aile radicale correspond au néo-libéralisme, qui soutient que les services publics tendent à être produits en quantité excessive à des coûts trop élevés. Bref, d'aucuns prétendent que les arrangements institutionnels de production de biens ou de services par l'État entraînent des pertes de ressources (de l'inefficience). La solution de rechange qui gagne de plus en plus d'adhésions réside dans le marché privé, dont les arrangements de production offrent plus d'efficience, notamment en raison de la compétition entre les producteurs et de la liberté de choix des consommateurs. L'essor des écoles privées tient à ce genre d'appréciations qualitatives. On pourrait donc conclure que les Québécois préfèrent de plus en plus consommer des biens privés qu'ils choisissent librement plutôt que de se voir imposer la consommation de biens et de services publics produits exclusivement par l'État.

Cette conclusion nous paraît fondée pour les biens et les services qui ne constituent pas des biens publics purs. Un bien est public lorsque ses bénéfices ne peuvent être divisés et que personne ne peut être empêché de les consommer, ou encore, que personne ne peut se soustraire de leur consommation. Il n'en va toutefois pas de même pour plusieurs services traditionnellement produits par l'État, notamment les services de santé et d'éducation, qui pourraient facilement être produits par l'entreprise privée. Or les services publics les plus critiqués ne concernent pas les biens publics purs mais ces biens quasi-publics ou quasi-privés qui pourraient être produits par des entreprises privées.

Les Québécois attribuent encore aujourd'hui une très grande valeur à un grand nombre de véritables biens publics purs et ils sont prêts à contribuer aux coûts de biens comme la protection de l'environnement et la promotion de la langue française. Ce sont là des exemples de biens que seul l'État peut produire. Aucune entreprise privée ne se lancera dans la production d'un bien comme la promotion de la langue française au Québec parce qu'aucune ne serait intéressée à supporter la totalité des coûts de production d'un bien en étant incapable de s'approprier en exclusivité une proportion suffisante des bénéfices qui en découlent. Or les Québécois, tant francophones qu'anglophones, ont montré à maintes reprises depuis une trentaine d'années, l'importance qu'ils accordent aux politiques linguistiques. Celles-ci sont souvent considérées comme des symboles qui concrétisent ou non la promotion de la langue française au Québec. Cette interprétation est juste. Il importe toutefois de souligner que les politiques linguistiques du Québec ont mis en place des règles (ce que nous appelons des arrangements institutionnels) qui, en augmentant la place de la langue française sur le marché du travail ainsi que dans les écoles, ont eu pour effet d'augmenter sa valeur économique pour les citoyens du Québec qui possèdent le facteur de production qu'est la langue française. Inversement, ces politiques linguistiques ont contribué à diminuer la valeur du capital linguistique des travailleurs québécois qui sont unilingues anglophones. Considérée comme un bien public pour les francophones, la promotion de la langue française peut être jugée comme un mal public par les anglophones qui ne peuvent s'y soustraire. L'enjeu de la place du français au Québec revêt donc des aspects symboliques et économiques importants tant pour les francophones que pour les anglophones.

D'où deux premières tendances lourdes de conséquences: en dépit de la montée de valeurs individualistes, les Québécois continueront à attribuer une valeur très importante à la promotion de l'espace accordé à la langue française au Québec. Inversement, les Canadiens anglophones continueront à être opposés à toutes mesures législatives visant à protéger ou à promouvoir la place de la langue française au Québec.

Ces tendances lourdes s'ajoutent aux autres problèmes persistants qui surgissent dans les rapports entre les choix émergeant de la majorité francophone du Québec et ceux de la majorité des individus du reste du Canada.

Or les rapports entre les deux groupes sont marqués par deux types d'incertitude: d'une part, l'incertitude générale dont nous avons parlé plus haut, et qui se caractérise par l'absence d'information parfaite; d'autre part, l'incertitude de comportement (Williamson, 1985; Bryson et Smith Ring, 1990), qui surgit lorsqu'un ou plusieurs des intervenants dans une transaction n'est pas sûr de pouvoir faire totalement confiance aux autres intervenants. L'incertitude de comportement inhérente aux rapports entre la majorité francophone du Québec et la majorité anglophone du Canada a toujours été assez élevée. Pis encore, elle s'est singulièrement accrue au cours des trente dernières années. Le premier ministre Duplessis maintenait un certain seuil d'incertitude de comportement dans les rapports Canada-Québec. Ce seuil s'est accru singulièrement avec les demandes de «Maître chez nous» de la Révolution tranquille. L'émergence de partis indépendantistes, puis, par la suite, la victoire du Parti québécois ont contribué à miner davantage le peu de confiance que les Canadiens anglais plaçaient dans la majorité francophone. Inversement, la confiance que la majorité francophone plaçait dans le Canada anglophone a chuté de façon abrupte au cours de la dernière décennie. L'incapacité de la majorité anglophone du Canada — à travers les grands partis politiques fédéraux — de répondre aux promesses de changements qui devaient survenir après la défaite de l'option souverainiste au référendum de 1980, de même que l'incapacité des élites anglophones du Canada de faire entériner l'accord du Lac Meech ont accru le manque de confiance des Québécois francophones à l'égard de la majorité canadienne-anglaise.

D'où une troisième tendance lourde: le maintien ou l'accroissement de l'incertitude relative aux comportements rendra plus difficile les rapports entre le Canada anglophone et le Québec francophone et, par conséquent, la conclusion d'accords constitutionnels entre les parties.

D'où, parallèlement, une quatrième tendance lourde: l'incertitude quant aux comportements engendrée par le manque de confiance se maintiendra à un niveau très élevé parce qu'elle concerne des choix constitutionnels peu fréquents engendrant des séquelles qui subsistent sur de longues périodes.

Les tendances lourdes concernant les attributs des biens collectifs

Les règles de nos institutions politiques prévoient que le parti ou la coalition de partis qui remporte le plus grand nombre de votes gagne le contrôle de l'appareil gouvernemental jusqu'à l'élection subséquente. Ces mêmes institutions prévoient de plus que les électeurs font leurs choix en comparant les bénéfices et les coûts résultant des différents programmes d'intervention gouvernementale de partis politiques qui rivalisent pour l'obtention des votes. Ces programmes d'intervention gouvernementale constituent en fait des promesses concernant la production de biens collectifs.

La production de biens et de services par les gouvernements municipaux, scolaires, provincial et fédéral a augmenté rapidement depuis les années 60. Si bien en fait qu'elle requiert actuellement un peu plus de 50 pour cent du produit intérieur brut (PIB). Près de 36 cents de chaque dollar de taxe récolté par le gouvernement fédéral sont consacrés au frais de la dette alors que le gouvernement du Québec est contraint d'y affecter 16 cents par dollar de taxe récolté. La dette des gouvernements municipaux est généralement beaucoup inférieure à celle des ordres supérieurs de gouvernements. Le problème de l'endettement des gouvernements, particulièrement du gouvernement fédéral, n'est pas près de se résorber. D'où il en résulte deux tendances complémentaires: l'endettement des gouvernements les forcera à prendre des initiatives additionnelles pour réduire le fardeau de leur dette en laissant ainsi moins de ressources pour la mise sur pied de programmes nouveaux ou l'amélioration des programmes existants.

Parallèlement, la part de ressources du PIB que les gouvernements vont chercher dans les poches des contribuables pour financer leurs programmes s'accroîtra à un rythme de plus en plus lent. Bien qu'il n'existe aucune limite théorique à cette augmentation, on peut penser que le seuil tolérable maximal de taxation ne dépasse pas beaucoup 60 pour cent du PIB.

Ces deux tendances lourdes ne signifient pas que les gouvernements cesseront d'intervenir dans la société. Rien n'est plus faux. Alors qu'ils consacreront de plus faibles proportions de leurs budgets à la production de biens quasi publics tangibles, qu'on retrouve notamment dans le domaine de l'éducation et de la santé, les gouvernements produiront de plus en plus de biens quasi publics purs qui ne grèvent pas leurs ressources budgétaires. Ces biens publics purs se cristalliseront sous la forme de réglementation fixant le cadre d'action des individus, des groupes et des gouvernements inférieurs.

Les tendances lourdes concernant les attributs des arrangements institutionnels

Les décisions des individus concernant la production et la consommation de biens collectifs sont prises dans le cadre d'arrangements institutionnels qui diffèrent par leurs incitations et leurs contraintes. Ces arrangements institutionnels se concrétisent sous la forme de règles auxquelles les individus doivent se conformer. Celles-ci spécifient les rôles que peuvent adopter les individus, les enjeux sur lesquels ils peuvent intervenir, les actions permises ou interdites, l'information disponible, la façon d'agréger les choix des individus en décisions collectives, de même que la façon de partager les coûts et les bénéfices des résultats de l'action collective (biens collectifs) (Landry, 1984; Ostrom, 1986).

Si nombreuses et si pointilleuses soient-elles, les règles ne peuvent prévoir toutes les éventualités d'action. Ces zones grises, non couvertes par les règles, laissent libre cours à l'initiative des individus. On peut donc distinguer les activités qui sont réglementées de celles qui ne le sont pas. De façon plus spécifique, nous disons qu'une activité est réglementée lorsqu'un individu doit se conformer à une ou plusieurs règles, tandis qu'une activité non réglementée constitue une activité discrétionnaire qu'un individu accomplit suivant sa libre initiative.

Les lois et les règlements qui découlent des lois contiennent un grand nombre de règles qui régissent les activités des individus, que ce soit comme conducteur d'une automobile, récipiendaire d'une bourse d'études, travailleurs dans une usine ou propriétaire d'une entreprise. Le nombre d'articles contenus dans les lois et les règlements constitue une approximation grossière du nombre de règles auxquelles les individus sont soumis. Or le nombre d'articles de lois et de règlements s'accroît régulièrement en dépit de l'augmentation des discours sur la déréglementation. On peut en effet observer que le nombre de lois et de règlements adoptés par le gouvernement du Québec et le gouvernement du Canada s'accroît chaque année. Des calculs conservateurs (faits à partir de Barbe, 1983: 251) permettent d'estimer cette croissance à 10 pour cent par année. Environ 5 pour cent des règles concernent vraisemblablement l'adoption de règles dans des activités antérieurement non réglementées alors que l'autre 5 pour cent de règles concerneraient des modifications apportées à des activités déjà réglementées. Les experts s'entendent pour conclure qu'on ne traverse pas une période de déréglementation. Tout au plus, nous transiterions à travers une période de nouvelles réglementations.

Bref, en dépit des discours à la mode, le processus d'accroissement des activités réglementées constitue une autre tendance lourde inhérente à nos institutions politiques.

Cette tendance entraîne des conséquences d'autant plus importantes que les règles (lois et règlements) qui encadrent le jeu politique sont considérées comme des vaches sacrées qui ont pour effet de rendre plus difficile l'adaptation et le changement.

Les avenirs possibles découlant des tendances lourdes

Les tendances lourdes étant identifiées, la tâche suivante du prospectiviste consiste à repérer les conséquences virtuelles qui en découlent logiquement. Il s'agit plus exactement d'inférer les types de décisions que les individus prendront vraisemblablement à l'égard de la consommation des biens collectifs et des arrangements institutionnels qui régissent leurs choix si aucune action n'est entreprise pour infléchir les tendances lourdes identifiées plus haut. Cette tâche sera accomplie en faisant ressortir les avenirs possibles résultant de certaines tendances lourdes dont le développement parallèle est logiquement incompatible. Cette façon de procéder nous amènera à mettre l'accent sur trois aspects des avenirs possibles:

— l'aggravation des tensions et de l'incertitude quant aux comportements;
— les tentations d'opportunisme;
— la persistance du statu quo.

L'aggravation des conflits Canada-Québec

Au cours des années 70 et 80, l'état des finances publiques permettait au gouvernement fédéral de développer de nouveaux programmes et d'améliorer les programmes qui dispensaient des bénéfices monétaires dans chacune des régions. La croissance des revenus du gouvernement fédéral lui permettait de créer l'illusion d'un jeu à somme positive où tout le monde gagnait; chaque région bénéficiait alors des largesses fédérales sans qu'il semble en coûter quoi que ce soit. Cette période de vaches grasses est bien finie. Le poids du fardeau de la dette, qui accapare plus du tiers de son budget, force le gouvernement fédéral à dépenser de façon plus parcimonieuse. Si bien, en fait, que chaque grand programme fédéral devient l'enjeu de conflits inter-régionaux. Les programmes de ré-équipement de l'armée canadienne constituent une belle illustration. Chaque région veut sa part de contrats. Il est devenu impossible de satisfaire toutes les régions. Le gouvernement fédéral est certain de faire des insatisfaits en plus de susciter de l'animosité entre les régions. Cette animosité est encore plus grande lorsque le Québec obtient des parts de contrats. Les autres régions sont alors unanimes à prétendre que le Québec reçoit des avantages et des faveurs indus. Au total, les initiatives fédérales qui impliquent la distribution de bénéfices monétaires divisibles entre les régions (lire: les groupes d'intérêts des régions) engendrent des conflits et minent la confiance que les Canadiens de chaque région placent dans le gouvernement fédéral.

Cette situation va s'envenimer en raison de l'état lamentable des finances publiques du gouvernement fédéral. Comme il aura de moins en moins de bénéfices monétaires à répartir entre les régions, chaque distribution de «bénéfices» à une région particulière paraîtra d'autant plus inacceptable que le tour de chacune des autres prendra de plus en plus de temps à venir. Nous assisterons donc à une exacerbation des conflits inter-régionaux qui mineront la confiance que les Canadiens placent dans le gouvernement fédéral, en plus d'aggraver l'animosité du Canada anglophone à l'endroit du Québec.

D'autre part, les contraintes qui pèsent sur ses finances publiques inciteront le gouvernement fédéral à s'engager dans un processus de substitution qui lui permettra de remplacer l'utilisation d'instruments d'intervention dispendieux par des instruments moins dispendieux. Or les options disponibles à ce chapitre ne sont pas très nombreuses. Les programmes qui impliquent des dépenses budgétaires ne peuvent être remplacés que par des interventions réglementaires ou des interventions idéologiques. Ces dernières, qui constituent essentiellement des tentatives de modifier les attitudes et les valeurs des individus à l'endroit des activités d'un gouvernement, prennent d'autant plus de temps à porter fruits que les citoyens ont moins confiance dans le gouvernement. Le gouvernement fédéral sera donc incité à recourir aux interventions réglementaires parce qu'elles livrent plus rapidement et de façon plus certaine les résultats attendus. Cette propension contribuera à accroître la zone des activités réglementées, c'est-à-dire cette zone où les activités des individus et des gouvernements inférieurs doivent satisfaire des normes fédérales. Les politiciens fédéraux tenteront de légitimer ces normes en les qualifiant de normes nationales. Or l'augmentation de la propension du gouvernement fédéral à recourir à des normes nationales survient au moment même où la confiance des individus dans les gouvernements diminue. L'augmentation de cette propension minera aussi la confiance des provinces qui se verront assujetties à l'obligation de respecter des normes nationales, non seulement dans le secteur de la santé, mais aussi dans un nombre grandissant de domaines d'intervention gouvernementale. L'implantation de ces normes aggravera les tensions entre le gouvernement central et les provinces. Elle accroîtra l'incertitude comportementale en minant de plus en plus la confiance des provinces à l'endroit du gouvernement central.

L'augmentation de la zone des activités réglementées par le fédéral et sa propension à multiplier les normes nationales auront de plus en plus pour conséquences de rendre nulles les interventions réglementaires du Québec dans les domaines économiques, sociaux et culturels étroitement associés à la promotion du Québec francophone et de la langue française. Ces interventions fédérales augmenteront l'incertitude relative aux comportements en augmentant le manque de confiance des Québécois à l'endroit du gouvernement fédéral.

On peut en déduire que le gouvernement fédéral perdra cette guerre de confiance parce que ses normes nationales ne pourront pas répondre aux besoins différenciés des Canadiens des différentes régions et qu'il aura de moins en moins de ressources budgétaires pour acheter l'adhésion des électeurs canadiens des différentes provinces. Le gouvernement fédéral risque encore plus de perdre cette guerre auprès des électeurs québécois.

Les tentations d'opportunisme

D'une part, les individus tendent à accorder de moins en moins de confiance aux capacités des gouvernements de résoudre adéquatement les problèmes économiques, sociaux et politiques. D'autre part, les interventions fédérales tendent de plus en plus à susciter de l'animosité entre les provinces, de même qu'à miner davantage la confiance que les citoyens des différentes régions accordent au gouvernement central. Finalement, ce manque de confiance atteindra son paroxysme en ce qui concernera les rapports entre le Québec et le reste du Canada, qu'il s'agisse du gouvernement fédéral ou des autres provinces.

Or le manque de confiance entre les différents intervenants du jeu politique et constitutionnel engendrera de l'incertitude comportementale. À son tour, l'incertitude comportementale suscitera des comportements opportunistes, en ce sens que chaque intervenant, qu'il s'agisse d'un électeur, d'un groupe d'intérêt, d'un parti politique ou d'un gouvernement, tentera de tirer le maximum de bénéfices des circonstances qui se présenteront en subordonnant ses principes à ses intérêts momentanés. Les intervenants clés transigeront leurs principes en termes d'analyses coûts/bénéfices. À cet égard, on peut faire deux hypothèses. D'un côté les électeurs québécois seront incités à appuyer l'indépendance du Québec ou, tout au moins, un accroissement des pouvoirs du Québec, lorsque les tensions entre les différentes régions canadiennes, de même qu'entre le gouvernement fédéral et le Québec, les amèneront à conclure que cette option ne comporte pas des coûts très élevés. Certaines interventions réglementaires fédérales stimuleront l'opportunisme en modifiant à la baisse la perception des Québécois au sujet des coûts de défection. D'un autre côté, les électeurs canadiens-anglais seront pour leur part incités à appuyer une plus grande centralisation des pouvoirs aux mains du gouvernement fédéral s'ils estiment qu'ils peuvent y réussir à des coûts acceptables, c'est-à-dire, sans provoquer la séparation du Québec.

L'échec du Lac Meech constitue une belle illustration d'un résultat de comportements opportunistes de la part de plusieurs provinces canadiennes-anglaises et de groupes d'intérêt autochtones. Or ce genre de comportement opportuniste contribuera à accroître l'incertitude relative aux comportements et, ce faisant, rendra de plus en plus difficile la coopération entre les différents intervenants du jeu politique et constitutionnel.

La persistance du statu quo

Les interventions gouvernementales, qu'elles soient de nature financière ou réglementaire, ont pour effet de redistribuer des coûts et des bénéfices. Nous avons déjà mentionné le cas de la réglementation dans le domaine de la promotion de la langue française dont l'effet est d'accroître la valeur économique résultant de la possession de la langue française et réduire la valeur économique de l'unilinguisme anglophone. Pour sa part, le réglementation dans le domaine de l'environnement engendre souvent des bénéfices pour les consommateurs (d'environnement) dont les coûts sont supportés par les entreprises (les producteurs pollueurs). L'effet redistributif des lois est encore plus évident lorsqu'il s'agit d'intervention financière comme dans le cas de la loi modifiant les conditions d'éligibilité aux différents niveaux de prestations d'assistance sociale. Il en va de même pour toutes les interventions gouvernementales. Leurs bénéficiaires en viennent à considérer qu'ils détiennent une sorte de droit de propriété sur les bénéfices acquis. Ce sentiment est d'autant plus fort que la répartition des coûts et des bénéfices est cristallisée dans des lois ou des règlements qui découlent eux-mêmes de lois. Les groupes d'intérêt et les gouvernements inférieurs (provinciaux, municipaux et scolaires) qui sont satisfaits des bénéfices qu'ils dérivent des interventions de l'État sont incités à investir des ressources dans la protection de leurs acquis. De la même façon, les groupes et les gouvernements inférieurs qui estiment que les lois en vigueur leurs imposent des coûts trop élevés, ou encore, les empêchent de capturer certains bénéfices potentiels, sont incités à investir dans la demande de changements des règles en vigueur.

Ces préférences contradictoires entre les groupes d'intérêt et les gouvernements qui cherchent à maintenir intactes les règles et ceux qui investissent pour les faire modifier correspondent à différents avenirs possibles. L'avenir résulte des actions et des stratégies déployées par les différents groupes et les divers niveaux de gouvernement.

Les règles qui concrétisent la répartition des coûts et des bénéfices des interventions gouvernementales ne sont toutefois pas faciles à modifier. En théorie, une règle en remplacera une autre si et seulement si une majorité est d'accord. Les théories économiques d'analyse des phénomènes politiques nous enseignent toutefois que des groupes d'intérêt représentant seulement une petite partie de la population peuvent bloquer des changements de politiques gouvernementales qui profiteraient à une majorité «silencieuse» (Johnson, 1991; Landry et Duchesneau, 1987; Landry, 1990; Mueller, 1989).

Les règles du jeu sont encore plus difficiles à modifier lorsqu'il s'agit de règles constitutionnelles. Dans ce cas, l'appui d'une majorité simple ne suffit généralement pas. Un changement de règle requiert alors généralement l'appui d'une majorité de deux tiers ou même carrément l'unanimité.

Ce genre de règles, particulièrement celle de l'unanimité, rendent le changement très difficile parce qu'elles se trouvent à accorder un droit de veto à un seul intervenant. Ce type de règles, on le voit bien, avantage fortement les groupes et les gouvernements qui bénéficient du *statu quo*. La non-ratification de l'accord du Lac Meech est attribuable à ce genre de règles.

L'aggravation des tensions entre les différentes régions canadiennes et l'augmentation des incitations des provinces et du fédéral à adopter des comportements opportunistes créeront un état de crise plus ou moins permanents issu d'un rapport de forces qui aura pour effet de remettre en cause les règles constitutionnelles en vigueur sans qu'aucun groupe ne puisse imposer de nouvelles règles.

En conclusion, la persistance du *statu quo* constitue un avenir plausible qui engendrerait une longue crise canadienne caractérisée par l'incapacité de surmonter l'inadaptation des règles constitutionnelles. Les Canadiens anglais disposent donc des outils constitutionnels appropriés pour imposer le maintien du *statu quo* constitutionnel aux Québécois.

Les solutions possibles

Les avenirs possibles qui émergent de l'évolution combinée de certaines tendances lourdes engendrent des conséquences plus ou moins indésirables. À quels types de solutions pourraient-on recourir pour atténuer l'avènement des conséquences les plus indésirables?

L'atténuation des tensions et de l'incertitude relative aux comportements

Les tensions entre les régions de même qu'entre le Québec et le Canada anglais et l'incertitude des comportements qui y est associée pourraient être atténuées par des interventions idéologiques et réglementaires.

Les interventions idéologiques visent, rappelons-le, à modifier les attitudes, les perceptions et les valeurs des individus. Ce type d'interventions livrerait ses résultats dans le long plutôt que dans le court terme. En outre, les interventions idéologiques n'auraient de chances de porter fruits que si elles s'accompagnaient d'interventions financières ou réglementaires qui les renforceraient. À cet égard, la solution la moins coûteuse pour le gouvernement fédéral consisterait à augmenter plutôt qu'à réduire la zone des activités non réglementées des provinces.

Plus spécifiquement, le gouvernement fédéral pourrait réduire les tensions et l'incertitude en cessant d'implanter des interventions réglementaires qui imposent aux provinces l'obligation de respecter des normes nationales qui briment leurs initiatives et aggravent leurs problèmes d'équilibre budgétaire. Ces interventions réglementaires fédérales qui imposent la production de biens et services collectifs minimums uniformes vont d'ailleurs à l'encontre de la prétention d'un nombre grandissant de provinces à se prétendre distinctes, sinon singulières.

Parallèlement à l'implantation de ses interventions idéologiques, le gouvernement fédéral contribuerait à atténuer les tensions inter-régionales s'il décidait d'investir ses ressources budgétaires et réglementaires dans l'amélioration des biens et des services collectifs qui relèvent clairement de sa compétence constitutionnelle plutôt que de s'engager dans des interventions financières ou réglementaires qui tombent dans le champ de juridiction des provinces.

Rien ne laisse toutefois présager que les groupes d'intérêt et les grands partis politiques sont susceptibles de vouloir infléchir dans cette direction les interventions fédérales financières et réglementaires.

L'atténuation des incitations à l'opportunisme

Le manque de confiance qui prévaut entre les intervenants du jeu politique et constitutionnel engendrera des comportements opportunistes, c'est-à-dire que les individus, les groupes d'intérêt et les partis politiques seront incités à exploiter les occasions qui se présenteront pour maximiser leurs intérêts particuliers plutôt que pour tenter de résoudre la crise canadienne. À ce sujet, il importe de dire qu'il est toujours très difficile, sinon impossible, de développer des arrangements institutionnels qui préviennent de façon efficace l'exploitation des circonstances par des opportunistes. Les lois sur l'impôt constituent l'illustration la plus simple et la mieux connue d'interventions gouvernementales dont les règles laissent toujours place à l'opportunisme parce qu'il est impossible de tout réglementer.

Une solution de rechange qui sera beaucoup utilisée consistera à développer des interventions idéologiques qui viseront à affecter les perceptions des individus au sujet des différentes options constitutionnelles. Ainsi, le gouvernement fédéral, les provinces anglophones, de même que les groupes d'intérêt qui les supportent, tenteront de con-

vaincre les Québécois que les bénéfices de la souveraineté sont minus-
cules par comparaison à l'énormité des coûts qu'ils y voient. Cette guerre
de manipulation de perceptions au sujet des coûts et des bénéfices des
différentes options constitutionnelles sera une guerre très inégale où le
point de vue indépendantiste sera défavorisé aussi bien du côté des ressources financières que de celui de l'accès aux médias. Les indépendantistes perdront vraisemblement cette guerre de manipulation de perceptions.

Comment sortir du statu quo?

La longue crise constitutionnelle canadienne qui s'annonce résulte de
l'incapacité d'une des parties à imposer de nouvelles règles constitutionnelles: certains groupes et certains partis politiques sont insatisfaits
des règles en vigueur mais aucun d'entre eux n'est assez puissant pour en
imposer de nouvelles. Le veto dont dispose les principaux intervenants a
pour effet d'imposer le *statu quo*. Celui-ci pourrait être remis en cause à
la suite de comportements opportunistes ou d'une aggravation majeure
des tensions qui alimentent la crise canadienne. Les arrangements constitutionnels qui en résulteraient consacreraient une plus grande autonomie
pour le Québec ou une plus grande centralisation des pouvoirs aux mains
du gouvernement fédéral.

   Étant donné que les règles du jeu assurent le maintien du *statu quo*,
le changement ne pourra survenir que par la conjonction de manipulations
idéologiques et d'actions opportunistes qui seront justifiées par la volonté
de promouvoir les intérêts collectifs du Canada et du Québec. L'action
politique restera toujours le fait de groupes et de partis qui servent leurs
intérêts particuliers sous le couvert de la promotion d'intérêts collectifs.

BIBLIOGRAPHIE DES AUTEURS CITÉS

Barbe, R.P., 1983, *La réglementation*, Montréal, Éditions Wilson et
   Lafleur.

Bryson, J.M. et P. Smith Ring, 1990, «A Transaction Based Approach to
   Policy Intervention», *Policy Sciences*, 23-3:205-229.

Cazes, B., 1971, «Bien user de la prospective», *Social Science
   Information*, 9-2:133-148.

Decoufle, A.C., 1972, *La prospective*, Paris, P.U.F. collection Que sais-
   je?

Decoufle, A.C. et Nicolon, 1972, *Prospective et société*, Paris, La documentation française, n° 28, Travaux et recherches de prospective.

de Jouvenel, B., 1971, «Le concours intellectuel à la décision», *Analyse et prévision*, XII-1-2, 1971:791-802.

Godet, M., 1985, *Prospective et planification stratégique*, Paris, Economica.

Johnson, D.B., 1991, *Public Choice: An Introduction to the New Political Economy*, Mountain View, Ca., Bristlecone Books, 372 pages.

Landry, R., 1990, «Biases in the Supply of Public Policies to Organized Interests: Some Empirical Evidence», p. 291-311 dans W.D. Coleman et G. Skogstad, eds., *Policy Communities and Public Policy in Canada: A Structural Approach*, Copp., Clark, Pitman.

Landry, R. et P. Duchesneau, 1987, «L'offre d'interventions gouvernementales aux groupes: une théorie et une application», *Revue canadienne de science politique*, XX-3, septembre, 525-552.

Landry, R., 1987, «Prospective et politique: micro-avenir des individus et avenir global de la collectivité», *Réseaux: Revue interdisciplinaire de philosophie morale et politique*, 50, 51, 52:95-114.

Mueller, D.C., 1989, *Public Choice II*, Cambridge, Cambridge University Press.

Olson, M., 1974, 1965, *La logique de l'action collective*, Paris, P.U.F., publié initialement en anglais en 1965.

Olson, M., 1982, *The Rise and Decline of Nations*, New Haven, Conn., Yale University Press.

Ostrom, E., 1986, «An Agenda for the Study of Institutions», *Public Choice*, 48-1:3-26.

Rae, D.W., 1969, «Decision-Rules and Individual Values in Constitutional Choise», *American Political Review*, 63-1:40-53.

Williamson, O.E., 1985, *The Economic Institutions of Capitalism*, New York, The Free Press.

Le positionnement des partis dans les débats sur l'avenir politique du Québec

Vincent Lemieux

Vincent LemieuxLes partis politiques, selon Vincent Lemieux, sont dotés d'une triple finalité: ils se préoccupent de leur identité dans leur composante interne, de leur représentativité dans leur composante publique et de leur autorité dans leur composante gouvernementale. L'impasse canado-québécoise amène l'auteur à se pencher sur les partis dans leur composante gouvernementale extra-sociétale. Les partis politiques du Québec oscillent entre l'alliance, la rivalité et la neutralité avec ceux du Canada. L'auteur analyse le jeu des partis pendant les années Meech et dans la foulée des rapports Allaire et Bélanger-Campeau. Il échafaude des scénarios qui varient selon que des élections fédérales viennent précéder ou non les prochaines élections provinciales ou le référendum québécois prévu en vertu de la loi 150. Vincent Lemieux est professeur titulaire au département de science politique de l'Université Laval.

13

Le positionnement des partis dans les débats sur l'avenir politique du Québec

Vincent Lemieux

Pour bien comprendre l'action des partis dans les débats sur l'avenir du Québec, il est utile de concevoir ces organisations comme poursuivant une triple finalité dans le cadre d'une finalité générale qui est de participer de la façon la plus avantageuse possible à la direction du système politique, c'est-à-dire à la gouverne des affaires publiques. Les partis doivent se donner pour cela une identité dans leur composante interne faite d'adhérents, de la représentativité dans leur composante publique faite d'électeurs, et de l'autorité dans leur composante gouvernementale faite d'intervenants intra-sociétaux ou extra-sociétaux. Autrement dit, pour participer efficacement à la direction du système politique les partis doivent contrôler selon leurs préférences les intervenants dans leur composante gouvernementale, les électeurs dans leur composante publique et leurs adhérents dans leur composante interne[1].

La recherche et l'exercice du contrôle peuvent être conceptualisés au moyen des notions d'alliance, de rivalité et de neutralité, de façon conforme d'ailleurs aux préoccupations des acteurs partisans et des autres acteurs engagés dans l'action politique. Pour les acteurs politiques, en effet, le monde est fait d'alliés, de rivaux et de neutres. C'est par le maniement des liens politiques d'alliance, de rivalité et de neutralité que les acteurs partisans cherchent à exercer du contrôle, c'est-à-dire à rendre leurs préférences efficaces dans la poursuite de leurs finalités internes, publiques ou gouvernementales.

Ajoutons que les liens politiques s'établissent entre des entités qui se trouvent à différents niveaux et qui, à un niveau donné, sont en intersection ou non l'une avec l'autre. Ainsi le Québec est inclus officiellement dans le Canada, mais le gouvernement du Québec n'est pas inclus dans le gouvernement central à Ottawa. Le Parti libéral du Québec et le Parti québécois ne sont pas en état d'intersection, mais ils ont des députés qui sont inclus les uns et les autres dans l'Assemblée nationale, etc. Dans l'étude des liens politiques il importe de distinguer les niveaux, ce qu'illustre bien la maxime qui dit: «Moi contre mon frère; mon frère et moi contre mon cousin; mon cousin, mon frère et moi contre l'étranger».

Le positionnement des partis, tel que nous l'entendons, consiste dans le maniement des liens politiques en vue du contrôle. Le début des années 1990 et les débats sur l'avenir politique du Québec qui s'y sont produits fournissent, à cet égard, une riche matière à l'étude du positionnement des deux principaux partis du Québec, le Parti libéral et le Parti québécois. Nous allons étudier ce positionnement pour en montrer le caractère systémique et stratégique à la fois, de façon à mieux comprendre l'action présente et éventuelle des partis dans les débats sur l'avenir politique du Québec. Dans la dernière section du chapitre nous proposerons quelques scénarios ayant trait à la prochaine consultation populaire au Québec, élection ou référendum.

FINALITÉS ET LIENS POLITIQUES DES PARTIS

Pour participer efficacement à la direction du système politique les partis doivent, bien sûr, obtenir et maintenir des appuis électoraux. Leur action dans la composante publique est orientée vers la recherche sur le territoire de représentativité pluralitaire, ce qui donne des sièges à l'Assemblée nationale. C'est surtout grâce à ces sièges que les partis peuvent exercer de l'autorité dans la composante gouvernementale.

La recherche et l'obtention d'appuis électoraux peut être conceptualisée aisément au moyen des notions d'alliance, de rivalité et de neutralité. D'une part, les partis «ciblent» des groupes alliés, se donnent parfois des groupes rivaux et ont des liens de neutralité ou d'indifférence envers d'autres groupes. D'autre part, les électeurs eux-mêmes voient les partis en lice comme des alliés, des rivaux ou des neutres. Par exemple, dans les débats constitutionnels du début des années 1990, les groupes anglophones extrémistes sont des rivaux pour le Parti québécois, comme les groupes nationalistes extrémistes, chez les francophones, sont des rivaux pour le Parti libéral. Dans un système partisan bipartiste, les partis n'ont généralement pas avantage à se donner des groupes de rivaux très étendus chez les électeurs, mais beaucoup de ceux-ci n'en voient pas moins l'un ou l'autre des partis comme des rivaux, menaçants par les groupes auxquels ils sont alliés.

Dans la composante gouvernementale, le réseau d'alliés, de rivaux et de neutres où se trouvent les partis, et qu'ils tentent de manier dans la recherche d'autorité décisive, a des traits plus évidents. Les deux principaux partis du Québec sont évidemment rivaux l'un de l'autre dans l'arène gouvernementale, même s'ils peuvent établir entre eux, à l'occasion, des alliances conjoncturelles. Les multiples agents des organismes administratifs sont censés être neutres par rapport aux partis, mais on sait bien qu'ils sont souvent alliés un peu malgré eux du parti ministériel et de ses entourages politiques. Quant aux différents groupes d'intéressés qui cherchent à contrôler les politiques publiques ou les autres décisions gouvernementales, ils sont eux aussi alliés ou rivaux, ou encore neutres par rapport aux partis.

Au Québec, la composante gouvernementale des partis comprend, dans sa dimension extra-sociétale, les autres gouvernements du Canada et leurs partis, et en particulier ceux du gouvernement central. Là encore les partis du Québec manient des liens d'alliance, de rivalité et de neutralité avec ces intervenants, que ce soit pour des fins de représentativité, d'autorité ou d'identité.

La composante gouvernementale, dans ses dimensions intra-sociétale et extra-sociétale, est au cœur de notre propos puisque le débat sur l'avenir politique du Québec porte essentiellement sur les nouvelles relations qui doivent être établies entre le gouvernement du Québec et les autres gouvernements du Canada. Nous allons centrer nos analyses sur le positionnement des partis dans cette composante, en montrant que ce positionnement obéit aussi à des préoccupations d'identité dans la composante interne et de représentativité dans la composante publique.

Historiquement, au Québec, le gouvernement central du Canada a été défini par les leaders d'opinion et perçu par les électeurs comme devant protéger, mais sans centralisation excessive, les intérêts de ceux qu'on a nommés successivement les Canadiens, les Canadiens-français et les Québécois, contre des rivaux de l'extérieur, menaçants pour ces intérêts. L'idéal en est un de co-puissance entre les deux gouvernements, contre l'impuissance ou encore la puissance unilatérale d'Ottawa. Non pas que la promotion des intérêts soit négligée, mais la fonction de protection a été — du moins c'est ce que nous présumons — davantage ressentie que celle de promotion. Au contraire, ce qui est attendu du gouvernement du Québec est plutôt de l'ordre de la promotion que de la protection. Quand le gouvernement central n'est pas perçu comme remplissant sa fonction de protection, ou encore quand il est perçu comme trop centralisateur, le gouvernement du Québec doit par contre assurer une fonction de protection contre la centralisation, ou de promotion compensatoire contre les menaces venant de l'extérieur. Duplessis l'avait bien compris, et René Lévesque aussi, à sa manière.

Dans la composante gouvernementale il y a donc un maniement subtil des liens d'alliance, de rivalité et de neutralité, qui est requis de la part des partis du Québec, avec ou contre les partis et les gouvernements du

Canada, surtout quand les débats constitutionnels ont beaucoup de visibilité sur la scène politique.

Dans la composante interne les adhérents du parti sont normalement tous des alliés, mais il peut arriver que des rivalités se développent entre eux, qui menacent l'unité et donc l'identité du parti. Même si cette identité n'est pas, généralement, la principale des trois finalités d'un parti, parce qu'elle est reliée moins directement que les deux autres à la direction du système politique, un parti dont l'identité est menacée arrive difficilement à se donner la représentativité et l'autorité nécessaires pour participer efficacement à la direction du système politique.

Ajoutons que la constitution des alliances est différente d'une composante à l'autre. Dans la composante interne les alliances sont permanentes et généralement internes, entre adhérents à un même parti. Les alliances sont davantage conjoncturelles dans la composante gouvernementale, bien que certaines d'entre elles soient durables. Dans la composante publique les alliances s'expriment surtout au moment des consultations électorales. Elles sont plus discontinues, même s'il est bien connu que certains électeurs s'identifient de façon constante à un parti politique. Il y en aurait cependant moins qu'avant, ce qui n'est pas sans menacer la stabilité des appuis des partis dans leur composante publique.

LES PARTIS AU MOMENT DE L'ÉCHEC DU LAC MEECH

Quand survient l'échec définitif de l'accord du Lac Meech, à la fin de juin 1990, chacun des deux principaux partis a des problèmes dans l'une ou l'autre de ses composantes. Il réagit à l'événement de façon à ne pas aggraver ces problèmes, ou mieux à les résoudre par un maniement approprié des liens politiques.

Le Parti libéral a misé gros dans l'accord du Lac Meech. La réussite de l'accord lui aurait permis d'améliorer son positionnement dans chacune des composantes. À l'intérieur du parti les alliances entre nationalistes et ce qui restait des fédéralistes non-francophones, après l'adoption de la loi 178 sur l'affichage commercial, auraient été raffermies. Dans la composante gouvernementale le Parti libéral aurait fait la preuve qu'une alliance franche avec le gouvernement central et les autres gouvernements provinciaux permettait d'obtenir un arrangement que le gouvernement du Parti québécois n'avait pas réussi à obtenir par la rivalité, tempérée, il est vrai, d'alliance conjoncturelle avec d'autres gouvernements. Dans la composante publique, étant donné qu'une majorité d'électeurs du Québec approuvait l'accord, son adoption n'aurait pu que faire augmenter le nombre des alliés électoraux du Parti libéral.

La réaction de Robert Bourassa à l'échec de l'accord fut habile. En déclarant de façon solennelle que les Québécois demeuraient maîtres de leur destin, il se positionnait de façon avantageuse devant l'électorat. En ajoutant que désormais le Québec ne négocierait qu'à deux, avec le gouvernement central, et non plus à onze, il cherchait à maintenir une alliance qui l'avait bien servi avec le gouvernement conservateur, tout en manifestant de la neutralité sinon de la rivalité envers les provinces, rendues responsables de l'échec de l'accord. En insistant sur la nécessité d'assurer la sécurité économique des Québécois dans une union économique forte avec le reste du Canada, il rassurait les adhérents fédéralistes de son parti, tout en maintenant sa rivalité contre le Parti québécois, pour qui l'union économique n'a pas un caractère de nécessité absolue.

Pour ce parti l'échec de l'accord favorisait de façon extraordinaire sa principale proposition gouvernementale, soit l'accession du Québec au statut d'État souverain. Les sondages allaient d'ailleurs montrer une augmentation considérable de l'appui à la souveraineté, à partir de juin 1990. Dans certains sondages cet appui dépassait même les 70%. Selon ce que nous avons posé plus haut, les électeurs comptaient sur le gouvernement du Québec pour leur assurer une sécurité contre les rivaux de l'extérieur. Dans un premier temps tout au moins, l'appui du Parti québécois n'augmentait pas pour autant, comme si beaucoup de partisans de la souveraineté faisaient confiance à Robert Bourassa pour y accéder.

Depuis l'arrivée de Jacques Parizeau à la direction du Parti québécois, il n'y avait plus guère de problème d'unité et donc d'identité dans la composante interne du parti. L'échec de l'accord du Lac Meech ne pouvait que renforcer cette identité, en resserrant plus encore les liens entre les alliés, contre les rivaux de l'extérieur.

Les deux principaux partis du Québec ayant dans l'espace extra-sociétal un peu les mêmes rivaux, ils étaient amenés, comme le veut l'adage posant que les ennemis de nos ennemis sont nos amis, à s'allier entre eux contre ces rivaux. La création de la commission sur l'avenir politique et constitutionnel du Québec a été la principale manifestation de cette alliance conjoncturelle.

Contre les groupes nationalistes qui voulaient plutôt des états généraux, les deux partis s'entendent alors pour créer plutôt une commission parlementaire élargie. Les principaux alliés des deux partis dans la composante gouvernementale, soit les milieux d'affaires dans le cas du Parti libéral et les milieux syndicaux dans le cas du Parti québécois, ont droit à la représentation la plus nombreuse. Il y a quatre représentants de chacun de ces deux groupes. Le Parti libéral et le Parti québécois finissent par s'entendre pour que les autres membres extérieurs à l'Assemblée nationale se partagent à peu près également entre les tendances exprimées par les deux partis. Les deux représentants des partis fédéraux, le conservateur et le libéral, sont plutôt alliés des libéraux provinciaux, mais Lucien Bouchard du Bloc québécois est allié du Parti québécois. Le président du mouvement Desjardins, les deux présidents des unions de municipalités et celui de la Fédération des commissions scolaires apparaissent comme neutres au départ, alors que le président de l'Union des artistes est un souverainiste.

Un peu avant que soit mise en place la commission, présidée conjointement par Michel Bélanger et Jean Campeau, deux anciens hauts-fonctionnaires du Québec devenus présidents d'institutions financières, le Parti libéral avait créé à l'intérieur de lui-même un comité, présidé par un juriste, Jean Allaire, pour redéfinir sa propre position constitutionnelle.

LES PARTIS SUITE AUX RAPPORTS ALLAIRE ET BÉLANGER-CAMPEAU

Le rapport Allaire et celui de la commission sur l'avenir politique et constitutionnel du Québec ont proposé une stratégie de maniement des liens politiques qui est à peu près la même, dans des contenus différents.

Au moment du référendum de 1980, puis dans certaines péripéties des négociations constitutionnelles qui ont suivi, ainsi que dans la présentation des cinq conditions du Québec qui ont mené à l'accord du Lac Meech, en 1987, les Québécois par la voix de leur gouvernement ont manifesté qu'ils voulaient maintenir des liens d'alliance avec «le reste du Canada». La non-ratification de l'accord du Lac Meech, les sondages qui ont montré que les Canadiens hors du Québec n'y étaient pas majoritairement favorables ainsi que des manifestations d'intransigeance (drapeau du Québec piétiné, municipalités ontariennes qui rejettent le français) ont dramatisé une situation où l'autre partie au débat (si on la considère de façon très agrégée) opposait la rivalité aux offres d'alliance venant du Québec.

À travers les recommandations du rapport Allaire et du rapport Bélanger-Campeau le message suivant était envoyé à cette autre partie: nous vous demandons de manifester que vous êtes des alliés d'ici la fin de 1992 en nous faisant des propositions acceptables, sinon nous demanderons aux électeurs du Québec d'affirmer leur rivalité envers vous en consacrant la rupture de ces entités jusqu'à ce jour officiellement incluses l'une dans l'autre que sont le Québec et le Canada.

Le rapport de la Commission Bélanger-Campeau, plus que celui du comité Allaire, transmettait ce message. Les présidents recommandaient la création de deux commissions parlementaires, l'une pour l'étude des questions afférentes à l'accession du Québec à la souveraineté, et l'autre ayant pour mandat d'apprécier toute offre de nouveau partenariat de nature constitutionnelle faite par le gouvernement du Canada, à condition qu'elle lie formellement ce gouvernement et les provinces.

Le projet de loi 150, prévoyant la tenue d'un référendum en 1992 ainsi que la création de ces deux commissions, a été l'occasion d'une division entre les deux principaux partis. Elle a manifesté les différences entre leurs positionnements dans l'espace extra-sociétal de leur composante gouvernementale, mais aussi dans leur composante interne et dans leur composante publique.

Alors que le Parti québécois maintient envers les autres gouvernements et partis du Canada des liens qui sont de rivalité, fondés sur la certitude exprimée publiquement que les offres de réforme constitutionnelle ne sauront satisfaire le Québec, le Parti libéral, par l'entremise de son chef Robert Bourassa, fait alterner l'alliance et la rivalité, en indiquant assez clairement qu'il préférerait l'alliance dans un fédéralisme transformé à la rivalité dans la souveraineté-association.

Ces positionnements sont évidemment fonction des positions des adhérents dans la composante interne. Le positionnement souverainiste du Parti québécois permet de maintenir l'identité unitaire de ses adhérents, favorables à la souveraineté, comme le positionnement mitigé du Parti libéral permet de maintenir tant bien que mal une identité unitaire parmi des adhérents, dont les uns sont fédéralistes et les autres, souverainistes.

Ces positionnements sont aussi définis, de façon plus risquée cependant, en fonction des positions présumées des électeurs dans la composante publique, où les partis sont évalués non seulement à partir de leurs positionnements dans l'espace extra-sociétal, mais aussi à partir de leurs positionnements dans l'espace intra-sociétal.

Si on s'en tient pour le moment à l'extra-sociétal, on peut dire que le Parti québécois fait le pari que les offres venant d'Ottawa ne sauront réparer l'affront fait au Québec par l'échec de l'accord du Lac Meech et les manifestations anti-Québec qui l'ont entouré. Le Parti libéral, au contraire, fait le pari que les efforts faits pour satisfaire aux demandes du gouvernement du Québec en vue d'un fédéralisme plus «efficace» seront appréciés par les électeurs qui sont des souverainistes «mous», surtout si on fait valoir les risques économiques que comporte la souveraineté.

Qu'en sera-t-il quand viendra le temps des prochaines consultations populaires, au Québec, élection ou référendum? Nous allons proposer quelques scénarios à cet égard avant de conclure sur ce qui est constant dans le dispositionnement des partis l'un par rapport à l'autre.

RÉFÉRENDUM OU ÉLECTION: QUELQUES SCÉNARIOS

Au moment où nous écrivons ces lignes (été 1991), les plus récents sondages d'opinion publique viennent compliquer la stratégie des partis. Le Parti québécois insiste pour qu'il y ait référendum, en 1992, mais l'appui des électeurs à la souveraineté décroît dans les sondages. Le Parti libéral semble préférer une élection référendaire, mais il est derrière le Parti québécois, quand on demande aux électeurs comment ils ont l'intention de voter aux prochaines élections.

En plus des positions constitutionnelles des partis, il y a au moins deux autres considérations dont il faut tenir compte, si on cherche à prévoir le résultat d'une élection ou d'un référendum, en 1992: le positionnement des partis sur les problèmes gouvernementaux autres que le problème constitutionnel, et le résultat d'éventuelles élections fédérales, qui se dérouleraient avant l'élection ou le référendum québécois de 1992.

Dans cette optique on peut imaginer quatre scénarios, deux où il y a élection et deux où il y a référendum, l'une ou l'autre de ces consultations populaires survenant avant ou après les prochaines élections fédérales.

Un premier scénario est celui où il y a élection plutôt que référendum au Québec, avant les élections fédérales sur le plan canadien. Des propositions de réforme constitutionnelle sont faites par le gouvernement du Canada. Elles sont étudiées par la commission parlementaire spéciale chargée de ce faire, qui les juge intéressantes mais insuffisantes. Le Parti libéral prend prétexte de cela pour déclencher des élections, où il demande à la population de lui donner un *nouveau* mandat, en particulier pour obtenir des offres plus intéressantes de la part du gouvernement du Canada. On peut imaginer des variantes de ce scénario, selon que les offres venant d'Ottawa sont jugées plus ou moins satisfaisantes par rapport aux conditions posées par le Québec. De plus, il est bien évident que la satisfaction, à ce moment, des électeurs face au gouvernement libéral pourra être déterminante. Si cette satisfaction n'est pas très grande et que les offres d'Ottawa sont jugées peu intéressantes, il y a de fortes chances que le Parti québécois gagne les élections, les électeurs estimant majoritairement que ce parti est le plus apte à gouverner le Québec et à mettre une pression supplémentaire sur le gouvernement du Canada et ceux des autres provinces. Étant donné que le premier ministre du Québec et chef du Parti libéral préfère sans doute l'élection au référendum, son gouvernement cherchera certainement d'ici les élections à prendre des décisions qui accroîtront la satisfaction des électeurs envers lui, en espérant par ailleurs que la récession économique prendra fin. Les décisions prises en juin 1991 sont à cet égard ambivalentes. Le gouvernement a cherché à éviter la confrontation avec les médecins. Il a par contre maintenu la ligne dure avec le monde municipal, probablement parce qu'il y avait là des enjeux financiers sur lesquels il ne voulait pas revenir, étant donné l'importance qu'il accorde à sa «bonne» gestion des finances publiques.

Dans un deuxième scénario il y a toujours élection plutôt que référendum au Québec, mais elle survient après les élections fédérales. Le gouvernement libéral à Québec sera d'autant plus tenté par ce scénario que les offres venant d'Ottawa apparaîtront peu satisfaisantes au Québec, et que le Parti libéral sera devancé par le Parti québécois dans les sondages, le gouvernement Bourassa recueillant un taux de satisfaction relativement peu élevé. Étant donné que le gouvernement conservateur à Ottawa peut difficilement prolonger son mandat au-delà de 1992 (les pressions pour qu'il déclenche des élections deviendraient irrésistibles), le chef du gouvernement du Québec pourra alors prendre prétexte des élections fédérales pour reporter les élections provinciales en 1993, soit à l'échéance normale de quatre ans, les dernières élections s'étant déroulées en 1989. Cette manœuvre du Parti libéral pourrait lui être profitable si, comme prévu, le Bloc québécois fait élire plusieurs de ses candidats au Québec, le Reform Party ayant lui aussi beaucoup de succès. Il y aurait alors formation d'un gouvernement minoritaire. Il se peut que dans la situation d'incertitude qui serait ainsi créée sur la scène fédérale, les électeurs du Québec préfèrent collectivement s'en remettre au Parti libéral plutôt qu'au Parti québécois pour poursuivre les débats constitutionnels. Si, au contraire, le Parti libéral du Canada réussissait à former seul le prochain gouvernement fédéral (ce qui apparaît improbable à l'heure actuelle), les chances du Parti québécois seraient bien meilleures. Même dans le cas d'un gouvernement minoritaire à Ottawa, il est loin d'être exclu que le Parti québécois puisse gagner des élections provinciales venant après des élections fédérales, à supposer que le gouvernement libéral à Québec soit très impopulaire dans l'espace intra-sociétal et qu'il apparaisse trop faible dans les négociations constitutionnelles.

Le troisième scénario est celui d'un référendum québécois survenant avant les élections fédérales. Deux motifs différents pourraient amener le gouvernement libéral à procéder ainsi. Premièrement, si les sondages continuaient de montrer que l'appui à la souveraineté décline, le Parti libéral pourrait être tenté d'en profiter pour organiser un référendum où les électeurs auraient à choisir entre les propositions d'Ottawa et une conception radicale de la souveraineté, que le Parti québécois serait condamné à défendre. Deuxièmement, si au contraire l'appui à la souveraineté demeure majoritaire et que les offres venant du gouvernement du Canada apparaissent nettement insatisfaisantes, le Parti libéral pourrait proposer une question référendaire demandant aux électeurs d'approuver une autonomie politique très étendue pour le Québec, de façon à relancer les négociations sur la base d'une légitimité populaire incontestable. Là encore, la situation serait difficile pour le Parti québécois qui, même s'il s'opposait à l'idée d'autonomie, au nom de ses positions souverainistes, pourrait difficilement recommander de voter non. S'il le faisait, la position du Québec serait affaiblie, ce qui pourrait être reproché au Parti québécois, lors des élections provinciales qui suivraient. Même s'il gagnait ces élections, le Parti québécois risquerait alors de se trouver handicapé dans ses négociations en vue de la souveraineté. À moins que le Parti libéral soit battu au référendum et que ce résultat soit interprété comme le refus par les électeurs du Québec d'une position qui n'était pas assez souverainiste. On peut cependant penser que Robert Bourassa prendra les précautions nécessaires pour que cela n'arrive pas.

Dans un quatrième et dernier scénario le référendum arrive après des élections fédérales qui donnent un gouvernement, tout probablement minoritaire, dirigé par le Parti libéral ou encore le NPD. Dans cette conjoncture, on peut penser que le référendum québécois serait utilisé par le gouvernement Bourassa pour approuver une position très autonomiste du Québec, même si elle n'allait pas jusqu'à la souveraineté. On se retrouverait alors dans une situation très proche de la deuxième variante du scénario précédent, avec toutefois de bien meilleures chances pour le Parti québécois de gagner les élections qui suivraient, beaucoup d'électeurs considérant qu'il vaut mieux opposer ce parti que le Parti libéral au nouveau gouvernement d'Ottawa, qu'il soit minoritaire ou non.

Ce ne sont là que des scénarios. Ils reposent évidemment sur des connaissances imparfaites et qui sont à la merci d'événements qui pourraient en modifier la logique, comme par exemple la démission éventuelle du premier ministre Bourassa, et une course au leadership chez les libéraux. Retenons qu'il n'est pas évident que le Parti libéral ait avantage à opter pour une élection plutôt que pour un référendum, même si c'est là, semble-t-il, sa préférence. À l'inverse, il n'est pas évident que le Parti québécois trouve son avantage dans le référendum qu'il réclame, plutôt que dans une élection qui viendrait avant ce référendum. Quittant ces spéculations fragiles, nous voudrions, en terminant, revenir sur un terrain plus solide et montrer que le positionnement actuel des partis sur la question constitutionnelle reproduit un maniement des liens politiques qui, dans ses traits généraux, est une constante du système des partis provinciaux au Québec.

Conclusion: un dispositionnement constant

Comme nous avons voulu le montrer dans ce chapitre, c'est par le maniement des liens politiques que les partis cherchent à se donner une identité
unitaire dans leur composante interne, une représentativité pluralitaire
dans leur composante publique et une autorité décisive dans leur composante gouvernementale. Le maniement de ses liens politiques définit le
positionnement d'un parti par rapport au positionnement de partis concurrents, si bien qu'on peut parler de dispositionnement pour décrire les
positionnements respectifs des partis. Au Québec, le dispositionnement
que nous avons constaté à propos des débats constitutionnels récents vient
illustrer une structuration des liens politiques qui est constante depuis les
années 1930, même si les acteurs changent ainsi que les enjeux qui
motivent leur action.

Dans l'espace extra-sociétal de la composante gouvernementale le
Parti libéral a presque toujours entretenu un lien d'alliance avec un des
partis fédéraux. Ce fut longtemps avec le Parti libéral du Canada, même
si de plus en plus dans les années 1970 et 1980 ce lien d'alliance a été
mêlé de neutralité. Depuis 1985, c'est plutôt avec le Parti conservateur de
Brian Mulroney que les libéraux sont alliés, même si cette alliance est
tempérée de neutralité et parfois même de rivalité. Ni l'Union nationale,
ni le Parti québécois n'ont entretenu de telles alliances. Il leur est arrivé
d'en avoir, de façon conjoncturelle, avec des partis fédéraux. Il y a eu des
pactes électoraux secrets entre l'Union nationale et les libéraux fédéraux,
et le Parti québécois a été l'allié du Parti conservateur au début des
années 1980. Cependant la rivalité et la neutralité du Parti québécois
envers les partis fédéraux ont été des traits plus constants.

On retrouve dans l'espace intra-sociétal un peu la même opposition.
Le Parti libéral, d'une part, est traditionnellement l'allié des milieux
d'affaires, qui sont des intervenants centrifuges par rapport à la société
québécoise. L'Union nationale puis le Parti québécois, d'autre part, sont
traditionnellement les alliés des milieux nationalistes, davantage centri-
pètes par rapport au Québec. Les milieux syndicaux présentent un cas
plus ambivalent à cet égard. Ils étaient les rivaux de l'Union nationale
parce que le gouvernement de ce parti leur était contraire, mais ils sont
devenus les alliés du Parti libéral puis du Parti québécois quand ils se sont
mis à retirer des avantages du gouvernement du Québec.

Dans le maniement de ses alliances, rivalités et neutralités le Parti
libéral apparaît donc comme un parti plutôt extroverti, proche des acteurs
politiques qui ont avantage à une société qui se nourrit de l'extérieur et
se protège contre un trop grand enfermement à l'intérieur, alors que le

Parti québécois, comme l'Union nationale avant lui, apparaît plutôt introverti et proche des acteurs politiques qui cherchent plutôt à nourrir la société de l'intérieur et à la protéger contre les menaces de l'extérieur.

Cette opposition explique, en partie tout au moins, les appuis changeants des partis dans leur composante publique. Les situations qui, à cet égard, sont les plus favorables à un parti sont celles où, ses propres liens politiques étant valorisés, y compris les liens qui contribuent à l'identité unitaire à l'intérieur du parti, ceux de son adversaire sont ou bien dévalorisés ou bien annulés, s'ils sont valorisés, par un maniement stratégique qui consiste à en établir de semblables. On peut expliquer ainsi, en guise d'illustration, la victoire très majoritaire du Parti libéral sur l'Union nationale en 1962. L'identité unitaire du Parti libéral est alors plus grande que celle de l'Union nationale qui demeure divisée, suite à la lutte au leadership qui a opposé Johnson et Bertrand, en 1961. Dans l'espace extra-sociétal l'alliance entre les deux partis libéraux est plutôt valorisée, suite à la déconfiture du gouvernement Diefenbaker, de 1958 à 1962. Dans l'espace intra-sociétal, le gouvernement libéral, par son engagement à nationaliser les compagnies d'électricité, annule l'avantage traditionnel qu'a l'Union nationale dans les milieux nationalistes et chez les électeurs sensibles aux réactions de ces milieux. Par contraste, la défaite du Parti libéral aux mains du Parti québécois, en 1976, s'explique par la dévalorisation des liens des libéraux avec les milieux d'affaires, suite en particulier aux scandales entourant la construction du stade olympique. Il y a aussi la dévalorisation des liens du Parti libéral du Québec avec le Parti libéral de Pierre Trudeau, qui donne l'impression de trop dominer les libéraux provinciaux, contrairement à l'exigence de co-puissance dont nous avons parlé plus haut. Enfin la défaite du Parti québécois, en 1985, s'explique par ses divisions internes, mais surtout par la transformation des liens d'alliance envers les syndicats en liens de rivalité, dans le but de réduire les salaires des employés du secteur public. La présence d'un gouvernement conservateur, à Ottawa, avec qui et les péquistes et les libéraux du Québec sont les quasi-alliés, place le Parti libéral en meilleure position qu'en 1976 et 1981.

Dans cette optique, le parti qui l'emportera sur l'autre lors de la prochaine consultation populaire, au Québec, sera celui qui aura l'avantage dans les perceptions qu'auront les pluralités d'électeurs. Ces perceptions porteront sur les liens internes aux partis, sur les liens de ceux-ci avec les autres gouvernements ou partis du Canada, et sur les liens des partis, internes à la société québécoise, avec les acteurs qui interviennent, d'une façon qui est jugée bénéfique ou maléfique, dans les processus de gouverne.

À l'heure actuelle on peut prévoir que le maniement des liens internes au parti et des liens intra-sociétaux sera plus difficile pour le Parti libéral que pour le Parti québécois. Le Parti libéral aura donc à faire en sorte que les enjeux extra-sociétaux soient les plus déterminants et que les liens d'alliance qui viendront illustrer ses positions fédéralistes soient davantage appréciés que les liens de rivalité qui viendront illustrer les positions souverainistes du Parti québécois.

NOTE

1. Le cadre conceptuel utilisé dans ce chapitre s'inspire de notre ouvrage, *Systèmes partisans et partis politiques* (Sillery, Presses de l'Université du Québec, 1985), ainsi que d'un ouvrage en préparation sur le Parti libéral du Québec au vingtième siècle. Pour ne pas alourdir le chapitre, nous l'avons rédigé sous la forme d'un essai plutôt que sous la forme d'un article scientifique avec références à l'appui.

Le compromis est-il encore possible?
La négociation constitutionnelle
de l'après-Meech à la lumière
de la théorie des jeux[*]

Louis M. Imbeau

La théorie des jeux peut servir à clarifier les négociations constitutionnelles entre le Canada et le Québec. La réflexion de Louis Imbeau postule d'abord qu'il s'agit bel et bien d'un conflit à deux. L'auteur identifie la gamme des jeux possibles, selon que les acteurs adopteront une attitude conflictuelle ou conciliante, également en fonction de l'échelle de leurs préférences. Par après, il prête une attention particulière aux conséquences du recours à la menace dans des configurations stratégiques associées au dilemme du prisonnier. Pour le Canada comme pour le Québec, l'emploi de la menace comporte des risques importants. Il est loin d'être sûr que la crise actuelle se termine par un compromis. L'échelle des préférences du reste du Canada demeure une grande inconnue. En définitive, l'auteur croit que le Québec doit montrer qu'il est disposé à risquer l'indépendance, et le Canada qu'il est prêt à un compromis. Louis Imbeau est professeur agrégé au département de science politique de l'Université Laval.

14

Le compromis est-il encore possible?
La négociation constitutionnelle de l'après-Meech à la lumière de la théorie des jeux*

Louis M. Imbeau

L'histoire récente est riche de péripéties constitutionnelles au Canada. Après l'acte de foi du Québec au fédéralisme lors du référendum de 1980 et sa mise à l'écart lors des négociations de 1981, 1982 a vu le triomphe du nationalisme canadien[1]: on consacrait dans les textes le Canada plus centralisé dont Trudeau s'était fait le champion. Après le «beau risque» Lévesque-Mulroney en 1984-85, et le «retour dans l'honneur» de Bourassa-Mulroney en 1986-90, 1990 a vu un autre triomphe du nationalisme canadien: la tentative d'affaiblissement de l'État central que constituait l'accord du lac Meech avait avorté, la nation était préservée! La période de l'après-Meech semble avoir ouvert une brèche dans l'édifice national canadien. Le nationalisme québécois, s'opposant au nationalisme canadien, provoquait une telle réaction des élites et de la population québécoises que la négociation constitutionnelle entrait dans des avenues jusqu'alors inexplorées[2].

Car il s'agit bien d'une négociation. En dépit des prétentions contraires des Rémillard et Bourassa à l'effet que le Québec ne négocie pas mais qu'il attend une offre de la part du Canada, il y a bel et bien négociation. À tout le moins sommes-nous engagés dans la ronde initiale d'une négociation où les acteurs en présence toisent l'adversaire (ou les adversaires?) et positionnent leurs pions en vue d'une joute imminente.

---

* Une version préliminaire de ce texte a été présentée d'abord au Cercle de réflexion politique et sociale du département de science politique de l'Université Laval, le 13 décembre 1990, puis au séminaire du «Réseau sur la constitution» tenu à Montréal les 27-28 avril 1991. Je tiens à remercier les personnes suivantes pour leurs très utiles commentaires: Jean Crête, Guy Laforest, Réjean Landry et Vincent Lemieux. J'assume bien sûr l'entière responsabilités des limites de cette analyse.

C'est en ce sens, me semble-t-il, qu'il faut comprendre les rapports Allaire et Bélanger-Campeau: une position de négociation, non un ultimatum.

S'il s'agit d'une négociation, il ne s'agit pas d'une négociation à onze, malgré ce qu'en disent les intéressés du «Reste du Canada». Les conclusions de la commission Bélanger-Campeau et le rapport Allaire ont mis en évidence une détermination nouvelle, chez une bonne part des membres de l'élite québécoise, de voir le Canada créé par l'Acte constitutionnel de 1982 adapté aux revendications traditionnelles du Québec. L'enjeu de la négociation actuelle est le maintien ou non du Québec dans le système fédéral, ce qui n'a jamais été le cas jusqu'à maintenant. La négociation de 1982 avait pour objectif de «rapatrier» la Constitution, dernière étape de l'expression constitutionnelle de la construction du nationalisme canadien. La négociation de 1987-90 se situait dans la même foulée: ajouter, aux dix signatures de 1981, celle du Québec, et consolider ainsi le grand Canada dont rêvent les nationalistes canadiens. La négociation actuelle porte sur le maintien ou non du lien fédératif entre le Québec et le reste du Canada. Le public québécois, comme ses élites — et ce, jusqu'à l'intérieur même du parti libéral du Québec —, considère maintenant la séparation, sous une forme ou sous une autre, comme l'alternative à un accord avec le reste du Canada.

Dans une telle conjoncture le besoin de voir plus clair se fait impérieux si l'on veut garder un minimum de contrôle sur ce qui se prépare, regarder les choses en face et avoir le courage de poser les gestes qui s'imposent. Ce texte est un effort en ce sens. Il vise deux objectifs: d'abord fournir un cadre général d'analyse permettant d'étudier les négociations constitutionnelles au Canada, ensuite, répondre à la question cruciale dans le contexte actuel: le compromis est-il possible dans la négociation constitutionnelle de l'après-Meech? C'est à l'aide des concepts de la théorie des jeux que je poursuivrai le premier objectif et c'est à partir du cadre ainsi élaboré que je tenterai de fournir une réponse utile à ma question de départ. Ma démarche consistera à présenter d'abord les données de base de la situation étudiée (la configuration de base, les préférences des acteurs), à analyser ensuite les caractéristiques des configurations stratégiques générées par ces données de base, pour enfin répondre à la question elle-même.

LES DONNÉES DE BASE

1.1 La configuration de base

Il est suggéré de formaliser la négociation Canada-Québec à l'aide des concepts développés dans la théorie des jeux suivant le modèle classique de Von Neumann et Morgenstern[3]. La configuration de base comprend deux acteurs («Québec» et «Canada») ayant chacun deux stratégies: adopter une attitude conciliante (CO), ne pas adopter une telle attitude (NCO). Cette représentation donne jour à une matrice de quatre résultats possibles selon la stratégie adoptée par chaque joueur (voir la figure 1):

C: le Compromis (l'accord du lac Meech en était un);

FQ: une solution qui Favorise «Québec» (le Québec obtient plus ou moins tout ce qu'il veut en préservant le lien fédéral; une solution «à la Allaire» qui décentraliserait le Canada en accordant à toutes les provinces les avantages consentis au Québec serait classée dans cette catégorie);

FC: une solution qui Favorise «Canada» (le *statu quo* créé par le *Canada Act* de 1982);

AA: Aucun Accord (la souveraineté du Québec).

Traditionnellement, dans les négociations constitutionnelles au Canada, **AA** équivalait au *statu quo*: s'il n'y avait pas d'accord, rien ne changeait. Ce facteur a été important dans l'échec de l'entreprise du *Gang of Eight* en 1981. Dans la présente négociation, **AA** équivaut, bien sûr, au *statu quo* juridique, mais il mène à une impasse politique que les rapports Allaire et Bélanger-Campeau ont défini comme la souveraineté du Québec.

Les résultats correspondant aux recoupements des stratégies des deux acteurs sont incertains. La ligne de démarcation entre **C** et **FQ**, par exemple, n'est pas claire. Pour plusieurs Canadiens du «Reste du Canada», l'accord du lac Meech n'était pas un compromis, mais un résultat favorisant le Québec. L'incertitude est encore plus élevée quand on considère le résultat **AA**. Il est loin d'être sûr, en effet, qu'un échec de la négociation mène à la souveraineté du Québec. On pourrait soutenir que la fatigue des uns et des autres, et le désintéressement qu'elle engendrerait, pourraient faire en sorte qu'un échec de la négociation corresponde au *statu quo*. De même, certains événements relatifs à la politique interne ou à la politique internationale pourraient précipiter les choses en renversant l'agenda actuel, repoussant la question constitutionnelle à la fin de la liste. Encore là, **AA** pourrait équivaloir au *statu quo*. C'est donc bien conscient des limites d'un tel postulat que je base mon analyse sur une adéquation entre un échec de la négociation (**AA**) et la souveraineté du Québec. La situation actuelle me semble le justifier car la souveraineté reçoit un appui inégalé jusqu'à maintenant dans la population et dans une grande partie des élites politiques et économiques, et ce, même à l'intérieur du parti libéral. Si cette tendance se maintient, la probabilité qu'un échec de la négociation conduise à une déclaration de souveraineté de la part du Québec est très grande.

Figure 1

Configuration de base d'un jeu à deux acteurs ayant chacun deux stratégies

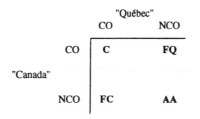

Les préférences

Les stratégies adoptées par les deux joueurs dans une situation comme celle qui est décrite à la figure 1 dépendent des préférences de chacun des joueurs, en égard aux résultats possibles. À l'instar de Rapoport et Guyer, nous ne considérerons que les échelles strictement ordinales, c'est-à-dire qu'il est postulé que chaque joueur classe les quatre résultats du plus désirable au moins désirable; les égalités ou les indifférences sont refusées. Quatre résultats possibles engendrent 4! (ou 24) échelles strictement ordinales: 1- AA > FC > C > FQ; 2- AA > FC > FQ > C; 3- AA > C > FC > FQ; etc.

Toutes ces échelles ne sont pas également plausibles. Ainsi, on peut imaginer qu'un acteur peut préférer AA à tout autre résultat. Ce peut être le cas des «Canadiens» qui voudraient punir «Québec», tout simplement, ou des «Québécois» qui préfèrent l'indépendance à toute autre solution. On peut aussi reconnaître que, dans le cas ou AA est le premier choix, il est peu probable de trouver C au second choix. On s'attendrait plutôt à trouver FC s'il s'agit de «Canadiens» (on veut bien punir le Québec, mais si ça ne marche pas, on préfère le *statu quo* FC au compromis C), ou FQ, s'il s'agit de «Québécois» (si on ne peut avoir l'indépendance, on préfère une solution qui favorise «Québec» à un compromis). Ainsi, des 24 échelles de préférence, un certain nombre sont plus susceptibles que d'autres de représenter les préférences des acteurs en présence («Québec» et «Canada»). En postulant une certaine transitivité entre **FC**, **C** et **FQ** qui ferait du compromis un moindre mal entre un résultat qui favorise «Canada» et un résultat qui favorise «Québec», j'ai défini cinq critères qui permettent de réduire le nombre d'échelles de préférence à celles qui sont les plus plausibles. Le premier critère renvoie à la discussion du début de ce paragraphe: si on a **AA** comme premier choix, on ne peut avoir **C** comme deuxième choix , ou bien,

si [**AA** = 4] et [**C** = 3], rejeter l'échelle. (1)

On a une situation semblable quand **AA** est préféré à tout autre résultat et que **FC** ou **FQ** est au deuxième rang. Il est en effet peu probable que les «Canadiens» qui veulent punir «Québec» préfèrent une solution qui favorise «Québec» à un compromis. De même, on ne s'attend pas à ce que les Québécois qui veulent l'indépendance, préfèrent le *statu quo* à un compromis. D'où,

si [(**AA** = 4 et **FC** = 3) ou (**AA** = 4 et **FQ** = 3)] et [**C** = 1], rejeter l'échelle. (2)

On trouvera FQ comme premier choix chez certains nationalistes du Québec qui préfèrent une solution qui favorise le Québec à toute autre, ou bien chez certains décentralisateurs canadiens qui préfèrent une solution décentralisatrice «à la Allaire». Dans ces deux cas, on préférera **C** à **FC** puisque le compromis est plus favorable au Québec (ou est plus proche d'une solution décentralisatrice) que le *statu quo*, d'où,

si [**FQ** = 4] et [**FC** > **C**], rejeter l'échelle. (3)

De même, quand FC sera le premier choix, comme chez les héritiers de Trudeau, on préférera **C** à **FQ** puisque le premier est plus près de la vision liée au *statu quo* que le deuxième, d'où,

si [**FC** = 4] et [**FQ** > **C**], rejeter l'échelle. (4)

Enfin, on peut considérer que le compromis est le premier choix de personnes qui préfèrent un réaménagement du *statu quo* au *statu quo* lui-même ou à une solution décentralisatrice. Dans cette perspective, il est peu probable que ces personnes aient l'impasse comme deuxième choix:

si [**C** = 4] et [**AA** = 3], rejeter l'échelle. (5)

L'application de ces cinq critères permet de retenir douze échelles jugées pertinentes que l'on peut classer sur un continuum allant d'une position «nationaliste canadienne dure» à une position «nationaliste québécoise dure», en passant par des positions modérées et fédéralistes. Ainsi, selon la position de l'impasse **AA** dans l'échelle de préférence, on a deux types d'échelle: si **AA** = 1, (c'est-à-dire si l'impasse est le dernier choix), on a les fédéralistes; autrement, on a les nationalistes. Est donc considérée comme fédéraliste la position qui met le maintien du lien fédéral au-dessus des intérêts particuliers (**FC** ou **FQ**). Selon la position relative de **FC** et de **FQ**, les nationalistes sont québécois (**FQ > FC**) ou canadiens (**FC > FQ**), et selon la position de l'impasse (**AA**), les nationalistes sont modérés (**AA = 2**) ou durs (**AA >= 3**). Enfin, les fédéralistes sont centralisateurs s'ils préfèrent le *statu quo* au compromis (**FC > C**); autrement ils sont décentralisateurs. Ces quelques règles permettent de créer la typologie des préférences constitutionnelles présentée au tableau 1.

Tableau 1

Typologie des préférences constitutionelles

Etiquette	Echelles de préférences	Cote
1- Nationalistes canadiens durs	AA > FC > C > FQ	[1.1]
	FC > AA > C > FQ	[1.2]
2- Nationalistes canadiens modérés	FC > C > AA > FQ	[2.1]
	C > FC > AA > FQ	[2.2]
3- Fédéralistes centralisateurs	FC > C > FQ > AA	[3.0]
4- Fédéralistes décentralisateurs	C > FC > FQ > AA	[4.1]
	C > FQ > FC > AA	[4.2]
	FQ > C > FC > AA	[4.3]
5- Nationalistes québécois modérés	C > FQ > AA > FC	[5.1]
	FQ > C > AA > FC	[5.2]
6- Nationalistes québécois durs	FQ > AA > C > FC	[6.1]
	AA > FQ > C > FC	[6.2]

N.B. Ce classement est établi à partir des critères suivants:
1- si AA >= 3, alors "nationalistes durs"
2- si AA = 2, alors "nationalistes modérés"
3- si le critère 1 ou le critère 2 est vrai et si FC > FQ, alors "nationalistes canadiens"
4- si le critère 2 ou le critère 2 est vrai et si FQ > FC, alors "nationalistes québécois"
5- si les critères 1 et 2 sont faux et si FC > C, alors "fédéralistes centralisateurs"
6- si les critères 1 et 2 sont faux et si C > FC, alors "fédéralistes décentralisateurs".

L'un des avantages de cette typologie est de permettre le classement des acteurs l'un par rapport à l'autre. Il n'existe aucune étude empirique systématique sur cette question mais l'information disponible permet un premier classement à caractère intuitif. Le premier ministre Bourassa, par exemple, peut être classé en [5.1] ou [5.2] si on donne foi à son insistance sur le caractère inacceptable du *statu quo* (**FC**). Son endossement du rapport Allaire peut être vu comme une indication qu'il préfère **FQ** à **C** (échelle [5.2]). Le ministre Rémillard peut être situé de même (échelle [5.2]). Plusieurs ministres du parti libéral du Québec ont une position fédéraliste. Claude Ryan, par exemple, a une position qui se rapproche de [4.3]. Son premier choix, tel qu'on peut le voir dans le célèbre *Livre beige* de 1980, est une plus grande décentralisation (**FQ**), mais il semble être opposé à toute forme de souveraineté. La position des membres anglophones du parti libéral du Québec peut être rapprochée des échelles [4.1] et [4.2], ou même de l'échelle [3.0], selon qu'ils préfèrent le compromis ou le *statu quo*. À l'autre extrême, on retrouve la commission jeunesse du parti libéral qui a clairement pris parti pour la souveraineté. Cela peut être interprété comme une position de négociation si on se trouve à [6.1] (on défend la souveraineté pour forcer les autres intervenants dans le parti à défendre une solution qui favorise le Québec), ou bien elle peut être l'expression de ses préférences réelles [6.2]. Autrement dit, le parti libéral du Québec couvrirait une plage de préférences qui irait de [3.0] à [6.2], le leadership semblant se situer entre [4.3] et [5.2].

Au parti québécois, la cohérence interne semble plus grande. La position officielle du parti, telle qu'elle est défendue par Parizeau, le situe à [6.2] (la souveraineté est l'objectif premier), mais on perçoit chez plusieurs membres une préférence pour une solution favorisant le Québec (**FQ**). À la limite, d'ailleurs, le concept de «souveraineté-association» peut aussi bien être considéré comme **FQ**, si on insiste sur la dimension «association», que comme **AA** si on insiste sur la dimension «souveraineté».

Au niveau fédéral, les positions des membres du parti conservateur sont plus fédéralistes. En général, ce qui ressort du discours officiel se rapproche des positions [3.0] à [4.3], Mulroney et Clark se situant autour de [3.0] et [4.1]. Le discours non officiel de certains ministres fédéraux québécois les rapproche plutôt des positions [5.1] ou [5.2], alors que d'autres membres influents parmi les anglophones se situent à [2.1] ou [2.2]. Comme le parti libéral au Québec, le parti conservateur à Ottawa couvrirait une plage assez grande de préférences, allant de [2.1] à [5.2].

Les positions prises par Trudeau lors du débat sur l'accord du lac Meech suggèrent qu'il se situe à [2.1]: il préfère clairement le *statu quo* à tout compromis et peut-être préfère-t-il le compromis à une séparation du Québec. Il est possible aussi que sa position soit plutôt du type «ça passe ou ça casse», auquel cas on le classerait à [1.2]. Jean Chrétien, quant à lui, partage en grande partie les opinions de son maître à penser, sans être aussi extrémiste. On peut aussi imaginer que Chrétien se situe à [3.0], préférant une solution qui favorise le Québec à une séparation.

Quant aux premiers ministres provinciaux anglophones, les positions semblent varier de [1.2] ou [2.1] pour Wells (son opposition de principe à l'accord du lac Meech est cohérente avec les deux positions) à [4.2] ou [4.3] pour Getty, si on considère que **FQ** représente une décentralisation importante en faveur de toutes les provinces.

La caractérisation des préférences des acteurs est difficile, on le voit. Il n'est pas sûr qu'elle soit même possible si on considère que toute évaluation des préférences est basée sur un discours qui est lui-même soigneusement étudié pour correspondre à l'image que le locuteur veut projeter de lui-même. À la limite, on pourrait dire que les positions obser-vées sont celles que projettent les acteurs, plutôt que celles qu'ils ont réellement. Encore que d'aucuns pourront soutenir que les préférences varient, pour une personne, selon la conjoncture, ou même que d'autres dimensions (telles les considérations électoralistes) sont plus importantes que les préférences quant aux choix constitutionnels. Quoiqu'il en soit, l'étude des positions relatives des acteurs sur les résultats de la négo-ciation constitutionnelle est utile puisqu'elle permet de les situer l'un par rapport à l'autre (comme on l'illustre à la figure 2) et, surtout, de mettre en lumière les caractéristiques de la configuration stratégique dans laquelle sont engagés les négociateurs.

Figure 2

**Position de divers acteurs sur le continuum
des échelles de préférences**

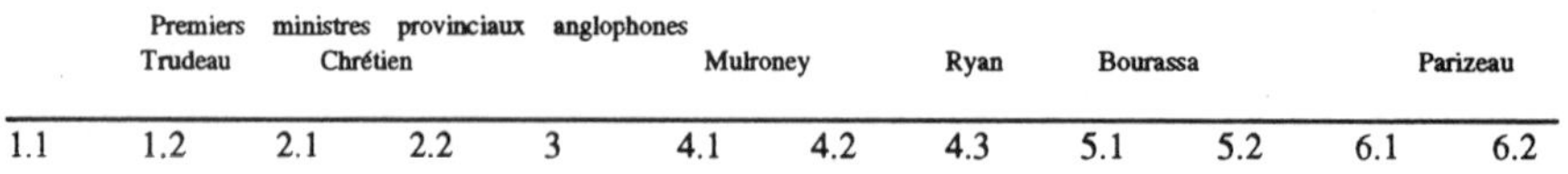

Premiers ministres provinciaux anglophones											
Trudeau	Chrétien				Mulroney		Ryan	Bourassa			Parizeau
1.1	1.2	2.1	2.2	3	4.1	4.2	4.3	5.1	5.2	6.1	6.2

LES CONFIGURATIONS STRATÉGIQUES

Les principaux concepts

Deux acteurs ayant chacun vingt-quatre échelles de préférence possibles: cela génère en tout une possibilité de 24^2 (ou 576) jeux ou configurations stratégiques. Par exemple, si on postule que «Québec» a [5.2] comme préférence et «Canada» [2.1], la configuration stratégique prend la forme donnée à la figure 3. Comme on l'a vu, les deux acteurs ont chacun deux stratégies: CO (adopter une attitude conciliante) et NCO (ne pas adopter une telle attitude). Selon l'attitude adoptée, les résultats sont tels qu'ils sont définis dans la figure 3. La solution naturelle de ce jeu est **AA** . On peut, par exemple, débuter le jeu à **FC** (c'est la situation créée par l'accord constitutionnel de 1981). On voit que si «Québec» change de stratégie (i.e. passe de CO à NCO), il améliore son règlement qui passe de 1 à 2. Il n'est pas dans l'intérêt de «Canada» d'adopter une stratégie conciliante puisqu'il détériorerait ainsi son règlement de 4 à 3, si on part de **FC**, ou de 2 à 1 si «Québec» a déjà changé de stratégie. Une fois à **AA** donc, aucun des deux joueurs n'est tenté de changer unilatéralement de position pour améliorer son règlement: c'est pourquoi on dit de **AA** qu'il est un équilibre de Nash. Si les joueurs anticipent tous les mouvements rationnels possibles à partir d'un résultat donné, deux résultats apparaissent comme des équilibres non-myopes: **C** et **AA**. En effet, partant de **C**, «Canada» peut anticiper que s'il change de stratégie pour obtenir **FC** (son meilleur règlement), «Québec» sera tenté de changer de stratégie lui aussi. Le choix sera alors pour «Canada» de rester à **AA** ou d'aller à **FQ**. Dans les deux cas, le règlement est moins bon que celui du point de départ. Il est donc dans l'intérêt de «Canada» de rester à **C** une fois qu'il y est. Le même raisonnement s'applique, mutatis mutandis, à «Québec». **C** est donc un équilibre non-myope, de même que **AA**.

Figure 3

Configuration stratégique où l'échelle de préférence de «Québec» est [5.2] et où celle de «Canada» est [2.1] (dilemme du prisonnier).

```
      (28)          "Québec"
                    CO       NCO

    "C    CO   | C"         FQ
     a         | 3,3        1,4
     n         |
     a    NCO  | FC         AA^" ""
     d         | 4,1        2,2
     a"
```

ˆ Indique la solution naturelle.
˙ Indique un équilibre de Nash.
˙˙ Indique un équilibre non-myope.
Les chiffres entre parenthèses [v.g. (28)] renvoient aux numéros séquentiels
attribués aux configurations énumérées dans le tableau 2.
Les chiffres apparaissant sous les résultats renvoient aux préférences des
acteurs (celui de gauche, à l'acteur "Canada" et celui de droite à l'acteur
"Québec") :

```
             4   3   2   1
[2.1]:      FC > C > AA > FQ   ("Canada")
[5.2]:      FQ > C > AA > FC   ("Québec").
```

Les 80 jeux retenus

En rejetant les échelles les moins plausibles pour «Québec» (i.e. les deux échelles étiquetées «nationalistes canadiens durs») et pour «Canada» (i.e. les quatre échelles étiquetées «nationalistes québécois»), nous pouvons identifier 80 configurations possibles (huit échelles pour «Canada» et dix échelles pour «Québec»). Il est en effet peu probable que l'on trouve, à la table de négociation, des représentants du Québec qui préfèrent le *statu quo* et la séparation à une solution qui favorise «Québec». Il est tout aussi peu probable de trouver des représentants du «Reste du Canada» pour qui le *statu quo* est le dernier choix. À partir de ces 80 configurations stratégiques, il est possible d'analyser la dynamique des prochaines négociations constitutionnelles au Canada (l'ensemble des résultats de cette analyse est rapporté au tableau 2).

Tableau 2

Caractéristiques de 80 jeux retenus

OBS	PREFCAN	PREFQUE	NOJEURG	PERM	CATRG	SOLNAT	NASH	NMYOP	CANFORCE	QUEFORCE
1	1.1	2.1	13	2	4	FC	FC	.		FC1
2	1.1	2.2	7	2	2	FC	FC	FC		.
3	1.1	3.0	15	2	4	FC	FC	.		FC1
4	1.1	4.1	8	6	2	FC	FC	FC		.
5	1.1	4.2	10	6	2	FC	FC	FC		.
6	1.1	4.3	45	2	6	FC	FC	.		.
7	1.1	5.1	36	8	4	AA	AA	AA	AA1	.
8	1.1	5.2	18	8	4	AA	AA	.	AA1	.
9	1.1	6.1	16	8	4	AA	AA	.	AA1	.
10	1.1	6.2	5	4	1	AA	.	.	.	.

11	1.2	2.1	3	2	1	FC	.	.	.	.
12	1.2	2.2	13	6	4	FC	FC	.	FC1	.
13	1.2	3.0	4	6	1	FC	.	.	.	.
14	1.2	4.1	14	6	4	FC	FC	.	FC1	.
15	1.2	4.2	17	6	4	FC	FC	.	FC1	.
16	1.2	4.3	35	6	4	FC	FC	FC	FC1	.
17	1.2	5.1	46	4	6	AA	AA	.	.	.
18	1.2	5.2	11	8	2	AA	AA	AA	.	.
19	1.2	6.1	9	4	2	AA	AA	AA	.	.
20	1.2	6.2	16	4	4	AA	AA	.	.	AA1
21	2.1	2.1	1	6	1	FC	.	.	.	.
22	2.1	2.2	20	6	5	FC	FC	.	FC1	C2
23	2.1	3.0	2	6	1	FC	.	.	.	.
24	2.1	4.1	19	6	5	FC	FC	.	FC1	C2
25	2.1	4.2	21	6	5	FC	FC	.	FC1	C2
26	2.1	4.3	39	6	5	FC	FC	FC	FC1	C2
27	2.1	5.1	48	4	6	AA	AA	.	.	C2
28	2.1	5.2	12	4	3	AA	AA	AA/C	C2	C2
29	2.1	6.1	11	4	2	AA	AA	AA	.	.
30	2.1	6.2	18	4	4	AA	AA	.	.	AA1
31	2.2	2.1	50	5	7	C	C	.	C1	FC2
32	2.2	2.2	23	5	1	C	.	.	.	.
33	2.2	3.0	49	5	7	C	C	.	C1	FC2
34	2.2	4.1	22	5	1	C	.	.	.	.
35	2.2	4.2	26	5	1	C	.	.	.	.
36	2.2	4.3	72	2	10	FC	C	.	C2	C1
37	2.2	5.1	61	1	1	C	.	.	.	.
38	2.2	5.2	48	8	6	AA	AA	.	C2	.
39	2.2	6.1	46	8	6	AA	AA	.	.	.
40	2.2	6.2	36	4	4	AA	AA	AA	.	AA1
41	3.0	2.1	22	6	1	FC	.	.	.	.
42	3.0	2.2	49	6	7	FC	FC	.	FC1	C2
43	3.0	3.0	23	6	1	FC	.	.	.	.
44	3.0	4.1	50	6	7	FC	FC	.	FC1	C2
45	3.0	4.2	55	6	7	FC	FC	.	FC1	C2
46	3.0	4.3	66	1	9	C	FC/FQ	C	FC1	FQ1
47	3.0	5.1	72	7	10	FQ	C	.	C1	C2
48	3.0	5.2	39	3	5	FQ	FQ	FQ	C2	FQ1
49	3.0	6.1	35	3	4	FQ	FQ	FQ	.	FQ1
50	3.0	6.2	45	7	6	FQ	FQ	.	.	.
51	4.1	2.1	19	5	5	C	C	.	C1	FC2
52	4.1	2.2	2	5	1	C	.	.	.	.
53	4.1	3.0	20	5	5	C	C	.	C1	FC2
54	4.1	4.1	1	5	1	C	.	.	.	.
55	4.1	4.2	6	1	1	C	.	.	.	.
56	4.1	4.3	55	3	7	FQ	FQ	.	C2	FQ1
57	4.1	5.1	26	1	1	C	.	.	.	.
58	4.1	5.2	21	3	5	FQ	FQ	.	C2	FQ1
59	4.1	6.1	17	3	4	FQ	FQ	.	.	FQ1
60	4.1	6.2	10	3	2	FQ	FQ	FQ	.	.
61	4.2	2.1	14	5	4	C	C	.	C1	.
62	4.2	2.2	4	5	1	C	.	.	.	.
63	4.2	3.0	13	5	4	C	C	.	C1	.
64	4.2	4.1	3	1	1	C	.	.	.	.
65	4.2	4.2	1	1	1	C	.	.	.	.
66	4.2	4.3	50	3	7	FQ	FQ	.	C2	FQ1
67	4.2	5.1	22	1	1	C	.	.	.	.
68	4.2	5.2	19	3	5	FQ	FQ	.	C2	FQ1
69	4.2	6.1	14	3	4	FQ	FQ	.	.	FQ1
70	4.2	6.2	8	3	2	FQ	FQ	FQ	.	.
71	4.3	2.1	8	5	2	C	C	C	.	.
72	4.3	2.2	15	1	4	C	C	.	.	C1
73	4.3	3.0	7	1	2	C	C	C	.	.
74	4.3	4.1	13	1	4	C	C	.	.	C1
75	4.3	4.2	20	1	5	C	C	.	FQ2	C1
76	4.3	4.3	23	3	1	FQ	.	.	.	.
77	4.3	5.1	49	1	7	C	C	.	FQ1	C1
78	4.3	5.2	2	3	1	FQ	.	.	.	.
79	4.3	6.1	4	3	1	FQ	.	.	.	.
80	4.3	6.2	15	7	4	FQ	FQ	.	FQ1	.

Légende: OBS: numéro séquentiel des jeux retenus dans cette analyse.
PREFCAN: échelle de préférences de Canada.
PREFQUE: échelle de préférences de Québec.
NOJEURG: numéro du jeu selon la typologie de Rapoport et Guyer (1966).
PERM: équivalence par rapport aux jeux de base de la typologie de Rapoport et Guyer.
Clé:
1: Jeu de base de la typologie de Rapoport et Guyer (1966)
2: Permutation des rangées
3: Permutation des colonnes
4: Permutation des rangées et des colonnes
5: Permutation des joueurs
6: Permutation des joueurs puis des rangées
7: Permutation des joueurs puis des colonnes
8: Permutation des joueurs puis des rangées et des colonnes.
CATRG: catégorie selon Rapoport et Guyer (1966: 207).
SOLNAT: solution naturelle (Rapoport et Guyer, 1966: 205).
NASH: équilibre de Nash (Brams, 1990: 149-153).
NMYOP: équilibre non-myope (ibid.).
CANFORCE: résultat vulnérable à la menace par Canada (ibid.).
QUEFORCE: résultat vulnérable à la menace par Québec (ibid.).

Les jeux non-conflictuels

Des 80 jeux, 22 sont non-conflictuels. Ce sont les jeux de la catégorie 1 de Rapoport et Guyer. «Québec» et «Canada« y partagent le même premier choix. On s'attend donc à ce que les acteurs fassent en sorte d'arriver à ce premier choix: **AA** dans une configuration (#10), **FQ** dans trois configurations (#76, #78, #79), **FC** dans six configurations (# 11, #13, #21, #23, #41, #43) et **C** dans douze configurations (#32, #34, #35, #37, #52, #54, #55, #57, #62, #64, #65, #67).

Du point de vue théorique, ce sont les configurations les moins intéressantes puisque, sous le postulat d'une information complète, l'issue du jeu est prédéterminée. Du point de vue empirique, ce sont les jeux les moins représentatifs du climat observé dans la période de l'après-Meech, bien qu'il ne faille pas rejeter complètement la possibilité d'une communauté de pensée plus grande que ce qui apparaît dans les médias. À l'instar de Brams nous suggérons donc de concentrer l'analyse sur les 58 jeux conflictuels, c'est-à-dire ceux où les acteurs ne partagent pas le même premier choix.

Les jeux conflictuels

Les jeux conflictuels se partagent selon leur solution naturelle. L'impasse **AA** est la solution naturelle de quatorze jeux. Il s'agit essentiellement de configurations où les acteurs ont des positions extrêmes: [1.1] à [2.2] pour «Canada» et [5.1] à [6.2] pour «Québec». Cela veut dire que si les deux négociateurs sont nationalistes, même modérés (i.e. s'ils préfèrent l'impasse à une solution qui favorise l'autre), il y a peu de chances qu'ils arrivent à un accord. On notera que l'une de ces configurations est le fameux dilemme du prisonnier (configuration #28) que nous avons déjà présenté et auquel nous reviendrons.

Le *statu quo* FC est la solution naturelle de dix-huit configurations conflictuelles où les préférences de «Canada» vont de [1.1] à [3.0] et celles de «Québec» de [2.1] à [4.3]. Autrement dit, le *statu quo* est la solution naturelle quand «Québec» est fédéraliste. Aucune position nationaliste de la part de «Québec» ne mène au *statu quo* comme solution naturelle.

Quant à la solution décentralisatrice FQ, elle se produit quand «Canada» est fédéraliste ([3.0] à [4.3]) et quand «Québec» est fédéraliste décentralisateur ou nationaliste ([4.3] à [6.2]), sauf pour les configurations #46 (Poule mouillée) et #77 qui engendrent le compromis comme solution naturelle.

LE COMPROMIS EST-IL POSSIBLE?

Le compromis comme solution naturelle

Il y a treize jeux dont la solution naturelle est le compromis **C**. Ils sont illustrés à la figure 4. L'attitude conciliante (CO) est la stratégie dominante des deux acteurs dans six de ces configurations (#61, #63, #71 à #74): «Canada» et «Québec» choisissent cette stratégie parce qu'elle leur rapporte le meilleur règlement quoique l'autre fasse. «Québec» est le seul à avoir une stratégie dominante «CO» dans les jeux #31, #33, #51 et #53. Dans ces cas, «Canada» adopte la stratégie qui maximise son règlement en postulant que «Québec» choisira sa stratégie dominante. La situation est juste l'inverse dans les jeux #75 et #77 où c'est «Canada» qui est le seul à avoir une stratégie dominante. Il n'existe qu'un seul jeu ayant le compromis **C** comme solution naturelle où aucun des deux joueurs n'a de stratégie dominante, le jeu #46, le jeu de la poule mouillée.

Figure 4

Configurations conflictuelles dont la solution naturelle est le compromis «C»

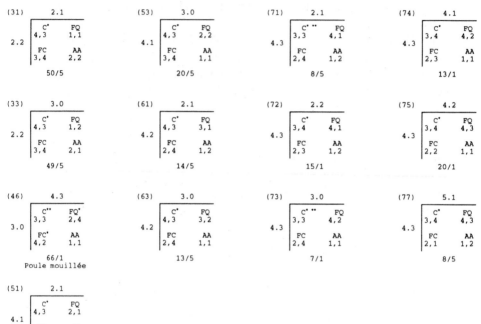

(31)   2.1
       ┌─────────────┐
       │ C*   FQ │
       │ 4,3   1,1 │
  2.2 │   │
       │ FC   AA │
       │ 3,4   2,2 │
       └─────────────┘
            50/5

(33)   3.0
       ┌─────────────┐
       │ C*   FQ │
       │ 4,3   1,2 │
  2.2 │   │
       │ FC   AA │
       │ 3,4   2,1 │
       └─────────────┘
            49/5

(46)   4.3
       ┌─────────────┐
       │ C**   FQ* │
       │ 3,3   2,4 │
  3.0 │   │
       │ FC*   AA │
       │ 4,2   1,1 │
       └─────────────┘
            66/1
        Poule mouillée

(51)   2.1
       ┌─────────────┐
       │ C*   FQ │
       │ 4,3   2,1 │
  4.1 │   │
       │ FC   AA │
       │ 3,4   1,2 │
       └─────────────┘
            19/5

(53)   3.0
       ┌─────────────┐
       │ C*   FQ │
       │ 4,3   2,2 │
  4.1 │   │
       │ FC   AA │
       │ 3,4   1,1 │
       └─────────────┘
            20/5

(61)   2.1
       ┌─────────────┐
       │ C*   FQ │
       │ 4,3   3,1 │
  4.2 │   │
       │ FC   AA │
       │ 2,4   1,2 │
       └─────────────┘
            14/5

(63)   3.0
       ┌─────────────┐
       │ C*   FQ │
       │ 4,3   3,2 │
  4.2 │   │
       │ FC   AA │
       │ 2,4   1,1 │
       └─────────────┘
            13/5

(71)   2.1
       ┌─────────────┐
       │ C* **   FQ │
       │ 3,3   4,1 │
  4.3 │   │
       │ FC   AA │
       │ 2,4   1,2 │
       └─────────────┘
            8/5

(72)   2.2
       ┌─────────────┐
       │ C*   FQ │
       │ 3,4   4,1 │
  4.3 │   │
       │ FC   AA │
       │ 2,3   1,2 │
       └─────────────┘
            15/1

(73)   3.0
       ┌─────────────┐
       │ C* **   FQ │
       │ 3,3   4,2 │
  4.3 │   │
       │ FC   AA │
       │ 2,4   1,1 │
       └─────────────┘
            7/1

(74)   4.1
       ┌─────────────┐
       │ C*   FQ │
       │ 3,4   4,2 │
  4.3 │   │
       │ FC   AA │
       │ 2,3   1,1 │
       └─────────────┘
            13/1

(75)   4.2
       ┌─────────────┐
       │ C*   FQ │
       │ 3,4   4,3 │
  4.3 │   │
       │ FC   AA │
       │ 2,2   1,1 │
       └─────────────┘
            20/1

(77)   5.1
       ┌─────────────┐
       │ C*   FQ │
       │ 3,4   4,3 │
  4.3 │   │
       │ FC   AA │
       │ 2,1   1,2 │
       └─────────────┘
            8/5

Légende: * Indique un équilibre de Nash
** Indique un équilibre non-myope

Les chiffres entre parenthèses [v.g. "(31)"] renvoient aux numéros séquentiels attribués aux configurations retenues dans cette analyse et consignées au tableau 3.

Les chiffres apparaissant sous la matrice [v.g. "50/5"] renvoient à la typologie de Rapoport et Guyer (1966), le premier chiffre indiquant le numéro du jeu, le deuxième, la permutation dont il s'agit selon l'ordre suivant:

1: Jeu de base selon la typologie de Rapoport et Guyer
2: Permutation des rangées
3: Permutation des colonnes
4: Permutation des rangées et des colonnes
5: Permutation des joueurs
6: Permutation des joueurs puis des rangées
7: Permutation des joueurs puis des colonnes
8: Permutation des joueurs puis des rangées et des colonnes.

Les chiffres à décimales (v.g. "2.1") renvoient aux échelles de préférences des acteurs.

"Québec" est le joueur-colonne, "Canada" le joueur-rangée.

Il n'y a pas de compromis en solution naturelle si «Québec» est nationaliste (échelles [5.1] à [6.2]), sauf quand «Canada» est décentralisateur (échelle [4.3]). D'ailleurs il est à noter que dans près de la moitié de ces jeux, l'acteur «Canada» a justement, comme préférence, l'échelle [4.3]. Il n'y a pas non plus de compromis en solution naturelle si «Canada» préfère le statu quo au compromis, sauf dans le jeu très spécial de la poule mouillée (#46) qui est aussi le seul à ne pas produire le compromis C comme équilibre de Nash.

Les particularités spécifiques du jeu (#46) dans ce contexte-ci, de même que sa renommée dans les ouvrages de théorie des jeux suggèrent de lui accorder une attention particulière. C'est la configuration qui se produit quand les deux acteurs sont fédéralistes, l'un centralisateur [3.0], l'autre décentralisateur avec **FQ** comme premier choix [4.3]. Les acteurs s'entendent pour considérer l'impasse comme le résultat le moins désirable, mais ils ne s'entendent pas sur le résultat le plus désirable: **FC** pour «Canada» et **FQ** pour Québec. C'est un refrain que nous connaissons! Ce jeu présente deux équilibres de Nash: **FQ** et **FC**. Une fois là, il n'est dans l'intérêt d'aucun acteur de changer unilatéralement de stratégie car le résultat serait alors **AA**, le pire règlement pour les deux. Pourtant, si chacun des deux acteurs en même temps essaie d'obtenir le résultat d'équilibre de Nash qui le favorise en adoptant la stratégie qui maximise ses gains maximums (MAXIMAX), le résultat est la collision **AA**. Autrement dit, pour aboutir à l'un des équilibres de Nash et éviter la collision, l'un des deux acteurs doit céder.

Par contre, si on considère la possibilité de choix séquentiels et la règle IV (les acteurs décident l'un après l'autre de leur stratégie jusqu'à ce que l'un des deux refuse de changer de stratégie ou qu'on revienne au point de départ), c'est le compromis C qui est un équilibre non-myope. En effet, si, comme Brams le suggère, on commence à C, «Canada» peut anticiper les mouvements suivants s'il est le premier à bouger: 1-

«Canada» change de stratégie pour NCO: le résultat est **FC**; 2- «Québec», comptant que «Canada» ne pourra tolérer de rester à **AA**, son pire choix, change de stratégie à son tour pour NCO: le résultat est **AA**; 3- «Canada», ne voulant pas rester avec son pire règlement change à nouveau pour CO: le résultat est **FQ**; 4- «Québec» décide de rester à **FQ** puisque que c'est son meilleur règlement. Anticipant tous ces mouvements, «Canada» décidera de ne pas bouger du point de départ C pour éviter un moins bon règlement pour lui: dans ce cas, **C** est dit équilibre non-myope. Le même raisonnement s'applique à «Québec», *mutatis mutandis*.

On pourrait soutenir que le point de départ réel n'est pas C mais bien **FC**, puisque c'est la situation créée par l'accord de 1981 et l'Acte constitutionnel de 1982. C'est ce que nous appellerons le **scénario de la réalité juridique**. L'analyse montre que, avec **FC** comme point de départ, **C** est un équilibre non-myope si «Canada» est le premier à bouger, mais que l'équilibre non-myope passe à **FQ** si «Québec» bouge le premier. En effet, si, d'une part, «Canada» ne change pas de stratégie au premier tour, on se retrouve au mouvement numéro 2 du paragraphe précédent avec **FQ** comme résultat final. «Canada» aura donc intérêt à changer de stratégie au premier mouvement, donnant à «Québec» le choix de rester à C pour éviter **FC**. D'autre part, si c'est «Québec» qui bouge le premier, il aura avantage à changer de stratégie pour NCO, forçant ainsi «Canada» à bouger de **AA** à **FQ** où «Québec» restera.

Il y a un autre scénario plausible, le **scénario de la réalité politique**. On pourrait, en effet, soutenir, à l'instar de plusieurs membres des élites politique, intellectuelle et économique québécoises, que la situation dans laquelle nous nous trouvons est **AA**, à cause de l'illégitimité de l'acte constitutionnel de 1982 et surtout de l'impasse de la négociation sur l'accord du lac Meech. En effet, en appliquant notre jeu de base à cette négociation, on peut conclure que le résultat fut **AA**. Une fois à **AA**, les deux joueurs sont incités à changer de stratégie pour éviter le pire, mais, sachant que c'est le dernier à bouger qui l'emporte (si «Québec» bouge, le résultat est **FC**; si «Canada» bouge, le résultat est **FQ**), les deux joueurs sont en même temps incités à attendre que l'autre fasse le premier mouvement, avec, comme conséquence classique, le risque de la collision. On verra, plus loin, que le recours à la menace peut être une façon d'éviter la collision et d'assurer son premier choix.

Le compromis peut aussi être un résultat d'équilibre dans le jeu de la poule mouillée quand on adopte le point de vue de la théorie des méta-jeux, développée par Howard. La théorie des méta-jeux diffère de l'analyse qui précède sur les équilibres non-myopes en ce qu'elle est basée sur l'anticipation des stratégies et méta-stratégies (i.e. les stratégies de réponse aux stratégies de l'autre) de l'autre acteur plutôt que de ses mouvements ponctuels. Dans notre contexte, l'un des deux joueurs a quatre méta-stratégies (1- toujours CO, quelle que soit la stratégie de l'autre; 2- toujours NCO, quelle que soit la stratégie de l'autre; 3- CO si l'autre choisit CO et NCO si l'autre choisit NCO (symétrie); 4- CO si l'autre choisit NCO et NCO dans le cas contraire (asymétrie)). Le deuxième joueur a seize méta-stratégies, basées sur les méta-stratégies du premier. L'analyse méta-stratégique montre que le compromis C est stable si les deux joueurs adoptent une méta-stratégie de symétrie: je vais coopérer si vous coopérez, je ne vais pas coopérer si vous ne coopérez pas. Howard arrive à trois conclusions que nous adaptons au présent contexte: 1- pour que le compromis C soit stable, les deux joueurs doivent être prêts à risquer l'impasse AA; 2- si un seul des joueurs est prêt à risquer l'impasse, il gagne (i.e. si seul «Canada» est prêt à risquer AA, FC est le résultat stable, si «Québec» est seul à vouloir risquer l'impasse, le résultat stable est FQ); 3- si aucun des joueurs n'est prêt à risquer l'impasse, aucun résultat stable n'est possible.

Le compromis comme résultat de la menace

L'analyse basée sur la solution naturelle et les équilibres de Nash se rapporte à des jeux à choix unique de stratégie, alors que l'analyse basée sur les équilibres non-myopes concerne les jeux simples à séquences de mouvements. Un autre type de situation est celui des jeux multiples. Cette situation est sans doute plus représentative du débat constitutionnel au Canada. On peut, en effet, considérer que plusieurs jeux ont déjà eu lieu: le jeu de la charte de Victoria en 1971 (résultat: AA), celui du rapatriement en 1981 (résultat: FC), le jeu du lac Meech première version en 1987 (résultat: C) et le jeu du lac Meech deuxième version en 1990 (résultat: AA). Dans chacun de ces jeux, les stratégies des acteurs étaient susceptibles d'être liées au jeu précédent et aux jeux qui devaient suivre. L'élargissement du postulat du jeu unique à celui de plusieurs jeux séquentiels permet de tenir compte de la menace qui devient crédible parce qu'elle peut être mise à exécution à un jeu subséquent.

Par exemple, dans le jeu lac-Meech-2, le premier ministre du Québec a menacé que si l'accord n'était pas ratifié tel quel, les demandes du Québec seraient plus élevées dans la prochaine ronde (i.e. Québec n'irait pas en deça de l'accord de 1987). Si on reprend le jeu de base décrit à la figure 1 comme la représentation du jeu lac-Meech-2, le message de Bourassa était: toute dérogation à la baisse de l'accord de 1987 (le compromis C) est considéré comme l'équivalent de FC (les cinq conditions du Québec étaient considérées par lui comme le minimum). La menace était: si vous quittez votre stratégie CO (i.e. si vous cherchez à obtenir FC), je quitte CO et je reste à NCO. «Canada» a quitté CO (rejet du compromis de 1987), «Québec» aussi, avec **AA** comme résultat. Les rapports Allaire et Bélanger-Campeau (ou l'appui donné par Bourassa à ces rapports) peuvent être interprétés comme une première étape dans la mise à exécution de la menace, puisqu'ils suggèrent deux résultats possibles: la décentralisation **FQ** ou la souveraineté **AA**, qui correspondent à une stratégie NCO de la part de «Québec».

Brams distingue deux types de menace crédible. Le premier correspond à une menace qui n'implique aucune action punitive de la part de celui qui la profère. Ce type de menace correspond au concept de «compellent threat» (menace contraignante) suggéré par Schelling. Le joueur qui utilise ce type de menace choisit une stratégie et «menace» de n'en pas changer, quoi que fasse l'autre joueur. Le deuxième type de menace implique une action punitive de la part de l'acteur qui y a recours si le joueur menacé lui tient tête. Typiquement, le joueur utilisant une menace de type 2, «menace» de changer de stratégie et d'y rester si l'autre joueur ne se conforme pas à son choix. La menace proférée par «Québec» suivant l'analyse du paragraphe précédent est une menace de deuxième type. Elle correspond au concept de «deterrent threat» (menace dissuasive) suggéré par Schelling.

Les jeux dans lesquels «Québec» dispose d'une capacité de menace crédible pour forcer le compromis

Il y a quinze jeux conflictuels dans lesquels «Québec» dispose d'une capacité de menace crédible pour forcer le compromis **C**. Ils sont illustrés à la figure 5. Dans dix de ces jeux, il s'agit d'une menace de deuxième type (menace dissuasive): si vous ne coopérez pas, je ne coopérerai pas. Autrement dit, «Québec» peut forcer le compromis **C** et ainsi éviter la solution naturelle de ces jeux en adoptant la stratégie CO et en menaçant de changer pour NCO si «Canada» fait faux bond. On peut interpréter ainsi le comportement du gouvernement libéral du Québec au printemps de 1991. Les rapports Allaire et Bélanger-Campeau rendent le recours à NCO crédible en suggérant que ce n'est pas un bluff. Par contre, les messages d'ouverture de Bourassa (interprétation large du quasi-consensus de Bélanger-Campeau et contacts soutenus, bien que non-officiels, avec ses homologues provinciaux et fédéral) manifestent qu'il est à CO.

Figure 5

**Jeux conflictuels dans lesquels «Québec» peut forcer
le compromis «C» par le recours à la menace**

(22)	2.2	M2
	C 3,4	FQ 1,1
2.1	FC** 4,3	AA 2,2
	20/6	

(27)	5.1	M2
	C 3,4	FQ 1,3
2.1	FC 4,1	AA** 2,2
	48/4	

(44)	4.1	M2
	C 3,4	FQ 2,2
3.0	FC** 4,3	AA 1,1
	49/5	

(74)	4.1	M1
	C** 3,4	FQ 4,2
4.3	FC 2,3	AA 1,1
	13/1	

(24)	4.1	M2
	C 3,4	FQ 1,2
2.1	FC** 4,3	AA 2,1
	19/6	

(28)	5.2	M2
	C** 3,3	FQ 1,4
2.1	FC 4,1	AA** ** 2,2
	12/4 Dilemme du prisonnier	

(45)	4.2	M2
	C 3,4	FQ 2,3
3.0	FC** 4,2	AA 1,1
	55/6	

(75)	4.2	M1
	C** 3,4	FQ 4,3
4.3	FC 2,2	AA 1,1
	20/1	

(25)	4.2	M2
	C 3,4	FQ 1,3
2.1	FC** 4,2	AA 2,1
	21/6	

(36)	4.3	M1
	C* 4,3	FQ 1,4
2.2	FC* 3,2	AA 2,1
	72/2	

(47)	5.1	M2
	C* 3,4	FQ* 2,3
3.0	FC 4,1	AA 1,2
	72/7	

(77)	5.1	M1
	C** 3,4	FQ 4,3
4.3	FC 2,1	AA 1,2
	8/5	

(26)	4.2	M2
	C 3,3	FQ 1,4
2.1	FC** ** 4,2	AA 2,1
	39/6	

(42)	2.2	M2
	C 3,4	FQ 2,1
3.0	FC** 4,3	AA 1,2
	49/6	

(72)	2.2	M1
	C** 3,4	FQ 4,1
4.3	FC 2,3	AA 1,2
	15/1	

Légende: ˆ Indique la solution naturelle.
  * Indique un équilibre de Nash.
  ** Indique un équilibre non-myope.
  M1 Indique que Québec peut utiliser une menace contraignante (Brams, 1990) pour obtenir le compromis 'C'.
  M2 Indique que Québec peut utiliser une menace dissuasive (Brams, 1990) pour obtenir le compromis 'C'.
  Les chiffres entre parenthèses [v.g. (22)] renvoient aux numéros séquentiels attribués aux configurations retenues dans cette analyse.
  Les chiffres apparaissant sous la matrice [v.g. 20/6] renvoient à la typologie de Rapoport et Guyer (1966), le premier chiffre indiquant le numéro du jeu, le deuxième, la permutation dont il s'agit selon l'ordre suivant:
      1: Jeu de base selon la typologie de Rapoport et Guyer
      2: Permutation des rangées
      3: Permutation des colonnes
      4: Permutation des rangées et des colonnes
      5: Permutation des joueurs
      6: Permutation des joueurs puis des rangées
      7: Permutation des joueurs puis des colonnes
      8: Permutation des joueurs puis des rangées et des colonnes.
  Les chiffres à décimales (v.g. "2.1") renvoient à échelles de préférences des acteurs.
  "Québec" est le joueur-colonne, "Canada" le joueur-rangée.

Il y a aussi cinq jeux où «Québec» a une capacité de menace crédible de premier type (menace contraignante): les jeux #36 et #72 à #77. Autrement dit, «Québec» peut forcer le compromis en adoptant la stratégie CO et en menaçant de n'en pas changer, quoique fasse «Canada». Dans le jeu #36, on devrait parler d'une assurance de ne pas chercher à obtenir **FQ** (son premier choix) plutôt que d'une menace de la part de «Québec». Dans ce cas, «Canada» choisira CO pour obtenir son premier choix, faisant passer la solution du jeu de **FC**, la solution naturelle, à **C**. On verra plus loin que, dans ce jeu, «Canada» a aussi une possibilité de menace crédible qui mène au compromis. Dans les quatre autres cas de menace de premier type, la menace est peu utile car «Canada» devrait rationnellement choisir CO de toute façon puisque c'est sa stratégie dominante.

Le compromis atteint par le recours à la menace de la part de «Québec» est un équilibre de Nash dans sept cas et un équilibre non-myope dans le jeu #28 (dilemme du prisonnier) qui incidemment en compte un autre: **AA**.

Jeux dans lesquels «Canada» dispose d'une capacité de menace crédible pour forcer le compromis

Il y a aussi quinze jeux dans lesquels «Canada» dispose d'une capacité de menace crédible pour forcer le compromis. Ils sont illustrés à la figure 6. Dans sept de ces jeux, «Canada» dispose d'une capacité de menace de premier type (menace contraignante), et, dans huit de ces jeux, d'une capacité de menace de deuxième type (menace dissuasive). Le recours à la menace est efficace dans neuf des quinze jeux où il fait passer la solution de **FQ** à **C** (six jeux), de **AA** à **C** (deux jeux) ou de **FC** à **C** (un jeu).

Il faut noter ici que la menace dont il est question ne concerne pas les efforts de persuasion que le «Reste du Canada» peut faire en direction des Québécois pour montrer les risques de la souveraineté. De tels efforts devraient plutôt être considérés comme visant à modifier l'échelle de préférence de «Québec», donc à changer la configuration stratégique pertinente. La menace dont il est question concerne exclusivement les stratégies à adopter dans de futurs jeux ou dans les futures manches du même jeu.

Le recours à la menace dans deux configurations stratégiques particulières

Tel qu'il se présente à l'observateur en cette fin de l'année 1991, le débat constitutionnel au Canada semble prendre la forme du fameux dilemme du prisonnier (illustré à la figure 3). La position la plus répandue au Québec, celle que défendent les rapports Allaire et Bélanger-Campeau, correspond à l'échelle [5.2]: **FQ > C > AA > FC**. Le statu quo est considéré comme inacceptable. Du côté du «Reste du Canada», la position qui semble le plus correspondre à ce qui est rapporté dans les médias est l'équivalent de l'échelle [2.1]: **FC > C > AA > FQ**. (Il n'est pas question de décentraliser le Canada pour satisfaire le Québec). Comme on l'a vu, le résultat naturel de cette situation est l'impasse. Par contre, si «Canada» ou «Québec» ont recours à une menace dissuasive, c'est-à-dire s'ils adoptent une attitude conciliante et menacent de changer d'attitude si l'autre quitte C, alors le résultat peut être un compromis. Mais pour que cette menace soit effective, il faut que celui qui y recourt, d'une part, renonce à son premier choix (**FQ** pour «Québec», **FC** pour «Canada») et, d'autre part, convainque l'autre de la réalité et de la crédibilité de sa menace. Que les deux acteurs aient recours à la menace simultanément, ne change pas le résultat. L'analyse méta-stratégique arrive à la même conclusion: si les deux joueurs adoptent une attitude conciliante à condition que l'autre fasse de même, ils peuvent s'assurer d'un compromis stable. Autrement dit, dans la situation explicite actuelle, le recours à la menace de la part des deux acteurs est susceptible de conduire au compromis à deux conditions: 1- que chacun montre qu'il est prêt au compromis, et 2- que chacun montre qu'il est prêt à vivre avec l'impasse. Cela correspond-il avec ce qui nous pouvons observer? Du côté du Québec, la position défendue lors de la négociation de l'accord du lac Meech d'abord, puis le revirement qu'a connu le PLQ avec le rapport Allaire ensuite, peuvent être interprétés comme correspondant à ces conditions. En ce sens, peut-être les stratèges du gouvernement du

Québec perçoivent-ils qu'ils sont engagés dans une situation du type du dilemme du prisonnier et cherchent-ils à convaincre qu'ils sont prêts à vivre avec la souveraineté du Québec, maintenant qu'ils ont montré leur ouverture au compromis.

On peut interpréter de la même façon la stratégie du fédéral. D'une part, les efforts du ministre des Affaires inter-gouvernementales pour trouver une solution qui soit acceptable au Québec sont une indication qu'il est ouvert au compromis. D'autre part, les menaces à peine voilée à l'intégrité territoriale d'un Québec souverain par le biais du support évident donné aux revendications autochtones, suggèrent que, faute d'une attitude conciliante de la part de Québec, on est prêt à adopter une ligne dure.

La situation apparente semble donc correspondre au dilemme du prisonnier et la façon dont les négociations sont engagées suggère que le résultat peut être un compromis stable. Mais qu'en est-il si le discours explicite cache des préférences différentes? En effet, une autre configuration qui est susceptible d'être plus près de la réalité qu'on ne le croit est la situation où «Québec» est fédéraliste décentralisateur «à la Ryan» ([4.3] dans les échelles de préférence) et où «Canada», à l'instar d'une bonne partie des intellectuels et des politiciens canadiens-anglais, est fédéraliste centralisateur ([3.0] dans les échelles de préférence). Cette configuration correspond au jeu de la poule mouillée dont nous avons déjà traité (on en trouve une illustration à la figure 4). La solution naturelle de ce jeu est le compromis C, mais, comme le montre le tableau 2, cette solution est vulnérable à la menace de la part des deux joueurs. En effet, «Québec» peut forcer **FQ** et «Canada» peut forcer **FC** par le recours à la menace contraignante: j'adopte la stratégie de non-conciliation NCO et je n'en démordrai pas. Une telle attitude ressemble à celle de Clyde Wells et de Robert Bourassa lors des négociations de juin 1990. Ceci est peut-être une indication que les Robert Bourassa du Québec et les Clyde Wells du Reste du Canada partagent la même vision des choses et perçoivent la situation comme un jeu de la poule mouillée. Chacun considère l'impasse comme le pire résultat mais s'oppose à l'autre en ce qui a trait à la meilleure solution, les premiers voulant forcer une solution favorisant le Québec (échelle [4.3]), les seconds cherchant une solution favorisant le Reste du Canada (échelle [3.0]). Dans cette entreprise, l'utilisation, souvent voilée, de la menace contraignante peut améliorer les chances du menaceur d'obtenir son premier choix. Mais lorsque les deux acteurs ont recours à la menace, le résultat est **AA**. Ainsi, pour éviter d'être taxés de «poule mouillée», ils mènent la négociation tout droit à l'impasse.

Cette stratégie est rationnelle si les acteurs considèrent que la négociation dans laquelle ils sont engagés sera suivie par une autre négociation. «Canada» peut, par exemple, penser que «Québec» aura d'autres demandes à formuler dans l'avenir et que, par conséquent, la façon dont il joue le jeu actuel peut influencer le résultat du prochain. Brams soulignait justement que «l'acceptation, de la part d'un joueur, de prolonger l'impasse, de refuser tout simplement de négocier ou d'avoir recours à la force — tout cela à un coût considérable — peut souvent s'expliquer par le fait qu'il prévoit avoir à faire face à la même situation de façon répétée dans le futur. Dans ce contexte, établir le précédent d'une fermeté implacable peut, malgré des coûts très élevés sur le coup si la fermeté est défiée, produire des dividendes plus tard en dissuadant l'autre de futures actions fâcheuses». À cet égard, Zagare a montré que, dans le jeu de la poule mouillée, les joueurs peuvent avoir des possibilités de mouvement très différentes selon certaines caractéristiques de l'environnement. Par exemple, le crise des missiles de Cuba a été décrite comme un jeu de la poule mouillée. L'idéal pour les Soviétiques était de gagner, leur deuxième choix de trouver un compromis et le pire résultat était un échec des deux joueurs. Les Américains avaient les mêmes préférences. Zagare présente une autre situation de ce type: la crise des Malouines. Pour les Britanniques comme pour les Argentins, l'idéal était de l'emporter (i.e. que l'autre abandonne les hostilités), le deuxième choix était le compromis et le pire résultat était un conflit (à cause des coûts). Ces deux versions du jeu de la poule mouillée sont différentes parce que dans le cas de la crise des missiles, le résultat de la collision était vraisemblablement une guerre nucléaire. Une fois là, il était probable que le jeu s'arrêterait, les deux belligérants ayant été détruits. Par contre, dans la crise des Malouines, la collision n'impliquait pas la destruction des deux belligérants: on pouvait envisager de s'engager dans les hostilités pour s'en dégager prématurément.

Postulant une configuration comme celle de la poule mouillée, la négociation constitutionnelle au Canada a été du type «Malouines» jusqu'aux rapports Allaire et Bélanger-Campeau. Même quand le résultat était l'impasse AA, comme dans le jeu lac-Meech-2, la partie continuait. Avec le référendum sur la souveraineté prévu par le rapport Bélanger-Campeau, la collision peut signifier la fin du jeu: une fois là, et si la souveraineté l'emporte, il sera plus difficile, sinon impossible, de retourner en arrière. Autrement dit, dans la perspective d'un jeu de la poule mouillée, la négociation actuelle a des caractéristiques nouvelles que n'avaient pas les précédentes. Il n'est plus rationnel d'adopter une ligne dure en prévision de futures rondes de négociations. Le recours à la menace peut être utile au compromis, mais il peut aussi conduire au résultat que les deux acteurs veulent éviter.

CONCLUSION

L'analyse qui précède a mis en lumière les points suivants:

1- Même si on réduit le jeu à deux acteurs, la situation est loin d'être claire. Les préférences possibles des acteurs en présence sont multiples et, comme les caractéristiques des configurations stratégiques dépendent de ces préférences, les possibilités sont très nombreuses. On a dénombré 80 cas de figure.

2- Sur l'ensemble des configurations possibles, le compromis n'apparaît comme résultat naturel que dans un nombre limité de cas.

3- Le compromis apparaît le plus souvent comme résultat stable là où le Canada est fédéraliste décentralisateur (échelle [4.3]).

4- Le résultat de la négociation est différent du *statu quo* quand Québec est nationaliste. Par contre, il n'y a pas de compromis possible en solution naturelle si Québec est nationaliste, sauf si le Canada est en même temps décentralisateur.

5- Le recours à la menace peut-être efficace dans certains cas pour conduire au compromis, mais il peut aussi conduire à l'impasse.

L'étude a de plus montré que, dans le contexte d'un jeu de la poule mouillée, la stratégie actuelle du Québec de convaincre que la constitution canadienne telle qu'amendée en 1982 est illégitime et que nous sommes présentement dans une impasse politique (en termes du jeu de la poule mouillée, que nous sommes à AA) peut diminuer les chances d'arriver à un compromis. L'utilisation de la menace par les deux acteurs dans un tel contexte mène droit à l'impasse. Dans le contexte d'un jeu du dilemme du prisonnier, l'analyse montre que le compromis n'est possible que si les joueurs renoncent à leur premier choix (i.e. montrent qu'ils sont prêts au compromis) et convainquent qu'ils sont prêts aussi à accepter l'impasse et ses conséquences.

À partir de ces conclusions, quelques suggestions peuvent être faites pour améliorer les chances d'un compromis. La première est qu'il faut augmenter la transparence pour que les implications d'une stratégie soient bien comprises avant qu'on ne l'adopte. La condition essentielle à cette compréhension est la connaissance des préférences de l'autre. Dans le contexte actuel, l'incertitude est plus grande que jamais. D'une part, on se demande qui parle au nom du «Reste du Canada». La faiblesse du gouvernement fédéral conservateur dans les sondages, liée à la faible crédibilité dont jouissent les leaders des deux autres partis fédéraux, crée un vide dans le leadership politique. Que d'aucuns aient baptisé Joe Clark «premier ministre du "Reste du Canada"» après sa nomination comme ministre responsable des relations fédérales-provinciales au printemps de 1991, est révélateur à cet égard. D'autre part, la règle de décision elle-même est remise en cause. Que le gouvernement fédéral sente le besoin de mettre sur pied une commission spéciale pour étudier la formule d'amendement, et ainsi trouver une alternative à la formule de l'Acte de 1982 que certains estiment être la cause de l'échec du lac-Meech en juin 1990, révèle toute l'incertitude qui entoure la règle de décision: aura-t-on recours au référendum, ou à l'assemblée constituante, ou aux deux? Faut-il plutôt y aller à la pièce et utiliser la formule du 7/50 quand cela est possible, pour faire avancer les choses? Après la publication du rapport Allaire et le quasi-consensus de la commission Bélanger-Campeau, la grande inconnue est l'échelle des préférences du «Reste du Canada». La question est maintenant: «What does Canada want?» C'est à répondre à cette question que devraient être consacrés les travaux d'une assemblée constituante dans le «Reste du Canada».

La deuxième suggestion qu'on peut tirer de cette analyse est que, si on veut arriver à un compromis, le Québec et le «Reste du Canada» doivent prouver qu'ils sont prêts au compromis, tout en montrant qu'ils sont disposés à sévir aussi, si besoin est, i.e. qu'ils sont prêts à risquer la séparation du Québec. En 1986-87, Québec a montré qu'il était prêt au compromis. Le «Reste du Canada» a montré, en juin 1990, qu'il était prêt à sévir. Québec doit maintenant montrer qu'il est prêt à risquer l'indépendance et le «Reste du Canada» doit faire la preuve qu'il est réellement ouvert au compromis. À ces conditions, un compromis stable est possible.

NOTES

1. P. Resnick, *The Masks of Proteus: Canadian Reflections on the State*, Montréal, McGill-Queen's University Press, 1990.
2. L.M. Imbeau et G. Laforest, «Québec Distinct Society and the Sense of Nationhood in Canada», *Québec Studies*, Vol. 13, Fall-Winter 1991-92.
3. J. von Neumann et O. Mergenstern, *Theory of Games and Economic Behavior*, Princeton N.J., Princeton University Press, 1953.
4. L.M. Imbeau, «Voting Games and Constitutional Decision: The 1981 Constitutional Negotiation in Canada», *The Journal of Commonwealth and Comparative Politics*, n° 28, 1990, p. 90-105.
5. A. Rapoport et M. Guyer, «A Taxonomy of 2x2 Games», *General Systems*, Vol. IX, 1966, p. 203-214.

6. Les jeux 2x2 incluant les indifférences possibles ont été répertoriés et analysés dans N. M. Fraser et D. M. Kilgour, «Non-Strict Ordinal 2x2 Games: A Comprehensive Computer-Assisted Analysis of the 726 Possibilities», *Theory and Decision*, Vol. 20, 1986, p. 99-121, et dans D. M. Kilgour et N. M. Fraser, «A Taxonomy of All Ordinal 2x2 Games», *Theory and Decision*, Vol. 24, 1988, p. 99-117. Pour un exposé succinct sur le caractère incertain des préférences des acteurs dans un contexte semblable, voir V. Lemieux, «Québec contre Ottawa: axiomes et jeux de la communication», *Études internationales*, n° 9, 1978, p. 323-336.

7. La notation habituelle est utilisée ici. Ainsi, postulant que 4>3>2>1, on donnera au premier choix la valeur 4, au second choix, la valeur 3... et ainsi de suite.

8. Rapoport et Guyer ont montré qu'il y avait 78 configurations non-équivalentes et que, en termes de la théorie des jeux, les 498 autres configurations ont les mêmes caractéristiques de base de l'une ou l'autre des 78 configurations non-équivalentes. C'est en partie à partir de ces configurations non-équivalentes que l'analyse sera menée. Voir A. Rapoport et M. Guyer, *op. cit.*

9. La solution naturelle est définie par les postulats suivants: 1. si les deux joueurs ont une stratégie dominante (i.e. une stratégie qui donne un meilleur résultat quelle que soit la stratégie de l'autre), ils la choisissent tous les deux; 2. si un seul joueur a une stratégie dominante, il la choisit, et l'autre choisit la stratégie qui maximise son règlement en considérant que le premier joueur choisira sa stratégie dominante; 3. si un jeu a un seul optimum de Pareto (un résultat est un optimum de Pareto si aucun autre résultat n'est meilleur pour un des joueurs et au moins aussi bon pour l'autre), les joueurs choisissent la stratégie qui y mène; 4. si aucun joueur n'a de stratégie dominante et si le jeu n'a aucun optimum de Pareto ou s'il en compte plus d'un, chaque joueur choisit la stratégie qui maximise son gain minimum (MAXIMIN), i.e. qui lui évite son dernier choix. Voir A. Rapoport et M. Guyer, *op. cit.*, p. 205 et A. Rapoport, M. Guyer et D.G. Gordon, *The 2x2 Game*, Ann Arbor, Mich., The University of Michigan Press, 1976, p. 17-18.

10. Un équilibre de Nash est un résultat dont aucun joueur n'est incité à s'éloigner unilatéralement parce que, en s'éloignant, il obtiendrait un règlement inférieur. Voir S.J. Brams, *Negotiation Games*, New York, Routledge, 1990, p. 269.

11. Un équilibre non-myope est un résultat dont aucun des joueurs, anticipant tous les mouvements rationnels possibles à partir d'un résultat donné, n'est incité à s'éloigner parce que ce faisant il aboutirait éventuellement à un règlement inférieur ou égal à celui que lui procure le résultat d'équilibre. Voir S.J. Brams, *op. cit.*, p. 269.

12. A. Rapoport et M. Guyer, *op. cit.*, p. 207.

13. Les numéros de configuration renvoient aux numéros séquentiels attribués à chaque configuration du tableau 2 sous l'étiquette «OBS».

14. S.J. Brams, *op. cit.*

15. F.C. Zagare, «Limited-Move Equilibria in 2x2 Games», *Theory and Decision*, Vol. 16, p. 1-5.
16. Voir, à ce sujet, G. Laforest, «La Révolution glorieuse, John Locke et l'impasse constitutionnelle au Canada», *Les cahiers de droit*, N° 31, 1990, p. 621-640.
17. N. Howard, *Paradoxes of Rationality: Theory of Metagames and Political Behavior*, Cambridge, Mass. MIT Press, 1971.
18. Howard a montré que le résultat est le même quel que soit le joueur qu'on considère en premier. Pour un exposé succinct mais complet, voir S.J. Brams, *Game Theory and Politics*, New York, The Free Press, 1975, p. 30-37.
19. *Ibid*, p. 43.
20. Que les stratégies des acteurs aient été liées ou pas d'un jeu à l'autre est une question empirique qui n'a encore reçu aucun traitement systématique à ma connaissance.
21. Pour Brams, une menace est *réelle* si, et seulement si, elle détériore le règlement du joueur menacé quand elle est mise à exécution; elle est *rationnelle* pour le joueur qui l'utilise, si, et seulement si, lorsqu'elle réussit, elle améliore son règlement par rapport à ce qu'il aurait été si le joueur menacé ne s'était pas soumis à la menace; elle est *crédible* quand elle est réelle et rationnelle. S.J. Brams, *Negociation Games*, p.144.
22. S.J. Brams, *Negociation Games*, p. 139.
23. F.C. Zagare, «Limited-Move Equilibria in 2x2 Games», *Theory and Decision*, n° 16, 1984, p.4.
24. S.J. Brams, *Game and Theory and Politics*, p. 39.
25. Pour une étude de l'importance des règles de décision dans le contexte de la négociation constitutionnelle de 1981, voir L.M. Imbeau, «Contraintes de procédures et préférences conflictuelles dans la prise de décision collective: une étude de la décision constitutionnelle de novembre 1981 au Canada», Den Dolder, Pays-Bas, conférence annuelle de la *International Association for Conflict Management*, 17-20 juin 1991.

Table

COMPOSÉ EN TIMES CORPS 11
SELON UNE MAQUETTE RÉALISÉE PAR JOSÉE LALANCETTE
ACHEVÉ D'IMPRIMER EN OCTOBRE 1991
AUX ATELIERS GRAPHIQUES MARC VEILLEUX
POUR LE COMPTE DE DENIS VAUGEOIS
ÉDITEUR À L'ENSEIGNE DU SEPTENTRION